ESSENTIALS of
RUSSIAN

ESSENTIALS of
RUSSIAN

READING ∽ CONVERSATION ∽ GRAMMAR

THIRD EDITION

A. v. GRONICKA
Columbia University

H. BATES-YAKOBSON
George Washington University

PRENTICE-HALL, INC., Englewood Cliffs, N. J.

LIBRARY OF CONGRESS
CATALOG CARD NO.: 58-9831

First printing............June , 1958
Second printing ....October , 1959
Third printing......... March , 1959
Fourth printing....... January , 1960
Fifth printing....... September , 1961
Sixth printing........... June , 1962

PRINTED IN THE UNITED STATES OF AMERICA

28792–C

PREFACE TO THIRD EDITION

The third edition of *Essentials of Russian* has developed from intensive use of the earlier editions for a whole decade by colleges and universities throughout the United States and abroad, as well as by the United States Armed Forces and by private study groups. The basic organization and approach of this book have proved their effectiveness and have been retained. Revisions have been limited to the clarification of certain rules of grammar; a considerable shortening of the *Common Expressions and Idioms* units, especially those in the more advanced lessons; and the rewriting of four of the less successful reading selections.

The new reading units offer a survey of Russia's geography, a biography of Anton Chekhov, an introduction to the development of the Russian language, and a brief essay on the Russian Academy of Sciences. These units, it is felt, are more timely and functional, as well as better attuned to an "essentials" level, than were the units they replace.

Further innovations in this edition are the expansion of the introductory lessons on pronunciation; amplification of the Aspect lesson, to provide a more gradual presentation of the basic features of this central phase of the Russian verb system and to introduce advanced materials that have proved essential for a well rounded presentation of the conjugation of the Russian verb; addition of numerous *Review Reading* and *Vocabulary Building* units; addition of a second section to the *Translation into Russian* units, to afford a more comprehensive review of vocabulary and a more intensive drill on grammatical features; inclusion of a completely new *Appendix*, which offers a selection of Russian poems, songs, proverbs, and riddles; incorporation of numerous new key tables in the original *Grammar Appendix;* and thorough revision and expansion of the *Index* and the *Russian-English* and *English-Russian Vocabularies* at the end of the book.

The revisions, and especially the additions and expansions, should hold the old and gain new friends for *Essentials of Russian.*

The authors wish to take this occasion to thank their many colleagues for constructive contributions to the preparation of this new edition. They are especially grateful to Professors Rufus W. Mathewson, Jr. of Columbia University and Edmund Zawacki, of the University of Wisconsin and his fine staff for numerous suggestions which have helped greatly to make *Essentials of Russian* a better book.

Finally, the authors wish to take this opportunity to express their thanks to Hilde von Gronicka for her capable and patient assistance in guiding three editions of the *Essentials of Russian* through the press.

A. v. G.
H. B. Y.

PREFACE TO FIRST EDITION

This text is designed for classroom and individual instruction but can also be used for self-teaching. It has grown out of the authors' experience gained in the Army Intensive Language Courses and in subsequent experimental classes at colleges and universities. Emphasis is placed throughout on conversation and reading. At the same time a concise and systematic analysis of the *Essentials* of *Russian Grammar* has been provided, in order to solidify and to lend permanence to the results achieved by the direct approach.

The text is divided into thirty lessons preceded by two introductory units which set forth the Russian printed and cursive letters and give their approximate phonetic values. Each lesson is subdivided into seven closely interrelated parts:

> I: Common Expressions and Idioms
> II: Reading Exercise
> III: Vocabulary
> IV: Grammar
> V: Questions
> VI: Grammar Exercise
> VII: Translation into Russian

The *Reading Exercises* (II) are the core around which each lesson is organized. They contain all the *new* grammar and vocabulary introduced in each lesson. A basic principle of the text is to introduce the student to all new material *first* in the context of the Reading Exercise and only then have him turn to the explanation and systematic treatment of the material given in the Grammar section and the Vocabulary. Common Expressions, idioms, and grammatical features introduced in the Reading Exercise for the first time are given in bold type beginning with Lesson 2.

The Reading Exercises are carefully graded and lead the student from the simple dialogue of the first lesson to selections from the works of N. Nekrassov, L. Tolstoï, A. Pushkin, M. Gorkiï, and N. Simonov. They present living, idiomatic Russian speech of inherent interest and functional value and develop in the student that feeling for the language which is indispensable for freedom in conversation and for reading enjoyment.

The *Questions* (V) are especially designed to develop and test the student's detailed knowledge of the *Reading Exercises*. The student should strive to answer all questions in *complete* sentences, freely referring to the Reading on which the questions are based.

The *Common Expressions and Idioms* (I) contribute that essential quality of the Russian language which cannot be caught up and studied in grammatical rules. They should be memorized and applied in short conversations developed by the student with the help of the teacher.

The *Vocabulary* (III) of the first fifteen lessons is limited to between 20 and 30 words per lesson and in the subsequent lessons to between 30 and 40. Thus the text is built up on a total vocabulary not exceeding 1200 words.[1] In spite of its rigid limitation in quantity, this basic vocabulary is representative of the literary Russian language, as well as of the everyday conversation idiom. The vocabulary of any one lesson is repeated in subsequent ones. Attention is also called to the special treatment of the *verb*. Instead of burdening the student with classifications, the authors give those verbs which do not follow *exactly* the basic pattern of the first or second conjugation (читáть or говорúть) in four "key" forms. Thus the student is at once equipped with functionally useful verb-forms and is enabled to derive other conjugational forms as the need for them arises.[2]

The *Grammar Sections* (IV) introduce in concise, tabular form essential grammatical elements. Their discussion should develop out of the analysis of the Reading Exercise. They should never be treated as an unrelated, theoretical unit.

The student's *active* command of grammar is to be further developed and tested with the help of the *Grammar Exercises* (VI). These are keyed to the grammar units and utilize the newest pedagogical devices to provide the student with the maximum of effective practice.

The *Translation Sentences* (VII) serve as a final, overall review of the entire lesson. They are constructed to include all the features of the lesson from common expressions to grammatical detail. At the same time they aim to develop the student's ability to render in Russian an organically connected compositional unit.

The *Vocabulary-Building* sections are placed at convenient intervals to help the student acquire an adequate vocabulary. They

---

[1] Verb aspects are counted as one vocabulary unit.

[2] The aspects of the Russian verb are presented in accordance with the method used by Ooshakov in his authoritative work. А. П. Ушакóв, Толкóвый Словáрь Рýсского Языкá, ОГИЗ, Москвá, 1940.

indicate to the student some convenient means of attaining this important goal. They must not be confused with so-called "word-building."

The two introductory lessons contain a brief analysis of the Russian sound system. Experience has shown that the beginner profits little and is often discouraged by a lengthy theoretical description and classification of Russian sounds. Competent guidance by an experienced teacher throughout the course, intelligent imitation of native speakers, frequent listening to recorded speech, in brief, concrete example rather than abstract analysis have proved to be the effective means of establishing good pronunciation habits. For this reason the authors have decided to encumber their text as little as possible with technical explanations of Russian sounds even at the risk of being criticized for inaccuracy and incompleteness. One basic departure from the formal method of exposition, dictated by pedagogical and functional considerations, must be pointed out. The authors have decided *not* to classify *consonants* into "hard" and "soft." The "hardness" or "softness" of a consonant is made to depend on the absence or presence of a "soft" *vowel* directly after the consonant. Inadequate as this manner of presentation certainly is from the linguist's point of view, it has proved altogether adequate to impart satisfactory pronunciation habits. Moreover, it has the great advantage of being concise and far less confusing and discouraging to the beginner. It was therefore adopted in keeping with the author's central aim: to provide student and teacher with the simplest and most concise exposition of Russian sounds. Those interested in a thoroughgoing analysis of the Russian sound system are referred to the following texts:

S. C. Boyanus, *A Manual of Russian Pronunciation*, London, 1935.

S. C. Boyanus and N. B. Jopson, *Spoken Russian*, London, 1939.

In conclusion the authors wish to express their gratitude to Professors Ernest J. Simmons and Roman Jakobson and Mr. Leon Stilman of Columbia University, as well as to Professor Francis J. Whitfield of the University of Chicago, for their encouragement and many valuable suggestions.

A. v. G.

H. B. Y.

CONTENTS

ВВЕДЕНИЕ I

INTRODUCTION I

The Russian alphabet—System of handwriting—Capitalization
Punctuation—Syllabification—Stress

The Russian alphabet as we know it now was established under Peter the Great. It is based on the Church Slavonic alphabet, the so-called "Cyrillic" (кириллица). This alphabet was introduced into Bulgaria in the tenth century and displaced the first Slavonic alphabet, the "Glagolitic," which was devised in the middle of the ninth century by the monk St. Cyril, who brought Christianity to the Slavs (first to the Slavs of Greater Moravia).

The alphabet set up under Peter the Great was somewhat simplified by the elimination of certain letters in the decree on the new orthography enacted on October 10, 1918.[1]

The Russian alphabet as currently used in the Soviet Union consists of 32 symbols.[2] Each symbol stands for one basic sound, with few and relatively minor exceptions. Thus the Russian alphabet must be considered one of the more "phonetic" alphabets.

This phonetic quality and the fact that Russian sounds have their approximate equivalents in the English language greatly simplify the task of mastering the Russian phonetic system. Moreover, changes in the sound value of any one symbol that occur under certain conditions can be summarized and explained in a relatively short set of simple rules (see Introduction II). Thus, once the student has memorized the basic sound for which each symbol stands and has acquainted himself with the few phonetic rules, he will find himself able to pronounce and spell Russian words with considerable accuracy. Of course, finesse in Russian pronunciation can be acquired only under the guidance of the trained teacher or by intelligent imitation of a native speaker. Russian language records are also a valuable help.

---

[1] This decree was based on a far more radical reform proposed by the Russian Academy in 1917.

[2] The symbol Ё is not counted.

1

I. TABLE OF RUSSIAN LETTERS

Russian Letters Printed		Written	Names of Letters	Transcription and Approximate English Sound Equivalents[1]	Examples	English Transcription	English Meaning
А	а	$\mathcal{A}\,a$	ah	*a* in father	а	(a)	and, but
Б	б	$\mathcal{Б}\,\delta$	beh	*b* in boy	ба́ба	(bába)	woman
В	в	$\mathcal{B}\,\beta$	veh	*v* in voice	Во́лга	(Vólga)	Volga
Г	г	$\mathcal{T}\,\imath$	geh	*g* in go	гром	(grom)	thunder
Д	д	$\mathcal{D}\,g\partial$	deh	*d* in day	да	(da)	yes
Е	е	$\mathcal{E}\,e$	yeh	*ye* in yet[2]	ёст	(yest)	(he) eats
Ё	ё	$\ddot{\mathcal{E}}\,\ddot{e}$	yo[3]	*yo* "yaw" in yawn[2]	ёлка	(yólka)	Christmas tree
Ж	ж	$\mathcal{Ж}\,\varkappa$	zhe	*zh* "s" in measure	жена́	(zhená)	wife
З	з	$\mathcal{З}\,g_{3}$	zeh	*z* in zero	зада́ча	(zadácha)	problem
И	и	$\mathcal{U}\,u$	ee	*i* "ee" in feel	и	(i)	and

2

Printed	Cursive	Name	Sound	Description	Example		English
И й	*Ии*	Short ee (ee krátkoe)	i	"y" in boy (only after vowels)	трамвáй	(tramvái)	streetcar
К к	*Кк*	kah	k	"c" in Scot	кáша	(kásha)	gruel
Л л	*Лл*	el	l	l in lamp	лáмпа	(lámpa)	lamp
М м	*Мм*	em	m	m in map	мáма	(máma)	mother
Н н	*Нн*	en	n	n in now	нос	(nos)	nose
О о	*Оо*	oh	o	"aw" in shawl	он	(on)	he
П п	*Пп*	peh	p	p in speak	пол	(pol)	floor
Р р	*Рр*	err	r	r, fronted, strongly trilled	рот	(rot)	mouth
С с	*Сс*	es	s	s in less	стол	(stol)	table
Т т	*Тт*	teh	t	t in stop	там	(tam)	there
У у	*Уу*	oo	oo	oo in moon	урóк	(oorók)	lesson
Ф ф	*Фф*	ef	f	f in fun	фáбрика	(fábrika)	factory

Russian Letters Printed	Written	Names of Letters	Transcription and Approximate English Sound Equivalents I	Examples	English Transcription	English Meaning
Х	$\mathcal{X}x$	kha	*kh*, "ch" in Scotch pronunciation of "*loch*"	хáта	(kháta)	hut
Ц	*Цц*	tseh	*ts* in cats	центр	(tsentr)	center
Ч	*Чr*	cheh	*ch* in chair	чай	(chái)	tea
Ш	*Шш*	shah	*sh* in she	шкóла	(shkóla)	school
Щ	*Щщ*	shchah	*shch* in rash choice	щи	(shchi)	cabbage soup
Ъ	ъ	hard sign (tvyordii znak)	indicates hardness of preceding consonant transcription —' 4	отъéзд	(ot'ézd)	departure
Ы	*ы*	"yerry"	*î* "ĭ" in till	ты, вы,	(tî), (vî),	thou, you.
Ь	*ь*	soft sign (myakhkii znak)	indicates softness of preceding consonant transcription '	мать пальтó	(matʸ) (palʸtó)	mother overcoat

4

э э	*Э э*	reversed "e" (e oborótnoe)	*e* in let	это	(éto)	this
ю	*Ю ю*	yoo	*yoo*, "yu" in yule[2]	люблю	(lyooblyoo)	I love
я	*Я я*	ya	*ya* in yard[2]	я	(ya)	I

[1] Deviations in pronunciation under certain conditions are explained in the section on "Pronunciation Rules," pp. 10-13. Throughout the text the Moscow, Central, or literary dialect serves as the norm of pronunciation.

[2] This pronunciation applies only when the symbol is used in *initial* position or when it follows a *vowel.* For an explanation of its pronunciation when it follows a *consonant* see Introduction II, p. 12.

[3] This symbol is always stressed.

[4] The new orthography of 1918 has eliminated this symbol except as a mark which separates a hard consonant from a soft vowel within a word. In that position it was sometimes replaced by an apostrophe.

Note. The system of transcription will be used only in the Introduction. It is furnished as a help to self-instruction. The experienced teacher may well disregard it and ask the student to imitate his pronunciation without attention to the transcription, which at best is only an approximation of expert or native enunciation.

5

II. THE SYSTEM OF HANDWRITING

The system of Russian script as set forth in the "Table of Russian Letters" contains a considerable number of familiar Latin symbols. This makes its mastery relatively simple. Nevertheless, there are some characteristic peculiarities which have to be carefully observed and practiced.

a. Note that, although many of the symbols are identical in form with Latin symbols, they stand for different sounds:

Russian Symbol	English Sound	Pronunciation
в	**v**	*v* in voice.
п	**p**	*p* in pet.
р	**r**	*r* in trill.
с	**s**	*s* in less.
у	**oo**	*oo* in look.
х	**kh**	*kh* in loch (Scotch).

b. It is very important to set off the letters *л, м, я* from the preceding letters by a clearly marked arch or hook, thus: *лáмпа, фамúлия, úли*

c. In rapid writing, the up and down strokes of *и, т, ш, п* are likely to run into each other. To prevent confusion, a line is often placed below the *ш* (sh) and above the *т* (t), thus: *ты пúшешь*
ты летúшь

d. Notice how the letters *л, м, я* are joined to a preceding *о*:

ол: пóле, гольф.
ом: кóмната, ромáн.
оя: моя́, рояль.

e. Notice the difference between $\mathcal{v}$ and $\mathcal{u}$: *гольф* and *чай*. The "head" of $\mathcal{v}$ is a smooth curve; that of $\mathcal{u}$ is angular, with a slight downward dip.

III. CAPITALIZATION

In Russian only the first word of a sentence, a proper name (**Ивáн, Амéрика),** and the first letter in a line of verse are capitalized.

NOT capitalized in Russian are:

a. Words derived from proper names: **Пýшкин** but **пýшкинский.**

b. Words designating nationality: **рýсский, америкáнец.**

c. Titles and modes of address: **дóктор, товáрищ.**

IV. PUNCTUATION

The period, colon, comma, semicolon, question mark, exclamation mark, dash, hyphen, parentheses, and brackets are used much as in English. Note, however, the following special uses:

a. A comma *must* separate *every* subordinate clause from the rest of the sentence.

b. The dash often replaces quotation marks, especially when dialogue is reported without introductory phrases:

— **Он дóма?** (on dóma?) "Is he at home?"

The dash can also stand in place of present tense forms of the verb "to be" (see Lesson 1).

V. SYLLABIFICATION

It is sufficient to remember that:

a. A single consonant between two vowels goes with the following vowel:

кá-ша (ká-sha) gruel   **же-нá** (zhe-ná) wife

b. Of two (or more) consonants the last one usually goes with the following vowel:

кóм-на-та (kóm-na-ta) room

c. й is never separated from the preceding vowel:

чáй-ник (chaĭ-nik) tea pot

VI. STRESS

There is no simple set of workable rules on the position of stress in Russian. Throughout the text, the position of the stress on the Russian word will always be indicated, and the student is urged to observe it carefully. A change in the position of the stress will often cause a change in the meaning of a word, thus:

ýже (óozhe) "narrower" as against ужé (oozhé) "already"
мýка (móoka) "torment, suffering" as against мукá (mooká)
"meal, flour"

VII. EXERCISES[1]

a. Read all Russian words given in the "Table of Russian Letters."

b. Read the following words:

брат	(brat)	brother	пóчта	(póchta)	mail
вор	(vor)	thief	рабóта	(rabóta)	work
дóбрый	(dóbriĭ)	kind	тут	(toot)	here
Еврóпа	(Yevrópa)	Europe	урóк	(oorók)	lesson
её	(yeyó)	hers	фунт	(foont)	pound
журнáл	(zhoornál)	journal	Христóс	(khristós)	Christ
зимá	(zimá)	winter	ценá	(tsená)	price
их	(ikh)	theirs	числó	(chisló)	number,
кóмната	(kómnata)	room			date
лáмпа	(lámpa)	lamp	шáпка	(shápka)	cap
мост	(most)	bridge	юрúст	(yooríst)	lawyer
нóвый	(nóviĭ)	new	язы́к	(yazîk)	tongue,
óрган	(órgan)	organ			language

---

[1] It is advisable that the teacher read and repeat the exercises aloud, having the students repeat by ear. Only after such aural practice should the students be asked to *read* the exercises. In self-teaching it is very important to refer constantly to the Table on pages 2-5 and never to read or practice the exercises of this or the following lessons without being certain of the proper pronunciation of every letter.

c. Read and write (do not print):

кто	(kto)	who	*кто*
он	(on)	he	*он*
он работает	(on rabótayet)	he works	*он работает*
он читает	(on chitáyet)	he reads	*он читает*
гражданка	(grazhdánka)	citizen (fem.)	*гражданка*
сейчас	(seïchás)	now	*сейчас*
дома	(dóma)	at home	*дома*
гражданин	(grazhdanín)	citizen (masc.)	*гражданин*
тоже	(tózhe)	also	*тоже*
там	(tam)	there	*там*

VIII. ADDITIONAL EXERCISES IN READING AND WRITING

In carrying out these exercises the advice given in the footnote on page 8 should be carefully observed. When copying the Russian words the written characters as given in the "Table of Russian Letters" should be studied and the suggestions on how to link letters (p. 6) should be followed.

	English Meaning

1. Practice of the sounds Д and Т

| да | дом | дул | yes, house, (he) blew |
| там | том | тут | there, volume, here |

2. Practice of the sounds З and С

| зала | сало | | | hall, fat |
| зона | сон | зима | сила | zone, dream, winter, force |

3. Practice of the sounds В and Ф

| ваза | фаза | вата | фат | vase, phase, cotton, fop |
| звук | фунт | вера | фетр | tone, pound, faith, felt |

4. Practice of the sounds Б and П

| баба | папа | боб | поп | woman, father, bean, priest |
| битва | пиво | бухта | | battle, beer, bay |

5. Practice of the sounds Г, К, and Х

горá корá гул курс хор mountain, bark, rumble, course, chorus

6. Practice of the sounds Ж, Ш, and Щ

жар   шар   жук   щýка heat, ball, beetle, pike
щи и кáша, пѝща нáша   cabbage soup and porridge are our food

7. Practice of the sounds Ч and Ц

час   чýдо   числó hour, miracle, number,
цáпля   центр   ценá   heron, center, price

8. Practice of the sounds У, Ы, Ю, *and* Я

усы́   зýбы   мýзыка   сын   moustache, teeth, music, son
ю́мор   я мóю   я даю́   уют   humor, I wash, I give, comfort/cosiness

The characteristic features of "unvoicing" and "palatalization" will be explained and practiced in the next introductory lesson.

ВВЕДЕНИЕ II

INTRODUCTION II

Principal Rules of Pronunciation—Principal Forms of Address

I. PRINCIPAL RULES OF PRONUNCIATION[1]

A. Russian vowels may be conveniently classified as soft or hard

Soft Vowels		Hard Vowels	
я	(as in *y*ard)	а	(as in f*a*ther)
е	(as in *y*et)[1]	э	(as in l*e*t)
ё	(as in *y*a*w*n)[1]	о	(as in l*a*w)
ю	(as in *y*ule)	у	(as in m*oo*n)
и	(as in *y*feel)[1]	ы	(as in t*i*ll)
й	(i kratkoye, short i); never initial; always the second element in a diphthong like the *y* in sa*y*		

A *soft* vowel has the following characteristics:

a. In initial position or after a *vowel* it has a strong initial "y" glide, very much like the *y* in yes. Я ем (*Ya yem*) "I eat."

b. When following a *consonant*, except ж, ш, and ц, it "palatalizes" that consonant. A "palatalized" or "softened" consonant "is produced by flattening the mouth resonator (i. e. by bringing the tongue up against the roof of the mouth) and is subsequently marked by a raised timbre."[2]

A *hard* vowel has no such initial "y" glide and does not palatalize a preceding consonant.

---

[1] For a fuller treatment see L. Stilman, *Russian Alphabet and Phonetics,* Columbia University Press, New York, 1949; also, S. C. Boyanus, *A Manual of Russian Pronunciation,* London, 1935.

[2] After ж (zh), ш (sh), and ц (ts), these three soft vowels, though written е, ё, и, are pronounced like their hard equivalents:

e is pronounced like э (let)   in жесть (zhest') "tin";
ё is pronounced like о (sha*w*l)   in жёлтый (zhóltiï) "yellow";
и is pronounced like ы (t*i*ll)   in жизнь (zhîzn*y*) "life."

**B. Russian consonants may be conveniently classified
as voiced or voiceless**

Voiced Consonants		Voiceless Consonants		Resonants	
б	(as in *b*oy)	п	(as in s*p*eak)	л	(as in *l*amp)
в	(as in *v*oice)	ф	(as in *f*un)	м	(as in *m*ap)
г	(as in *g*o)	к	(as in s*c*ot)	н	(as in *n*ow)
д	(as in *d*ay)	х	(Scotch: lo*ch*)	р	(as in *t*rill)
з	(as in *z*ero)	т	(as in *t*op)		
ж	(as in a*z*ure)	с	(as in le*ss*)		
		ш	(as in *sh*e)		
		ц	(as in ca*ts*)		
		ч	(as in *ch*air)		
		щ	(as in ra*sh choice*)		

C. Typical changes in the sound value of consonants

1. *Unvoicing*:

Voiced consonants before *voiceless* consonants or in *final*
position are pronounced as *voiceless, though retaining their
original spelling*:

Before Voiceless Consonants				In Final Position		
б as п:	тру́бка	(tróopka)	pipe	гроб	(grop)	coffin
в as ф:	вто́рник	(ftórnik)	Tuesday	гото́в	(gatóf)	ready
г as х:	мя́гкий	(myakhkiĭ)	soft	Бог	(bokh)	God
г as к:	....		....	юг	(yook)	south
д as т:	по́дпись	(pótpisʸ)	signature	год	(got)	year
ж as ш:	ло́жка	(lóshka)	spoon	нож	(nosh)	knife
з as с:	бли́зкий	(blískiĭ)	near	глаз	(glas)	eye

Briefly, the difference between the *voiced* and the *voiceless*
consonants is that in producing the former, the vocal chords
in the throat (larynx, glottis) are used (i. e. are made to vi-
brate), making a buzzing sound, while in producing the latter,
the chords are out of action[1].

---

[1] An effective way of determining the type of consonant involved
is to close the ears with one's fingers and pronounce the consonant.
If a local hum is heard, the consonant is voiced; if not, it is voiceless.
(Examples in English: "d" as against "t," "b" as against "p.")

2. *"Palatalization" or "Softening"*:

Consonants, when followed by a *soft* vowel or by ь (soft sign), become "palatalized" or "softened"; that is, they are produced by flattening the mouth resonator (pressing the tongue up against the roof or *palate* of the mouth) and are subsequently marked by a raised timbre.[1] This process of palatalization or softening is particularly strong with the consonants д, л, н, and т.[2] Palatalization will be indicated in our transcription system by a small, raised ʸ. This symbol must never be pronounced as a distinct, separate letter, but rather as a kind of "y" glide such as is heard, for instance, in the words "few" or "pew" directly after the "f" or "p", though it is not quite as strong in Russian. (This "y" glide is also called "jotation" by some phoneticians.)

Examples

Д as in "*d*uke," not as in "do"			Л as in "fai*l*ure," not as in "*l*amp"		
день	(dʸenʸ)	day	поле	(pólʸe)	field
дюжина	(dʸóozhina)	dozen	любить	(lʸoobítʸ)	to love
дядя	(dʸádʸa)	uncle	неделя	(nʸedʸelʸa)	week
			гольф	(golʸf)	golf
Н as in "new," not as in "nose"			Т as in "tune," not as in "top"		
нет	(nʸet)	no	тепло	(tʸepló)	warm
ничего	(nichʸevó)	nothing	тихий	(tíkhiĭ)	quiet
нюхать	(nʸookhatʸ)	smell	тюк	(tʸook)	bale
кухня	(kóokhnʸa)	kitchen	тятенька	(tʸátʸenʸka)	daddy
день	(dʸenʸ)	day	работать	(rabótatʸ)	to work

3. *Pronunciation of* Г:

Г in the Genitive endings -ого and -его is pronounced like "v" in "voice": ничего (nichʸevó) "nothing" (*Lit.*: "of nothing"). *Yet in the stem of a word, as for example in* много (mnógo) "much," *the symbol has its normal value.*

---

[1] Compare with statement on "soft" vowels given on p. 11.
[2] Only the consonants ж, ш, ц are never palatalized. Soft vowels following these consonants are hard (cf. p. 11, fn. 1).

4. *Consonant clusters* :

In consonant clusters one consonant is often dropped in
pronunciation, though not in spelling. Thus in the word
здрáвствуйте (zdrá[v]stvooĭťe) "How are you?; good day,"
the first в is not pronounced, and in счастлѝвый (schas[t]livĭĭ)
"happy, fortunate, lucky," the т is virtually inaudible. Moreover, the сч in счастлѝвый is pronounced like щ (shch). In
сóлнце (so[l]ntse) "sun," the л is not audible.

D.   Effect of the stress on vowels

Only *stressed* vowels receive their full value as indicated in
the Table (pp. 2-5).[1] Unstressed vowels tend to neutralize into
comparatively muted sounds, as do the unstressed vowels in
many English words, as for instance the "e" in "belong" or the
"a" in "arise." This distinction between the stressed and unstressed vowels is particularly striking in the case of **o**. Stressed,
it has its full value comparable to the "aw" in "law." Unstressed
o *in a syllable immediately preceding the stressed syllable*,
has the same sound as **a**. In all other positions, unstressed **o**
has a sound value comparable to the sound of "a" in "arise."
This sound will henceforth be designated by the symbol ə in
our transcription.

Example

молокó	məlakó	milk
молодóй	məladóĭ	young
зóлото	zólətə	gold

---

[1] The differentiation of all the minute nuances in the sound of
the various unstressed vowels would bring a confusing complexity
to our system of transcription. Therefore we retain the symbols of
the stressed vowels, except in the case of unstressed o. When reading
the *Exercises* of this lesson and the Russian material of the following ones, the student is urged to observe the position of the stress
and to keep the suggested pronunciation of unstressed vowels (muted) in mind. It may be noticed, for instance, that unstressed a
(e. g. in лáвка) has the same sound value as the unstressed o (e. g.
in лóвко), that is, ə, though our transcription fails to indicate this
for the reason given.

II. PRINCIPAL FORMS OF ADDRESS

In greeting or otherwise addressing a person, the Russian generally uses the person's first name along with his patronymic (his father's name), with the ending -ович or -евич if the person addressed is a man, or the ending -овна or -евна[1] if the person addressed is a woman:

Алекса́ндр Ива́нович[2]	Alexander Ivanovich (Alexander, son of Ivan)
Алексе́й Алексе́евич[2]	Alexei Alexeevich (Alexis, son of Alexis)
Алекса́ндра Ива́новна[2]	Alexandra Ivanovna (Alexandra, daughter of Ivan)
Ни́на Алексе́евна[2]	Nina Alexeevna (Nina, daughter of Alexis)

The terms гражданин (grazhdanín) "citizen," гражда́нка (grazhdánka) "citizeness," and това́рищ (tavárishch) "comrade," "party member" (referring to both man and woman) are also used, usually along with the family name:

Граждани́н Семёнов	Citizen Semyonof
Гражда́нка Семёнова	Citizeness Semyonova

These terms are commonly used in Soviet Russia when addressing Soviet citizens. The terms господи́н (gəspadín) "Sir," "Mr." and госпожа́ (gəspazhá) "Mrs." "Lady," are used when referring to non-Soviets or foreigners.

---

[1] -ович, -овна are used after consonants or hard vowels;
-евич, -евна are used after soft vowels.

[2] Ива́нович   is usually pronounced Ива́ныч (Ivánîch)
Алексе́евич is usually pronounced Алексе́ич (Alʸeksʸéich)
Ива́новна   is usually pronounced Ива́нна (Ivánna)
Алексе́евна is usually pronounced Алексе́вна (Alʸeksʸévna)

EXERCISES

a. Read and write (do not print):

Баку́	(Bakóo)	*Баку́*	Baku
Ленингра́д	(Lʸeningrát)	*Ленинград*	Leningrad
Москва́	(Maskvá)	*Москва́*	Moscow
Сталингра́д	(Stalingrát)	*Сталинград*	Stalingrad
фронт	(front)	*фронт*	front
инжене́р	(inzhenʺer)	*инженер*	engineer
журна́л	(zhoornál)	*журна́л*	journal
студе́нт	(stoodʸént)	*студе́нт*	student
гольф	(golʸf)	*гольф*	golf
чай	(chaï)	*чай*	tea
меха́ник	(mekhánik)	*меха́ник*	mechanic
поэ́т	(paét)	*поэ́т*	poet
юг	(yook)	*юг*	south
центр	(tsentr)	*центр*	center
това́рищ	(tavárishch)	*това́рищ*	comrade

b. Read until fluent (for English meaning see General Vocabulary).

тру́бка	(tróopka)	про́бка	(própka)	гроб	(grop)
всегда́	(fsʸegdá)	за́втра	(záftra)	здоро́в	(zdaróf)
лёгкий	(lʸókhkiï)	мя́гкий	(mʸʹakhkiï)	сапо́г	(sapók)
во́дка	(vótka)	ре́дко	(rʸétkə)	наро́д	(naród)
но́жка	(nóshka)	дро́жки	(dróshki)	муж	(moosh)
ни́зкий	(nískiï)	ре́зкий	(rʸeskiï)	раз	(ras)

ло́вко (lófkə) ла́вка (láfka) ко́жа (kózha) ка́ша (kásha) бить (bitʸ) быть (bîtʸ) ми́ло (mílə) мы́ло (mîlə) вал (val) вол (vol) вёл (vʸol) круг (krook) крюк (krʸook) крик (krik) мёд (mʸot) медь (mʸetʸ) мо́дный (módnïï) дива́н (diván) дю́жина (dʸóozhina) где (gdʸe) всё (fsʸo) в кино́ (f kinó) без сло́ва (bʸes slóva)

честь (ch^yest^y)   шесть (shest^y)   жесть (zhest^y)
царь (tsar^y)   шар (shar)   жар (zhar)
тряпка (tr^y′apka)   трáвка (tráfka)   сядь (s^yat^y)   сад (sat)
дáча (dácha)   дочь (doch^y)   брат (brat)   брать (brat^y)

Мóлотов (Mólətəf) Ломонóсов (Ləmanósəf) звонóк (zvanók) ясно (yásnə) объяснять (əb'^yasn^yát^y) учени́ца (ooch^yenítsa) учи́тельница (oochít^yel^ynitsa) щётка (shch^yótka) ещё (yeshch^yo) щéпка (shch^yépka) ничегó (nich^yevó) мнóгого (mnógəvə) счáстье (shchást^ye) спокóйной нóчи (spakóïnəï nóchi) здрáвствуйте (zdrá[v]stvooït^ye) до свидáния (də svidáni^ya)

мы (mî) ты (tî) вы (vî) дым (dîm) сын (sîn)

c. Read and write:

дверь	(dv^yer^y)	door
здесь	(zd^yes^y)	here
щётка	(shch^yótka)	brush
извóзчик	(izvóshchik)	cabman
где	(gd^ye)	where
ещё	(yeshch^yó)	still, yet
лёд	(l^yot)	ice
гéний	(g^y′eniï)	genius
чýвство	(cho′o[v]stvə)	feeling
учи́тельница	(oochít^yel^ynitsa)	woman teacher
мя́гко	(m^y′akhkə)	soft
корóбка	(karópka)	box
окнó	(aknó)	window
хорошó	(khərashó)	good, well
бы́стро	(bîstrə)	quickly
мнóго	(mnógə)	much
ю́мор	(yo′omər)	humor
тяжелó	(t^yazheló)	heavy
язы́к	(yazî′k)	tongue, language
ничегó	(nich^yevó)	nothing
дóбрый день	(dóbrîï d^yen^y)	good day
как поживáете?	(kak pozhiva^yet^ye)	how are you?
госпожá	(gəspazhá)	lady, Mrs.
господи́н	(gəspadín)	sir, Mr.
тут	(toot)	here
где э́то?	(gd^ye éto)	where is this?
что э́то?	(chto éto)	what is this?
кто э́то?	(kto eto)	who is this?

НАШ ПЕРВЫЙ РАЗГОВОР   OUR FIRST CONVERSATION

This exercise can be expanded at the discretion of the teacher by introducing a greater number of parts of, and objects in, the classroom and by adding the names of those actually present to the fictitious ones.

	Transcription	Translation
Это комната.	Etə kómnata.	This is a room.
Это класс.	Etə klass.	This is a classroom.
Это окно, а там дверь.	Etə aknó, a tam dvʸerʸ.	This is the window and there is the door.
Тут стол, а там стул.	Toot stol, a tam stool.	Here is the table and there is the chair.
— Что на столе? —	Chto na stalʸé?	What is on the table?
— На столе книга. —	Na stalʸé kníga.	On the table is a book.
— Мы на уроке. —	Mí na oorókʸe.	We are having class.
		Lit.: We are at lesson.
— Кто это? —	Kto étə?	Who is this?
— Это учитель, господин Джонс. —	Etə oochítʸelʸ, gəspadín Dzhons	This is the teacher, Mr. Jones.
— Кто это? Это студент Пётр Иванов? —	Kto étə? Etə stoodʸént Pʸotr Ivanóf?	Who is this? Is this the student Pëtr Ivanof?
— Нет, это студент Питер Браун. —	Nyet, étə stoodʸént Pʸitʸer Bráoon.	No, this is the student Peter Brown.
— Пётр Иванов тут? —	Pʸotr Ivanóf toot?	Is Pëtr Ivanof present?
		Lit.: Is Pëtr Ivanof here?
— Да, вот он! —	Da, vot on!	Yes, here he is!
— Студентка Смит тут? —	Stoodʸéntka Smit toot?	Is Miss Smith present?
		Lit.: Is the girl student Smith here?
— Да, вот она! —	Da, vot aná!	Yes, here she is!

18

КЛАСС

ПЕРВЫЙ УРОК

FIRST LESSON

Present tense of "to be"—Question form—Negative sentence—
Adverb—Conjunctions **а** *and* **и**

I. COMMON EXPRESSIONS

До́ма	At home	На заво́де	At the plant (factory)
До-свида́ния!	Good bye	На рабо́те	At work
Здра́вствуйте!	How are you! How do you do! Hello!	Спаси́бо!	Thank you!

II. READING: ГРАЖДАНИН СЕМЁНОВ ДОМА?

Звоно́к.
Ве́ра Алексе́евна открыва́ет дверь.
— Здра́вствуйте! До́ма граждани́н Семёнов?
— Сейча́с... Он и́ли до́ма и́ли на рабо́те... Нет, сего́дня он не до́ма, а на рабо́те.
— Где рабо́тает Пётр Ива́нович?
— Он рабо́тает на заво́де. Он меха́ник.
— Спаси́бо, това́рищ. До-свида́ния.

III. VOCABULARY

а	and, but	нет	no
бы́стро	quickly	он,	he
быть	to be	она́	she
где	where	(он) отвеча́ет	(he) answers
граждани́н	citizen	(она́) открыва́ет	(she) opens
гражда́нка	citizeness	рабо́та	work
да	yes	(он) рабо́тает	(he) works
заво́д	plant, factory	сего́дня[1]	today
звоно́к	bell	сейча́с	in a minute, now
и́ли	or	там	there
ме́дленно	slowly	това́рищ	comrade, friend
меха́ник	mechanic	(он) чита́ет	he reads
не	not		

---

[1] pronounced "s'evodn'a"

20

IV. GRAMMAR

A. The verb

1. The present tense of the verb "to be" (быть) is generally not expressed:

Он сегóдня на завóде.   He [is] at the factory today.

When a noun is linked to another noun, the form of "to be" is replaced by a dash:

Москвá — гóрод.   Moscow [is] a city.
Ивáн — студéнт.   Ivan [is] a student.

2. Russian does not have an exact equivalent of the progressive or of the emphatic forms of the verb:

Он рабóтает.   He works, is working, does work.

3. A *question* is expressed by:

a. The introduction of an interrogative:

Кто он?   Who [is] he?
Где он?   Where [is] he?

b. The inflection of the voice:

Он рабóтает?   Is he working?
Он читáет?   Does he read?

c. Placing the verb before the subject:

Отвечáет онá?   Does she answer?
Рабóтает он сегóдня?   Is he working today?

In this form of the question, the particle ли may be introduced, usually immediately after the verb:

Рабóтает ли он?   Is he working?

4. In the *negative* sentence, не is placed before the verb or directly before the word which is to be negated:

Он **не** работает дома.	He does not work at home.
Он работает **не** дома, а на заводе.	He does not work at home, but at the plant.

5. It is very important not to confuse **не** meaning "not" with **нет** meaning "no": **Нет, он не читает.** *No,* he does *not* read.

B. The adverb

The Russian *adverb*, like the English, does not change in form (it is not declined). Its position in the sentence is not rigidly fixed.

It often stands between the subject and the verb:

Он читает **быстро.**	He reads quickly.
Он **медленно** отвечает.	He answers slowly.

Or can introduce the sentence:

Сегодня она работает.	Today she is working.

C. Conjunctions a and и

а and **и** are both translated by "and."

а, however, is a *separating* conjunction, used to bring out *contrast*:

Он работает, **а** она читает.	He works *and* (but) she reads.

When used after a *negative,* it must be translated by "but":

Он не читает, **а** работает.	He is not reading, *but* working.

и is a *joining* conjunction, the exact equivalent of our "and," "also":

Он работает **и** она работает.	He works *and* she works.

V. QUESTIONS
(*Based on the Reading Exercise*)

1. Кто открывает дверь? 2. Дома ли Пётр Иванович? 3. Где Пётр Иванович? 4. Пётр Иванович механик? 5. Где он работает?

VI. GRAMMAR EXERCISES

a. Read in Russian and translate into English:

1. Он. 2. Она́. 3. Она́ чита́ет. 4. Он чита́ет бы́стро. 5. Она́
чита́ет ме́дленно. 6. Он рабо́тает. 7. Пётр Ива́нович рабо́тает.
8. Она́ рабо́тает до́ма. 9. Пётр Ива́нович сего́дня не рабо́тает.
10. Он сего́дня до́ма. 11. Она́ открыва́ет дверь. 12. Где това́рищ
Ивано́в? 13. Он на заво́де. 14. Спаси́бо, това́рищ! 15. До
свида́ния!

b. Change the following sentences into the various possible
question forms.:

1. Она́ отвеча́ет бы́стро. 2. Он рабо́тает ме́дленно. 3. То-
ва́рищ Ивано́в рабо́тает сего́дня на заво́де. 4. Гражда́нка
Ве́ра Алексе́евна до́ма. 5. Она́ чита́ет до́ма.

c. Replace the dash by the proper conjunction, **a** or **и**:

1. Ива́н — Пётр до́ма. 2. Он не до́ма, — на заво́де. 3. Он
чита́ет не бы́стро, — ме́дленно. 4. Ве́ра — Алексе́й на заво́де.
5. Пётр рабо́тает на заво́де, — Ве́ра до́ма.

VII. TRANSLATION INTO RUSSIAN[1]

1. He. 2. She. 3. He works. 4. She reads. 5. She reads at
home. 6. He works today. 7. He works at the factory. 8. Véra
Alexéevna opens the door (дверь). 9. Where [does] citizen
Péter Ivanóv work? 10. Today he does not work; today he [is]
at home. 11. [Is] he a mechanic? 12. Yes, Péter Ivanóv is a
mechanic. 13. Where [is] Véra Alexéevna? 14. Véra Alexéevna
[is] at home. 15. Thank you, comrade. Good bye!

---

[1] Words in [ ] are to be omitted;
   Words in ( ) are to be included, or they are explanatory.

ВТОРОЙ УРОК

SECOND LESSON

Gender of nouns—Nominative case—Article—Pronouns and pronoun-adjectives: он, э́тот, тот, мой

I. COMMON EXPRESSIONS

До́брый день	Good day
До́брое у́тро	Good morning
Как пожива́ете?	How are you?
Как вы пожива́ете?	How are you?
Хорошо́, спаси́бо	Fine, thank you
Ничего́, спаси́бо	Quite well, thank you
А вы?	And you?
Очень хорошо́!	Very well!
Как жена́?	How is your wife?
Как рабо́та?	How is the work?
Вот но́вость!	That is news!
Как фами́лия?	What is the last name?
Как ва́ша фами́лия?	What is your last name?
Что э́то?	What is this?

II. READING[1]: РАЗГОВОР

— Здра́вствуйте, Ива́н Серге́евич!

— Пётр Ива́нович! **До́брое у́тро!**

— **Как пожива́ете?**

— **Ничего́, спаси́бо.**

— **Как жена́?**

— **Хорошо́, спаси́бо.** Вот фотогра́фия: мо**я́** жена́, мо**й** дом ...

— Дом? **Вот но́вость!**

— Да, э́то мой дом. Тут сад, а там по́ле. Это окно́ — ку́хня, а то окно́ — моя́ ко́мната.

— А э́то зда́ние — го́спиталь?

— Нет, э́то зда́ние не го́спиталь, а музе́й.

— А э́то кто?

---

[1] For words and phrases in bold type in this and the following Reading Exercises, look under Common Expressions or in the Grammar section of the lesson, *not* in the Vocabulary.

24

— Это мой това́рищ.
— Как фами́лия?
— Че́хов.
— Он не инжене́р?
— Да, он и инжене́р, и до́ктор, и поэ́т...
— Да, он ге́ний!
— Да, эне́ргия, мой друг! Он рабо́тает день и ночь.
— Ну, до-свида́ния.
— До-свида́ния.

III. VOCABULARY

вот	here is, are[1]	**музе́й**	museum
ге́ний	genius	**ночь**	night
го́спиталь (m.)[2]	hospital	**по́ле**	field
день (m.)	day	**поэ́т**	poet
дождь (m.)	rain	**сад**	garden
до́ктор (m.)	doctor	**тут**	here
дом	house	**у́тро**	morning
друг	friend	**хорошо́**	good, well
жена́	wife	**фами́лия**	last (family)
зда́ние	building		name
инжене́р	engineer	**фотогра́фия**	photograph,
как	how		snapshot
ко́мната	room	**эне́ргия**	energy
ку́хня	kitchen		

IV. GRAMMAR

A. The noun

1. The Russian noun has three *genders*: *masculine, feminine,* and *neuter.*

2. The ending of a noun indicates its gender:[3]

Masculine are:

Hard   1. Nouns ending in a *consonant*   до́ктор doctor
Soft   { 2. Nouns ending in й   музе́й museum
         { 3. Nouns ending in ь[4]   дождь rain

---

[1] Вот is used when pointing to a place, person, or thing. Тут simply designates location, usually without exclamatory force.

[2] Masculines ending in -ь (soft sign) will be marked (m.) in vocabularies. The change of initial "h" to Russian "г": Heine becomes Ге́йне; Hegel becomes Ге́гель; Hitler becomes Ги́тлер, etc.

[3] For exceptions see Lesson 22.

[4] Since the ending -ь is common to both the masculine and the feminine genders, masculines ending in -ь will be marked (m.): дождь (m.) "rain."

Feminine are:

Hard	1. Nouns ending in **a**[1]	кóмната	room
Soft	2. Nouns ending in **я**	кýхня	kitchen
	3. Nouns ending in **ь**[2]	дверь[2]	door

Neuter are:

Hard	1. Nouns ending in **o**	мéсто	place
Soft	2. Nouns ending in **e**	пóле	field
Soft	3. Nouns ending in **ё**	ружьё[3]	rifle

3. Notice that all of the above nouns are given in the *nominative* case. This is the basic form in which nouns will appear in the vocabularies. It is the case of the *subject* of the sentence. It answers the question *"who?" "what?"*:

My friend is at home. *Who* is at home?: *My friend* (subject of sentence, *nominative* case!)

The *nominative* case can also be the case of the *predicate* noun:

This is *my house.* What is this?: *My house* (predicate noun, *nominative* case!)

4. There is no *article* in Russian:

$$\text{дóктор} \begin{cases} \text{the doctor} \\ \text{a doctor} \\ \text{doctor} \end{cases}$$

B. Pronouns; pronoun-adjectives

1. The following table presents the nominative case of pronouns and pronoun-adjectives (demonstrative and possessive). Note that the Russian possessive pronoun renders both the English possessive pronoun and the English possessive adjective; e. g. **мой** renders both "mine" (pron.) and "my" (adj.).

---

[1] See footnote 3 on preceding page.

[2] See footnote 4 on preceding page.

[3] This ending is always stressed.

(Noun)	*Masculine* (дом)		*Feminine* (комната)		*Neuter* (окно)	
Personal Pronoun	он	he, it	она́	she, it	оно́	it
Demonstrative Pronoun-Adjective	э́тот тот	this that	э́та та	this that	э́то то	this that
Possessive Pronoun-Adjective	мой	my mine	моя́	my mine	моё	my mine

2. **Он, она́, оно́,** refer to animate beings and inanimate objects in accordance with their *grammatical* gender:

учи́тель — он, да́ма — она́, стол — он, дверь — она́,

ружьё — оно́.

3. The pronoun-adjective **э́тот, э́та, э́то** "this" (pl.: **э́ти** "these") when used as an adjective agrees, like all adjectives, in gender, number and case with the noun to which it refers. But the form **э́то** is also an impersonal verbal expression — uninflected and indeclinable — and means "this (that) is," "these (those) are":

Этот дом	This house
Эта ко́мната	This room
Это окно́	This window
(Эти ко́мнаты	These rooms)[1]

BUT

Это — дом.	This is a house.
Это — ко́мната.	This is a room.
Это — окно́.	This is a window.
(Это — ко́мнаты.	These are [the] rooms.)

V. QUESTIONS

(*Based on the Reading Exercise*)

1. Как пожива́ете? 2. Как жена́? 3. Как рабо́та? 4. Что на фотогра́фии? (What is in the photograph? *Answer:* На фо-

---

[1] The plural is taken up systematically in later lessons.

тогра́фии мой дом. На фотогра́фии моя́ жена́, etc.) 5. Это
зда́ние — го́спиталь и́ли музе́й? 6. Кто э́тот господи́н? 7. Как
фами́лия? 8. Он меха́ник? 9. Рабо́тает он на заво́де?

VI. GRAMMAR EXERCISES

a. Write out all nouns given in the Reading Exercise. Give their
gender and English meaning, thus: **дом** — masculine — "house."

b. Read the following sentences. Substitute the proper pronouns
(**он, она́, оно́**) for the forms in bold type. Translate into English.

1. **Этот дом** — мой; **э́та ко́мната** — моя́. 2. **Это зда́ние**
не го́спиталь, а музе́й. 3. **Мой друг** рабо́тает сего́дня на за-
во́де, а **моя́ жена́** до́ма. 4. **Граждани́н Семёнов** сего́дня на ра-
бо́те, а **гражда́нка Семёнова** до́ма. 5. **Никола́й Ива́нович** не
чита́ет. 6. **Мой това́рищ** рабо́тает на заво́де день и ночь.
7. **Пётр Ива́нович** — инжене́р и́ли до́ктор? 8. **Мой друг**
бы́стро отвеча́ет «Он и инжене́р и до́ктор и поэ́т. Он
ге́ний!»

c. Give the Russian equivalents of the words in parentheses:

1. Вот мой (doctor). 2. Это мой (friend). 3. Это мой
(house). 4. Тут моя́ (room). 5. До́брое (morning). 6. Она́ моя́
(wife). 7. Он — (engineer). 8. Тут мой (house), а там (hospital).
9. Он (poet), а не (doctor). 10. Серге́й Андре́евич мой (friend).
11. Вот (news)! 12. Это моя́ (photograph).

d. Replace the words in parentheses by the proper forms of the
pronoun-adjectives мой, моя́, моё:

1. Вот (my) сад. 2. Это (my) до́ктор. 3. Он (my) друг.
4. Она́ (my) жена́. 5. Тут (my) това́рищ. 6. Там (my) дом.
7. Это (my) гара́ж. 8. Вот (my) фотогра́фия. 9. Как (my)
фами́лия? 10. Там (my) го́спиталь.

e. Replace the words in parentheses by the proper forms of the
pronoun-adjectives э́тот, э́та, э́то, тот, та, то:

1. Что э́то? (This) — дверь. 2. А что э́то? (This) — окно́.
3. (This) дверь тут, а (that) окно́ там. 4. Что э́то? (This) —
дом. 5. (This) дом — музе́й, а (that) — го́спиталь. 6. (This)
окно́ — ку́хня, а (that) — моя́ ко́мната. 7. Что э́то? (This)
— по́ле, а (that) — сад. 8. А что э́то? (This) — моя́ ко́мната.
9. А кто э́то? (This) — мой друг. 10. А кто э́то? (This) —
моя́ жена́.

VII. TRANSLATION INTO RUSSIAN

A

1. This is my house. 2. Here is the kitchen and there is my room. 3. Is this building a hospital? 4. No, it is a museum. 5. My friend, Peter Ivánovich, works there. 6. Is he a poet or a doctor? 7. He is an engineer, a genius! 8. He works day and night. 9. He works at a factory. 10. Today he does not work; he is not at the factory, but at home.

B

1. How are you? 2. What is your last name? 3. This is my wife, Alexandra Ivanovna. 4. She is not working today; she is reading. 5. That is news! 6. Where is citizeness Alekseeva? 7. My wife answers:—She is at the factory.—8. How does she work? 9. She works very well and very fast. 10. The bell. My wife opens the door. 11. Who is it? 12. This is citizen Semyonov. 13. My friend Ivan Ivanovich Semyonov answers slowly. 14. He is not a genius.

REFERENCE TABLE I

Cases

(This table is for reference only and need not be memorized.)

There are *six* cases in Russian. They are the *nominative, genitive, dative, accusative, instrumental,* and *prepositional* (or *locative*).

Cases and main uses:	For further explanation see:
Nominative: used as the case of the *subject*	Lesson 2
used as the case of the *predicate noun,* always answers the questions *"who?" "what?"*	Lesson 2
Genitive: used to denote *possession,* answers the questions *"whose?" "of what?"*	Lesson 6
also used in *negative* expressions	Lesson 6
also used with certain *prepositions*	Appendix
Dative: used as the case of the *indirect object,* denoting the *recipient* of something, answers the questions *"to whom?" "to what?"*	Lesson 7
also used with certain *prepositions*	Appendix
Accusative: used as the case of the *direct object,* denoting the *person* or *object directly* affected by an action, answers the questions *"whom?" "what?"*	Lesson 3
also used with certain *prepositions*	Appendix
Instrumental: used to denote the *instrument* or *agent* by which an action is performed, answers the questions *"by whom?" "by what?" "with what?"*	Lesson 8
also used with certain *prepositions*	Appendix
also used as the case of the *predicate noun* with certain verbs	Lesson 21
Prepositional: always preceded by certain *prepositions* ..	Lesson 4
often indicates *locality,* answers the questions *"where?"*	Appendix
(never *"where to?"*), *"about whom?" "about what?"*	Lesson 4

REFERENCE TABLE II

Vowel Mutation Rules A, B, C

There are in Russian three rules of special importance. They explain many of the "irregularities" in the declension of the Russian noun, pronoun, and adjective, as well as in the conjugation of the Russian verb. They will be referred to frequently.

Rule A: After the consonants г, к, х, ж, ч, ш, щ, ц the *soft* vowel я changes to its *hard* equivalent a, and the *soft* vowel ю changes to its *hard* equivalent y.

Rule B: After the consonants г, к, х, ж, ч, ш, щ (not ц!) the *hard* vowel ы changes to its *soft* equivalent и.[1]

Rule C: After the consonants ж, ч, ш, щ, ц the *hard* vowel o, if *unstressed,* changes to the *soft* vowel e.

---

[1] Notice, however, that after ж and ш the vowel и, though always written и, is pronounced hard (i. e. like ы): жить (zhîtу) "to live"; пиши́ (pishî)! "write"!

ТРЕТИЙ УРОК

THIRD LESSON

Accusative singular of masculines and neuters — Indeclinable neuters — Present tense of the first conjugation — Double negative — Use of что

I. COMMON EXPRESSIONS AND IDIOMS

По-ру́сски	In Russian, Russian
В Росси́и	In Russia
Вот кто мно́го рабо́тает!	Here is someone who works a lot!
Так мно́го, как...	As much as
Це́лый or весь день	The whole (entire) day

II. READING: ИНЖЕНЕР БРАУН

Сего́дня инжене́р Бра́ун[1] мой гость. Он америка́нец, а я ру́сский. Он хорошо́ понима́ет **по-ру́сски.** Я спра́шиваю го́стя:

— Вы не скуча́ете в **Росси́и?**

— Нет, я не скуча́ю. Я рабо́таю на заво́де. Когда́ я конча́ю рабо́тать, я чита́ю журна́л и́ли слу́шаю ра́дио.

— А я сейча́с так мно́го рабо́таю, что я **ничего́[2] не** чита́ю и **никогда́ не** слу́шаю ра́дио.

— Да, **в Росси́и** все мно́го рабо́тают. Вы зна́ете до́ктора Че́хова[3]?

— Да, коне́чно. До́ктора Че́хова все зна́ют!

— **Вот кто мно́го рабо́тает! Никто́ не** рабо́тает так мно́го, как до́ктор Че́хов! —

III. VOCABULARY [4]

америка́нец	an American	журна́л	periodical, magazine
все	all, everybody	когда́	when
гость (m.)	guest	коне́чно	of course

---

[1] Бра́ун "Brown" (proper name).
[2] Ничего́ pronounce "nichɤevo."
[3] Note that proper names are declined in Russian.
[4] The student is reminded to look for the boldfaced words of the Reading Exercise in the Common Expressions and Grammar sections, not in the Vocabulary.

по-ру́сски	in Russian, Russian	ру́сский	a Russian, Russian (adj.)
ра́дио	radio	что	what, that[1]
Росси́я	Russia		

Personal Pronouns

Person	Singular		Plural		
First	я	I	мы		we
Second	ты	thou, you	вы,	Вы[2]	you
Third	он, -á, -ó	he, she, it	они́		they

Verbs

знать (I)[3]	to know	скуча́ть (I)	to be bored
конча́ть (I)	to end, finish	слу́шать (I)	to listen (to)
понима́ть (I)	to understand	спра́шивать (I)	to ask (a question)
рабо́тать (I)	to work		

IV. GRAMMAR

A. Noun. Accusative case

1. *Its use.* One of the principal uses of the *accusative* case is to express the *direct* object; that is, the person or thing immediately affected by the action expressed in the verb. It answers the question "whom? " "what? "

Он чита́ет журна́л.	He is reading the periodical.
Он зна́ет э́то ме́сто	He knows this place.

2. *Its form.* The *accusative singular* of masculine nouns

---

[1] Consult note on p. 35 for the use of что.

[2] The personal pronoun ты is used when addressing relatives, close friends, children, and animals. Otherwise the polite personal pronoun вы should be used. The capitalized form of Вы is used mainly when addressing one person in writing. It is *always* followed by the *plural* form of the verb. See p. 35.

[3] For an explanation of the use of this device of indicating the conjugation of a verb see p. 35.

that indicate *inanimate* things, and of *all* neuter nouns, is
exactly like their nominative:

		Hard[1]	Soft	Soft[1]
Masculine	Nominative	стол	музей	дождь
	Accusative	стол	музей	дождь
Neuter	Nominative	место	поле	ружьё
	Accusative	место	поле	ружьё

The *accusative* of masculine nouns that indicate *animate*
beings (persons, animals, but *not* plants) has the ending **-a**
when "hard" and **-я** when "soft":

	Hard	Soft
Nominative	доктор	гость
Accusative	доктора	гостя

Он хорошо знает доктора.   He knows the doctor well.
Он спрашивает гостя.   He asks the guest.

When a soft *neuter* noun has the stress on the ending,
the **e** of the ending appears as **ё** in the nominative and accusative cases: Nom. ружьё; Acc. ружьё "the rifle."

Neuter nouns of foreign origin such as **радио** "radio,"
метро "subway," **пальто** "overcoat," and **кино** "movie" never
change in form (are not declined). Adjectives modifying them,
however, are declined.

B. Verb

Russian verbs fall into two basic groups according to the
type of endings which they take in their conjugation. We shall
call these two basic groups the *first* and *second* conjugations,
respectively. In this lesson is introduced the *present* tense of
the regular *first* conjugation.[2] The regular verb **читать** "to
read" is used as an example.

1. To conjugate this type of verb in the present tense, drop
from the infinitive form **читать** the ending **-ть**.[3]

---

[1] See Introduction II for an explanation of the terms "hard" and
"soft."

[2] For the *second* conjugation, see Lesson 8.

[3] The infinitive of Russian verbs usually ends in **-ть**; sometimes
in **-ти** or **-чь**.

2. To the resulting stem **читá-** add the personal endings **-ю, -ешь, -ет, -ем, -ете, -ют,** thus:

Person	Singular	
First	я читá-**ю**	I am reading; I read
Second familiar	ты читá-**ешь**	you are reading; you read
Third	он, онá онó читá-**ет**	he, she, it is reading; reads

Person	Plural	
First	мы читá-**ем**	we are reading; we read
Second familiar and polite	вы читá-**ете**	you are reading; you read
Third	онú читá-**ют**	they are reading; they read

Note: Beginning with this lesson, verbs are given in a special section of the Lesson-Vocabulary. Verbs of the *first* conjugation, unless irregular, will be given in the vocabulary followed by the Roman numeral I, thus: **читáть**(I) to read.

C. The double negative

The *double negative,* avoided in English, is used in Russian. The negative particle **не** is *never* omitted no matter how many other negative words are used and it always immediately precedes the word it negates:

Он **ничегó не** читáет.   He does not read anything.
              Lit.: He nothing not reads.
Никтó не читáет.   Nobody reads.
              Lit.: Nobody not reads.
Он **никогдá не** читáет.   He never reads.

Note that the **не** usually *follows* the other negative parts of the sentence: **никтó не читáет; ничегó не знáет.**

Use of что

Что is used both as an interrogative pronoun:

Что он читáет?   *What* is he reading?

and as a conjunction:

Я так мнóго рабóтаю, **что** я ничегó не читáю.
I work so much *that* I read nothing.

The conjunction **что** is *always* preceded by a comma.

Что, the interrogative pronoun is always stressed;
Что, the conjunction is never stressed.

V. QUESTIONS

1. Кто — инженер Браун? 2. Понимает ли он по-русски?
3. Где работает инженер Браун? 4. Когда он читает журнал?
5. Когда он слушает радио? 6. Много ли мы сейчас работаем?
7. Читаем ли мы сейчас? 8. Слушаем ли мы сейчас радио?
9. Как все работают в России? 10. Кто знает доктора Чехова?

VI. GRAMMAR EXERCISES

Exercise with Grammar A

Read and supply endings wherever necessary:

1. Где мой (дом)? 2. Я слушаю (радио). 3. Ты читаешь
(журнал). 4. Инженер Браун — мой (гость). 5. Ты спраши-
ваешь (гость). 6. Я знаю это (здание). 7. Знаешь ли ты
(доктор) Чехова? 8. Я не работаю так много как этот (доктор). 9. Это здание — (завод), а то — (госпиталь). 10. Товарищ Браун — (инженер), а товарищ Чехов — (доктор).
11. Он спрашивает (доктор). 12. Он не понимает (друг).

Exercises with Grammar B

a. Conjugate in the *present* tense.

1. Я работаю на заводе. 2. Я читаю журнал.

b. Supply the correct *present* tense forms of the **verbs in**
parentheses:

1. Где ты (работать)? 2. Что он (читать)? 3. Она (слушать) радио. 4. Мы (знать) это здание? 5. Они (спрашивать)
доктора. 6. Вы сегодня не (работать)? 7. Ты (скучать) в
России? 8. Да, я не (понимать) по-русски. 9. Они (работать)
целый день. 10. Мой гость хорошо (понимать) по-русски.

Exercise with Grammar C

Change the following sentences into the negative, using the
words in parentheses:

1. Она читает (ничего). 2. Сейчас работает (никто).
3. Он слушает радио (никогда) 4. Ты скучаешь (никогда).

VII.   TRANSLATION INTO RUSSIAN

A

1. My guest is an engineer. 2. He is an American. 3. He understands Russian well. 4. He is not bored in Russia. 5. He is working at a plant. 6. When he finishes working, he listens [to] the radio or reads a periodical. 7. Everybody (all) works a lot in Russia. 8. I work so much now that I do not read anything. 9. My guest knows Doctor Chékhov. 10. Here is one who works a lot! 11. Nobody works as much as Doctor Chékhov.

B

1. What is Doctor Petrov reading? 2. He is reading a periodical. 3. He reads slowly. 4. He does not understand Russian very well. 5. Do you understand Russian? 6. Yes, I understand Russian well and read Russian very quickly. 7. Do you (pl.) listen to the radio? 8. Yes, we listen to the radio, and when we listen, we are never bored. 9. I ask Mr. Pavlov: Do you know the mechanic, Mr. Chekhov? 10. Yes, he answers, I know Mr. Chekhov very well. 11. How does he work? 12. He works well and very quickly, day and night. 13. Fine, thank you, Mr. Pavlov! 14. You are my friend. 15. I ask and you answer quickly. 16. Thank you! Good bye.

ЧЕТВЕРТЫЙ УРОК

FOURTH LESSON

Prepositional singular of masculines and neuters—Prepositions
в, на, о — *Verbs* кýшать, есть *"to eat"* — *Use of* где *and*
когдá — есть *"there is," "there are"*

I. COMMON EXPRESSIONS AND IDIOMS

Утром	In the morning
Днём	In the daytime, during the day
Вéчером	In the evening
На обéд	For dinner
«Рýсский Нарóд»	"The Russian People"
О чём?	About what?

II. READING: ГОСПОДИН ПЕТРОВ

Моя фамúлия — Петрóв. Мой друг Ивáн и я рабóтаем **в** гóроде. Мой друг — дóктор. Он рабóтает **в** гóспиталe. Я рабóтаю **в** бáнкe.

В здáнии, **где** я рабóтаю, **есть** ресторáн. Мой друг и я чáсто там обéдаем.

На обéд в рeсторáнe мы иногдá **едúм** суп. Ивáн всегдá **ест** мясо, а я чáсто **ем** тóлько сыр, хлеб и мáсло.

Я рабóтаю цéлый день, а **вéчером** я всегдá дóма. Дóма я дýмаю **об** óтдыхе. Дóма моё мéсто **на** дивáне! Я слýшаю рáдио úли читáю. Я чáсто читáю журнáл **«Рýсский Нарóд».** Сейчáс **в** журнáле я читáю **о** поэ́те Пýшкине[1].

Утром я опять **в** гóроде и опять рабóтаю цéлый день **в** бáнкe.

III. VOCABULARY

банк	bank	гóрод	city
вéчер	evening	дивáн	divan, sofa
всегдá	always		

---

[1] Aleksàndr Sergéyevich Púshkin (1799-1837) is generally considered the father of modern Russian literature and its greatest representative.

иногда́	sometimes	рестора́н	restaurant
ма́сло	butter	суп	soup
ме́сто	place, room	сыр	cheese
мя́со	meat	то́лько	only
наро́д	people, nation	хлеб	bread
опя́ть	again	ча́сто	frequently, often
о́тдых	rest		

Verbs

де́лать (I)	to do	обе́дать (I) to dine
ду́мать (I)	to think	(*Cf.* "Grammar" B and D.)

IV. GRAMMAR

A. Noun. Prepositional case

1. *Its use.* As the name implies, the prepositional case can be used only after certain prepositions.

With the preposition **о (об, о́бо)**[1] it renders the English preposition "about," "concerning":

Ты ду́маешь **о** дру́ге.	You think about [your] friend.
Он ду́мает **об** о́тдыхе.	He thinks about rest.

With the prepositions **в (во)**[2] "in" and **на** "on," this case serves to express the *position* of an object or person. It answers the question "where?":[3]

| Я рабо́таю **в** го́роде. | I am working in the city. |
| **На** столе́ хлеб и ма́сло. | On the table are bread and butter. |

2. *Its form.* The *prepositional* singular of masculine and neuter nouns ends in **-е**.

---

[1] **Об** is used before vowels: **об о́тдыхе**, **о́бо** before certain double consonants: **о́бо мне́** "about me."

[2] **Во** is used before certain double consonants: **во мне́** "in me."

[3] For the use of **в** and **на** with the *accusátive* see Grammar Section A of Lesson 5.

An important exception are neuter nouns in -ие (зда́ние), which end in -и:

		Hard	*Soft*	*Soft*
Masculine	Nominative	стол	музе́й	дождь
	Prepositional	столе́	музе́е	дожде́
Neuter	Nominative	ме́сто	по́ле	зда́ние
	Prepositional	ме́сте	по́ле	зда́нии.

B. Verb. The verbs **ку́шать** **and** **есть** **"to eat"**

1. Both **есть** and **ку́шать** mean "to eat." **Есть** is by far the more widely used term.

Я **ем** суп.   I eat soup.
Мы **еди́м** до́ма.   We eat at home.

Ку́шать is found only in polite forms and is usually used in the second person:

Вы **ку́шаете** там?   Do you eat there?

2. *Conjugation in the present tense of the "irregular" verb* **есть** *"to eat"*:

Person	*Singular*	*Plural*
First	Я **ем**	мы **еди́м**
Second	ты **ешь**	вы **еди́те**
Third	он, она́, оно́ **ест**	они́ **едя́т**

C. Где and Когда́ as interrogative adverbs and
as conjunctions

Где "where" and **когда́** "when" are used in Russian as they are in English:

a. as *interrogative* adverbs:

Где вы обе́даете?   Where do you dine?
Когда́ вы обе́даете?   When do you dine?

b. as *conjunctions,* joining two clauses:

Я зна́ю, **где** вы обе́даете.   I know where you dine.
Я зна́ю, **когда́** вы обе́даете.   I know when you dine.

Remember that in Russian dependent clauses are *always* set off by commas.

D. Есть "there is," "there are"

Есть *must* be used whenever the fact of the existence of a person or a thing is to be established:

1. **Есть** хлеб?   Is there bread?
   Да, **есть** or simply: **Есть!** Yes, there is!

On the other hand whenever the existence is not in question, есть is *not* used:

2. Где хлеб?   Where is the bread?
   Хлеб на столе́.   The bread is on the table.

Notice that in these sentences the existence of bread is not questioned, the query refering to its location only. (For the negative "there is, there are *not*," see Lesson 6, Grammar Section C.)

V. QUESTIONS

1.Кто рабо́тает в го́роде? 2. Где рабо́тает до́ктор Ивано́в? 3. Где рабо́тает Петро́в? 4. Есть ли рестора́н в зда́нии, где Петро́в рабо́тает? 5. Ча́сто ли Петро́в и Ива́н там обе́дают? 6. Что они́ иногда́ едя́т на обе́д в рестора́не? 7. Всегда́ ли Ива́н ест мя́со? 8. Что Петро́в ча́сто ест на обе́д? 9. Где Петро́в ве́чером? 10. Что де́лает Петро́в ве́чером? 11. Что он ча́сто чита́ет? 12. О чём он чита́ет сейча́с в журна́ле «Ру́сский Наро́д»?

VI. GRAMMAR EXERCISES

Exercises with Grammar A

a. From the Reading Exercise write out all nouns,[1] giving their *gender, case,* and English meaning, for example:

фами́лия   feminine   nominative   "last name"

---

[1] Leave out those in "idiomatic" expressions.

b. Supply the correct case forms of the nouns in parentheses:

1. Они́ рабо́тают в (го́род). 2. В (зда́ние), где я рабо́-
таю, есть (рестора́н). 3. Ты сего́дня обе́даешь в (рестора́н).
4. Когда́ я рабо́таю, я не ду́маю об (о́тдых). 5. Они́ чита́ют
в (журна́л) о (до́ктор) Че́хове. 6. Она́ сего́дня не рабо́тает
на (заво́д). 7. На (стол) хлеб, сыр и ма́сло. 8. До́ма моё ме́-
сто на (дива́н). 9. Мой дом в (го́род). 10. Мой друг рабо́тает
в (го́спиталь), а я в (банк).

Exercise with Grammar B

In the following phrases supply *present* tense forms of **есть** or
ку́шать "to eat," according to context:

1. Утром я ..... сыр, а ве́чером я ..... мя́со. 2. Она́ .....
суп. 3. ..... он хлеб? 4. Да, он ..... и хлеб, и ма́сло и сыр.
5. ..... вы суп? 6. Да, мы иногда́ ..... суп. 7. Ты ..... в
рестора́не и́ли до́ма? 8. Утром я ..... до́ма, а днём и ве́чером
я ..... в рестора́не. 9. Они́ ча́сто ..... тут. 10. А где ты ..... ?
11. Вы тут никогда́ не ..... ? 12. Да, мы ча́сто тут .....

Exercises with Grammar C and D

Supply **где** or **когда́** according to context (state whether they
are used as interrogative adverbs or as conjunctions) and place **есть**
"there is, are" wherever necessary:

1. ..... рестора́н в зда́нии? 2. Да, в зда́нии, ... я рабо́-
таю ..... рестора́н. 3. ..... я чита́ю, я никогда́ не скуча́ю.
4. Он не зна́ет, ... до́ктор Че́хов. 5. Он спра́шивает дру́га,
..... журна́л. 6. ..... вы ку́шаете? — В рестора́не. 7. ..... тут
ра́дио? 8. Да, ... ! 9. ..... вы слу́шаете ра́дио? — В ко́мнате.
10. ..... вы слу́шаете ра́дио? — Ве́чером. 11. ..... он до́ма,
он никогда́ не рабо́тает. 12. ..... он рабо́тает? — На заво́де?
13. Я не зна́ю, ... он рабо́тает. 14. ..... хлеб и ма́сло? —
На столе́. 15. ..... хлеб на столе́? Да, ... !

VII. TRANSLATION INTO RUSSIAN

A

1. My name is Petróv. 2. I am a doctor. 3. I work in a
hospital in the city. 4. In the building where I work [there]
is a restaurant. 5. I often eat there. 6. For dinner I eat soup
and meat. 7. Sometimes I eat only bread, butter, and cheese.
8. My friend Iván always eats bread, butter, soup, and meat.
9. When you work all day, in the evening you think of rest.

10. In the evening my friend Iván and I are frequently at home. 11. We listen to the radio or read. 12. Now I am reading about the poet Púshkin in the periodical "Russian People." 13. In the morning we are again in the city and work all day.

B

1. Where do you (sing. fam.) eat? 2. I often eat at home and sometimes at the restaurant. 3. What do you (pl.) eat? 4. When do you (sing. pol.) eat? 5. We always eat soup and meat for dinner and sometimes bread and butter. 6. Where do you work? 7. In the morning and during the day, I work in the bank. 8. In the evening I work at the hospital. 9. Where is the periodical? 10. There on the table! 11. What does Mr. Chekhov read in the periodical "The Russian People"? 12. I don't know what he is reading about. 13. Of course, he is again reading about the engineer, Mr. Pavlov. 14. Mrs. Semyonova always thinks about rest—in the morning, in the daytime, in the evening. 15. At home her (её) place is on the sofa. 16. In the evening she is always at the movies. 17. She never works, never reads, and never listens to the radio. 18. She is bored all day long.

ПЯТЫЙ УРОК

FIFTH LESSON

Prepositions в, на — *Present tense of the "irregular" verbs*
класть, жить, идти, ехать

I. COMMON EXPRESSIONS AND IDIOMS

Идёт снег	It is snowing
Идёт дождь	It is raining
Ну!	Well!
Ну и день!	What a day!
Ничего!	It does not matter!
Вот как!	Is that so!
Как поживаете? } Как живёшь? }	How are you?
Или ... или	Either . . . or
Что идёт в кино?	What is playing at the movies?
Ехать так ехать!	If we want to go, we had better go!
Иду!	I am coming!
Едем?	Are we going (leaving)?
На автомобиле	By car, in the car
На метро	On the subway
Сегодня вечером	This evening

II. READING: ЕХАТЬ ТАК ЕХАТЬ!

— Ну, Павел Николаевич, **едем**?

— Да, да сейчас ..... А вы знаете **идёт снег**! Или это дождь? ..... **Ну и день!**

— **Ничего!** Мы **едем на автомобиле**. А Коля тоже **едет в** город?

— Нет, Коля теперь **живёт в** городе.

— **Вот как!** ..... Здравствуй, Маша[1] **как живёшь**? А ты **едешь в** город?

— Нет, я сейчас **иду на** урок, а потом **на** собрание. А вы сегодня не работаете, товарищ Петров?

---

[1] Маша is an endearing diminutive form of Мария "Mary."

44

— Коне́чно, я рабо́таю. Я сейча́с е́ду пря́мо **на** заво́д. А куда́ вы **иде́те** сего́дня ве́чером, Па́вел Никола́евич?

— Я ещё не зна́ю. **Или в** теа́тр **йли на** концéрт **йли в** кинó. А **что** сего́дня идёт в **кинó?**

— Я не зна́ю ..... Ну, Па́вел Никола́евич, **éхать так éхать!**

— Хорошó, хорошó ..... **Иду́!** До-свида́ния Ма́ша!

III. VOCABULARY

автомоби́ль (m.)	auto, car	пря́мо	straight, directly
гара́ж	garage	снег	snow
ещё	yet, still, more	собра́ние	meeting, gathering, collection
концéрт	concert	студéнт	student
куда́	where, whereto	теа́тр	theater
но	but	тепéрь	now, nowadays
пóезд	train	тóже	also, too
потóм	afterwards, then	трамва́й	streetcar
		урóк	lesson

(*Verbs* are in Grammar B.)

IV. GRAMMAR

A. Prepositions в (во) and на (continued)

1. In Lesson 4 it was explained that **в** and **на** with the *prepositional* case express *position* (location). Now we must remember that these same prepositions when used with the *accusative* case express *direction* (motion) *into* or *on* a place, respectively. They answer the question "where to?"

Я éду в гóрод.	I am going (driving) into the city (down town).
Он кладёт журна́л **на** стол.	He puts (places) the periodical on the table.

2. *Special uses of the preposition* **на**:

a. На with the *prepositional* case often renders the English preposition "at":

Он **на** концéрт**е.**	He is at the concert.
Она́ **на** урóк**е.**	She is at [her] lesson.

b. **На** with the *accusative* often renders "to," "into":

| Мы идём **на** концéрт. | We are going to the concert. |
| Они идýт **на** урóк. | They are going to [their] lesson. |

The preposition **на** instead of **в** is ordinarily used when attendance at a function is expressed:

на концéрте, **на** урóке, **на** обéде.   At the concert, lesson, dinner.

B.   "Irregular" first conjugation verbs

Many first conjugation verbs have endings that differ slightly from those we studied in Lesson 3.   Instead of ending in -ю, -ешь, and so on, these verbs have the present tense endings -ý, -ёшь, -ёт, -ём, ёте, -ýт when stressed, and -у, -ешь, -ет, -ем, -ете, -ут when unstressed. At the same time their stem consonants usually change, as we can see in the sample verbs **класть** "to put" and **жить** "to live":

Present tense of **класть** "to put, place":

Person	Singular	Plural
First	я кладý	мы кладём
Second	ты кладёшь	вы кладёте
Third	он, онá, онó кладёт	они кладýт

Present tense of **жить** "to live":

Person	Singular	Plural
First	я живý	мы живём
Second	ты живёшь	вы живёте
Third	он, онá, онó живёт	они живýт

C.   The "irregular" verbs идти and éхать

Present tense of идти[1] "to go":

Person	Singular	Plural
First	я идý	мы идём
Second	ты идёшь	вы идёте
Third	он, онá, онó идёт	они идýт

---

[1] See also Lesson 8.

Идти́ means "to go on foot." There are, however, some important idiomatic expressions using идти́, such as:

Идёт снег.	It is snowing.
Идёт дождь.	It is raining.
Что идёт в кино́?	What is being shown in the movies?
По́езд идёт.	The train is going, running.
Трамва́й идёт.	The streetcar is going, running.

In order to express the English "to go" in the meaning of "to go by vehicle," "to ride," the verb е́хать must be used in Russian.

Present tense of е́хать[1] "to go by vehicle," "to ride":

Person	Singular	Plural
First	я е́ду	мы е́дем
Second	ты е́дешь	вы е́дете
Third	он, она́, оно́ е́дет	они́ е́дут

Note that е́хать has the stress on the first syllable throughout its conjugation, in contrast to идти́, which has it on the last. Also notice the д in the conjugational forms instead of the х of the infinitive.

"Irregular" verbs such as the above that do not follow exactly the conjugational pattern of the regular first conjugation (see Lesson 3: чита́ть) will be given in *four "key" forms*:

Infinitive	First Pers. Singular	Second Pers. Singular	Third Pers. Plural
класть	я кладу́	ты кладёшь	они́ кладу́т

Of these forms, the *second* person *singular* is the key to all forms not explicitly given, and fixes the position of the stress for all persons, except the *first* person *singular*:

ты кладёшь:	он, -а́, -о́ кладёт;	мы кладём;	вы кладёте
ты живёшь:	он, -а́, -о́ живёт;	мы живём;	вы живёте
ты идёшь:	он, -а́, -о́ идёт;	мы идём;	вы идёте
ты е́дешь:	он, -а́, -о́ е́дет;	мы е́дем;	вы е́дете

---

[1] See also Lesson 8.

When a verb is completely irregular, its full present tense conjugation and all other irregular forms will be given either in the grammar section or in the Lesson-Vocabularies.

V. QUESTIONS

1. Куда́ мы идём сего́дня? 2. Как мы е́дем? 3. Идёт ли дождь? 4. Идёт ли снег? 5. Едет ли Ко́ля в го́род? 6. Где живёт тепе́рь Ко́ля? 7. Едет ли Ма́ша в го́род? 8. Куда́ е́дет Ма́ша? 9. Рабо́тает сего́дня това́рищ Петро́в? 10. Куда́ е́дет това́рищ Петро́в? 11. Едет он на метро́ и́ли на автомоби́ле? 12. Куда́ идёт Па́вел Никола́евич? 13. Зна́ет ли он, что идёт сего́дня в кино́?

VI. GRAMMATICAL EXERCISES

Exercises with Grammar A

a. From the Reading Exercise write out all nouns, giving their *gender, case,* and English meaning. (For pattern see Lesson 4.)

b. Supply endings wherever necessary:

1. Мой автомоби́ль в гара́ж—'. 2. Утром, я е́ду в го́род—. 3. Ве́чером мы идём в теа́тр—. 4. Вы е́дете на автомоби́л—. 5. Я рабо́таю в ба́нк—. 6. Он ду́мает о дру́г—. 7. Что идёт сего́дня в кин—'. 8. Сейча́с она́ на уро́к—. 9. Сего́дня ве́чером мы идём на собра́ни—. 10. На собра́ни— никто́ не скуча́ет. 11. Идёте вы на конце́рт—? 12. Нет, я е́ду в го́род и иду́ в музе́—, а пото́м на уро́к—.

c. Supply the prepositions в or на according to context:

1. Он е́дет . . . . . го́род. 2. Я иду́ . . . . . уро́к. 3. Она́ кладёт журна́л . . . . . стол. 4. Хлеб . . . . . столе́. 5. Ты живёшь . . . . . го́роде? 6. Мы идём сего́дня ве́чером . . . . . конце́рт. 7. До́ма моё ме́сто . . . . . дива́не. 8. Едешь ты . . . . . теа́тр и́ли . . . . . кино́? 9. Автомоби́ль . . . . . гараже́. 10. Они́ тепе́рь . . . . . конце́рте и́ли . . . . . уро́ке? Они́ . . . . . собра́нии.

Exercises with Grammar B and C

a. Conjugate in the *present* tense:

1. Я живу́ в го́роде. 2. Я кладу́ журна́л на стол. 3. Я иду́ на собра́ние. 4. Я е́ду в го́род.

b. Supply the correct *present* tense forms of the verbs in parentheses:

1. Кто (идти) в музей? 2. Ты (ехать) на автомобиле? 3. Они (ехать) на собрание. 4. Мы (идти) на урок. 5. Она (идти) в госпиталь. 6. Где (жить) инженер Петров? 7. Он (жить) тут. 8. Я (жить) в городе. 9. Я (спрашивать) друга: 10. Что (идти) сегодня в кино? 11. (Идти) снег или дождь? 12. (Идти) поезд? 13. Нет, поезд сейчас не (идти). 14. Что вы (класть) на стол?

VII. TRANSLATION INTO RUSSIAN

A

1. Pável Nikoláʸevich, are we going downtown (into the city) today? 2. No, it is raining and snowing. 3. What a day! 4. It doesn't matter! 5. We are going by car. 6. Is Kólʸa also going? 7. No, Kólʸa lives in the city now. 8. Másha, are you going downtown? 9. Yes, now I am going to the museum and in the evening to a meeting. 10. Aren't you going to the theater? 11. No, not today. 12. Comrade Petróv, are you working today? 13. Yes, I am driving straight to the plant. 14. Well, Pável, well Másha, if we want to go, we had better go!

B

1. Where does Comrade Petrov live? 2. Citizen Petrov lives in the city. 3. Where do you live? 4. We also live in the city. 5. Do they live in this (этом) house? 6. No they live and work in a hospital. 7. Are you going to the museum today? 8. No, today I am going to the theater. 9. What is playing at the movies? 10. I never know what is playing at the movies. 11. Are you (pol.) driving down town by car today? 12. No, today I am going on the subway. 13. My car is again in the garage. 14. But my friend Pavlov is going by car. 15. Do they always put the magazine on the table? 16. No, they sometimes put this magazine on the sofa or on a chair. 17. He puts the bread and the meat on the table. 18. Where do you (sing. fam.) put the butter? 19. Always on the table, of course! 20. Fine! Thank you!

ADDITIONAL READING MATERIAL
Based on the vocabulary and grammar of preceding lessons

ГОСПОДИН СОКОЛОВ

Моя фамилия — Соколов. Я — доктор. Мой брат Иван — инженер. Мы работаем в городе. Утром Иван едет в город на автомобиле. Когда он в городе, он идёт прямо на завод, где он работает.

Утром я тоже еду в город, но на метро. Я работаю в госпитале. Мой друг Павел работает в банке. В здании, где работает Павел есть ресторан. Павел, я и Иван часто обедаем там. Павел иногда ест или суп или хлеб и масло. Я всегда ем только мясо.

На заводе Иван работает быстро и хорошо целый день. В госпитале никто не работает много и я целый день думаю об отдыхе. Когда Иван кончает работать, он идёт на собрание. Он скучает дома вечером!

Вечером я часто дома. Дома я слушаю радио или читаю. Иногда вечером я еду опять в город. В городе я иду или в театр или на концерт или в кино. Но когда идёт снег или дождь я всегда дома.

Когда мой друг Павел кончает работать, он в городе и идёт иногда на урок, а иногда на собрание.

ШЕСТОЙ УРОК | SIXTH LESSON

Genitive singular of masculines and neuters—Negative expressions with the genitive — Ско́лько, ма́ло, мно́го with the genitive—Prepositions без, по́сле, у — Translation of "to have"—Verbs мочь, уме́ть "to be able"

I. COMMON EXPRESSIONS AND IDIOMS

Чита́ть по-ру́сски	To read (in) Russian
Чита́ть по-англи́йски	To read (in) English
Я совсе́м не уме́ю чита́ть.	I cannot read at all.
Мне всё равно́, что ты ду́маешь.	It's all the same to me (I don't care) what you think.
Мне и до́ма хорошо́.	I am just as happy at home.
Ни … ни	Neither … nor

II. READING: СЕГО́ДНЯ ПРА́ЗДНИК

Сего́дня никто́ не рабо́тает. Сего́дня пра́здник. Мой брат и я до́ма. Брат чита́ет у окна́, а я слу́шаю ра́дио.

— Что ты сейча́с чита́ешь? — спра́шиваю я бра́та.

— Ди́ккенса.

— **По-ру́сски** и́ли **по-англи́йски?**

— Коне́чно, по-ру́сски; я о́чень пло́хо чита́ю **по-англи́йски.**

— А **я совсе́м не уме́ю чита́ть по-англи́йски!**

— Ты так ма́ло чита́ешь, что я не зна́ю, **уме́ешь ли ты чита́ть по-ру́сски!**

— **Мне всё равно́, что ты ду́маешь!** Ты идёшь сего́дня ве́чером на собра́ние в клу́бе?

— Нет, сего́дня **у меня́** в клу́бе **нет** собра́ния.

— А что ты де́лаешь у́тром?

— Я не зна́ю. Утром я ничего́ не де́лаю.

— А куда́ ты идёшь **по́сле обе́да?**

— Никуда́! **Мне и до́ма хорошо́!**

Я хорошо́ зна́ю бра́та. Он никогда́ не скуча́ет. Он **мо́жет** чита́ть **без** о́тдыха, це́лый день.

51

III VOCABULARY

брат	brother	потому́ что	because
здесь	here	почему́	why
клуб	club	пра́здник	holiday
никуда́	nowhere	профе́ссор	professor
обе́д	dinner	совсе́м	completely,
перо́	pen, feather		entirely
письмо́	letter	так	so, thus
пло́хо	badly	учи́тель (m.)	teacher
по-англи́йски	English,		
	in English		

Verbs

писа́ть; пишу́, пи́шешь, пи́шут   to write

(See also Grammar D.)

IV. GRAMMAR

A. Noun. Genitive case

1. *Its use*:

a. One of the principal uses of the genitive case is to indicate *possession*. It answers the questions "whose?" "of what?":

Дом до́ктора	The doctor's house
Журна́л учи́теля на столе́.	The teacher's magazine is on the table.

b. In *negative* expressions the *genitive* is used instead of the *accusative* to express the *direct* object:

Positive	Я зна́ю го́род.	I know the city.
Negative	Я **не** зна́ю го́рода.	I do not know the city.
		Lit.: I know not of the city.

c. **Нет** (**не**+**есть**) "there is (are) no" is always used with the *genitive* case:

Здесь **нет** стола́.	There is no table here.
Нет ме́ста.	There is no room (space).

d. **Ско́лько** "how much, how many," **ма́ло** "little," "few," **мно́го** "much," "many," "a lot" are always followed by the *Genitive* case:

Ско́лько хле́ба?	How much (of) bread?
Мно́го хле́ба	Much (of) bread
Ма́ло мя́са	Little (of) meat

2. *Its form*:

The *genitive* singular of masculine and neuter nouns has the ending **-a** when hard and **-я**[1] when soft.

		Hard	Soft	Soft
Masculine	Nominative	стол	музе́й	дождь
	Genitive	стола́	музе́я	дождя́
Neuter	Nominative	ме́сто	по́ле	
	Genitive	ме́ста	по́ля	

Compare these endings with the accusative endings of the animate masculine nouns in Lesson 3.

B. Prepositions with the genitive case

The prepositions	у	at, near
	без	without
	по́сле	after

are always followed by the *genitive* case:

Я чита́ю **у** окна́.	I read at the window.
Он ест хлеб **без** ма́сла.	He eats bread without butter.
По́сле теа́тра мы е́дем домо́й.	After the theater we go home.

Note that the preposition **y** means "at," "next to" when followed by an inanimate noun; it means "at," "at one's home," "in one's possession" (See Section C) when followed by an animate noun.

Он **у стола́**.	He is (stands) at the table.
Она́ сейча́с **у до́ктора**.	She is now at the doctor's.
Сего́дня мы обе́даем **у дру́га**.	Today we are having dinner at [our] friend's home.

---

[1] For Vowel Mutation Rule, see p. 31.

C. Translation of "to have"

Another very important use of **у** with the *genitive* is in the translation of "to have":

У брáта журнáл.   The brother has a magazine.
                                                     Lit.: At the brother's [is a]
                                                     magazine.

Note that the *direct object* ("magazine") of the English sentence becomes the *subject* in the Russian sentence, thus appearing in the *nominative*.

To express "I have, you have, he has," and so on, **у** with the *genitive* of the personal pronouns **я, ты, он,** etc., must be used:

У меня	I have	У нас	we have
У тебя (fam.)		У вас	you have
У вас (pol.)	you have		
У него	he, it has	У них	they have
У неё	she, it has	У кого?	who has?

Есть "there is" is used when the fact of possession is in question:

Есть у брáта журнáл?   *Has* the brother a magazine?
                                                     Lit.: *Is there* at the
                                                     brother's a magazine?
Да, у брáта **есть** журнáл.   Yes, the brother *has* a maga-
                                                     zine.

Negative context is rendered by means of **нет (не + есть):**

У брáта **нет** журнáла.   The brother does not have a
                                                     magazine.

Notice that **журнáл** is in the *genitive* because **нет** must always be used with *genitive* (see above A1c). The Russian literally says: "At the brother's there is not of magazine".

У меня и у негó нет хлéба.   I and he do not have bread.
У тебя и у неё нет мя́са.   You and she do not have
                                                     meat.
Нет у вас дрýга?   Don't you have a friend?
У нас нет дрýга.   We do not have a friend.
У когó нет дрýга?   Who does not have a friend?
У них нет дрýга.   They do not have a friend.

D. Verb. The "irregular" verb мочь and the verb уметь

Present tense of мочь "to be able to," "to be in a position to":

Person	Singular	Plural
First	я могу́	мы мо́жем
Second (fam.)	ты мо́жешь	вы мо́жете
Third	он, она́ оно́ мо́жет	они́ мо́гут

Present tense of уметь "to be able to," "to know how to":

Person	Singular	Plural
First	я уме́ю	мы уме́ем
Second (fam.)	ты уме́ешь	вы уме́ете
Third	он, она́, оно́ уме́ет	они́ уме́ют

It is important to distinguish between the verbs мочь and уметь:

Мочь is generally used to render *physical ability*:

Вы не мо́жете éхать в го́род; по́езд не идёт.
You cannot go downtown; the train is not running.
Я не могу́ писа́ть! Нет пера́! I cannot write! There is no pen!

Уметь is generally used to render "to know how," i. e. to show mental and/or physical *skill*:

Она́ тепе́рь уме́ет чита́ть по-ру́сски.	She knows now how to read Russian.
Я не уме́ю писа́ть по-ру́сски.	I cannot (do not know how to) write Russian.

V. QUESTIONS

1. Кто сего́дня рабо́тает? 2. Почему́ брат сего́дня не рабо́тает? 3. Что де́лает брат? 4. Что он чита́ет? 5. Почему́ он чита́ет Ди́ккенса по-ру́сски? 6. Уме́ете ли вы чита́ть по-английски? 7. Мно́го ли вы чита́ете? 8. Идёт ли брат ве́чером в клуб? 9. Почему́ он не идёт в клуб? 10. Что де́лает он у́тром? 11. Куда́ он идёт по́сле обе́да? 12. Скуча́ет ли он до́ма? 13. Что он мо́жет де́лать це́лый день без о́тдыха?

VI. GRAMMAR EXERCISES

Exercises with Grammar A

a. Supply endings:

1. Это ко́мната профе́ссор—. 2. Друг бра́т— сего́дня
до́ма. 3. Дом инжене́р— в го́род—. 4. Как фами́лия до́ктор—?
5. Ско́лько хле́б— на стол—'? 6. На столе́ мно́го хле́б—, но
ма́ло мя́с—. 7. На обе́д он ест ма́ло су́п—. 8. Я чита́ю в жур·
на́ле това́рищ— о поэ́те Пу́шкине. 9. Тут ма́ло мест—. 10. Это
журна́л до́ктор— Че́хова.

b. Change the following sentences to the negative:

1. Они́ слу́шают ра́дио. 2. На столе́ письмо́. 3. Он чита́ет
письмо́ дру́га. 4. В зда́нии есть теа́тр. 5. Я пишу́ письмо́.
6. Есть тут перо́? 7. Она́ кладёт журна́л на стол. 8. Утром
они́ едя́т суп. 9. Автомоби́ль в гараже́. 10. В клу́бе сего́дня
собра́ние.

Exercises with Grammar A and B

a. Give the correct case forms of the nouns in parentheses:

1. Автомоби́ль у (гара́ж). 2. Утром я рабо́таю на (за-
во́д) без (меха́ник). 3. По́сле (уро́к) мы идём обе́дать. 4. Я
сейча́с у (до́ктор). 5. Он сего́дня у (учи́тель)? 6. По́сле (чай)
они́ е́дут в клуб. 7. Очень пло́хо жить без (дру́г). 8. Что э́то
там у (зда́ние)?

b. Translate the prepositions in parentheses and supply endings:

1. Брат чита́ет (at) окн—'. 2. (After) обе́д— мы идём в
теа́тр. 3. Мой друг мо́жет чита́ть (without) о́тдых— це́лый день.
4. Я не могу́ писа́ть (without) пер—'. 5. Она́ сего́дня (at) до́к-
тор—. 6. Сего́дня мы обе́даем (at) това́рищ— Ивано́ва. 7. Они́
не мо́гут е́хать в го́род (without) автомоби́л—. 8. Эта ко́мната
(without) окн—'.

Exercises with Grammar C

a. Supply the correct case forms of the nouns in parentheses:

1. Журна́л у (инжене́р)? 2. Нет, у него́ нет (журна́л).

3. Есть у вас (дом) в го́роде? 4. Нет, у нас там нет (дом). 5. Нет ли у (друг) (автомоби́ль)? 6. Нет, у (това́рищ) Ива- но́ва нет (автомоби́ль). 7. Сего́дня у́тром у нас нет ни (хлеб), ни (ма́сло), ни (сыр). 8. У (брат) сего́дня гость.

b. Translate the phrases in parentheses:

1. (I have) кни́га, а (you have) журна́л. 2. (They have) всегда́ чай, хлеб и сыр. 3. (We have) сего́дня гость. 4. (She has) то́лько дива́н и стол. 5. (He has) сейча́с уро́к. 6. (Who has) журна́л «Ру́сский Наро́д?» 7. (I have) сего́дня пра́здник. 8. (Thou hast not) ра́дио? 9. Нет, (I have) ра́дио. 10. (They have not) автомоби́ля. 11. (The guest has) фотогра́фия. 12. (The brother does not have) стола́. 13. (Who does not have) хле́ба? 14. (The engineer has) гара́ж и автомоби́ль.

Exercises with Grammar D

a. Conjugate in the *present tense*:

1. Я могу́ идти́ в теа́тр. 2. Я уме́ю чита́ть **по-ру́сски**.

b. Give the correct *present* tense forms of the verbs in paren- theses:

1. Мой друг (скуча́ть) без теа́тра. 2. Ты (писа́ть) письмо́ сейча́с? 3. Мы (мочь) е́хать в го́род на автомоби́ле. 4. Вы (уме́ть) писа́ть по-ру́сски? 5. Вы (мочь) тепе́рь идти́ на уро́к. 6. Она́ (уме́ть) чита́ть по-англи́йски. 7. Она́ не (мочь) писа́ть без пера́. 8. Я не (мочь) есть так мно́го су́па. 9. (Уме́ть) ты чита́ть по-ру́сски? 10. Да, я (чита́ть) по-ру́сски, но ещё не (уме́ть) писа́ть.

VII. TRANSLATION INTO RUSSIAN

A

1. My brother and I are at home. 2. We do not work today. 3. Today is a holiday and nobody works. 4. I am lis- tening to the radio, and my brother is reading Dickens. 5. He reads [it] in Russian. 6. He cannot read English. 7. I read English very well but I cannot read Russian. 8. I read very little. 9. [My] brother thinks that I cannot read at all. 10. But I don't care what he thinks. 11. I am now going downtown. 12. I ask [my] brother: "Where are you going today?" 13. "Nowhere! I am just as happy at home." 14. "Well, good bye!" 15. My friend and I are having dinner at the club. 16. After dinner we are going to the theater.

B

1. How are you? 2. Quite well, thank you! 3. Why can you not go after the theater to the meeting at the club? 4. Because I cannot finish [my] lesson during the day. 5. I cannot work fast. 6. I don't know how to write Russian. 7. My wife does not write English. 8. Do you (pol.) know how to read and write English? 9. Yes, I am now writing a letter in English. 10. I always work at [my] brother's home. 11. Why do you not work in the house of [your] teacher? 12. Because [my] teacher does not own (have) a house. 13. He lives in the house of [my] brother. 14. Do you (sing. fam.) own a car? 15. No, I can live very well without a car in the city. 16. I can go on the subway. 17. And a streetcar also goes directly downtown. 18. Who does have a car? 19. The engineer Pavlov owns a car. 20. Where does he live? 21. He lives with us and is (just) now driving downtown. 22. Thank you! Good bye!

СЕДЬМОЙ УРОК

SEVENTH LESSON

Dative singular of masculines and neuters; preposition к (ко)
— Nominative (and accusative) singular of adjectives —
Давáть *"to give"*

I. COMMON EXPRESSIONS AND IDIOMS

Рáно ýтром	Early in the morning
На дворé	Out of doors, outside
	Lit.: On the courtyard
Нá небе ни óблака	[There is] not a cloud in the sky
На зáвтрак	For breakfast
К зáвтраку	For breakfast, by breakfast time
К обéду	For dinner, by dinner time
К ýжину	For supper, by supper time
Даю́т	They give, one is given

II. READING: В КОЛХОЗЕ

Рáно ýтром товáрищ Вóлков открывáет окнó. Пóсле дождя́ **на дворé** хорошó! Вóздух свéжий, нéбо си́нее: **нá небе ни óблака!**

Товáрищ Вóлков живёт и рабóтает в колхóзе.

В колхóзе все зáвтракают рáно. **К зáвтраку** товáрищ Вóлков идёт в большóе, нóвое здáние. Это кýхня. **На зáвтрак** товáрищу Вóлкову даю́т чёрный и́ли бéлый хлеб, мáсло и сыр. Он пьёт горя́чий чай и́ли молокó.

Пóсле зáвтрака товáрищ Вóлков éдет в пóле. День жáркий: **нá небе ни óблака!**

К обéду он éдет обрáтно в колхóз, а потóм опя́ть рабóтает в пóле без óтдыха.

Вéчером Вóлков идёт **к** товáрищу. Они́ идýт в клуб. В клýбе хорóшее рáдио. Там никтó не скучáет.

59

III.   VOCABULARY

бе́лый, -'ая, -'ое	white	но́вый, -'ая, -'ое	new
большо́й, -а́я, -о́е	big, large	о́блако	cloud
во́здух	air	обра́тно	back
горя́чий, -'ая, -'ее	hot[1]	плохо́й, -а́я, -о́е	bad
двор	court, yard	после́дний, -'яя, -'ее	last
жа́ркий, -'ая, -'ое	hot[2]	ра́но	early
за́втрак	breakfast	све́жий, -'ая, -'ее	fresh
како́й, -а́я, -о́е	which, what	си́ний, -'яя, -'ее	blue
	kind of	сло́во	word
колхо́з	collective	у́жин	supper
	farm	хоро́ший, -'ая, -'ее	good
молоко́	milk	чай	tea
не́бо	sky	чёрный, -'ая, -'ое	black

Verbs

за́втракать (I)	to breakfast, have breakfast
закрыва́ть (I)	to close
объясня́ть (I)	to explain
открыва́ть (I)	to open
пить; пью, пьёшь, пьют	to drink
у́жинать (I)	to sup, have supper

IV.   GRAMMAR

A.   Noun. Dative case

1. *Its use*:

a. The *dative* case is used to indicate the *recipient*. It is the case of the *indirect* object. It answers the questions "to whom?" "to what?":

Он пи́шет дру́гу письмо́.   He writes [his] friend a letter.

b. The *preposition* к (ко) is *always* followed by the *dative* case. When used with reference to persons, к (ко) generally means "to"; when used of things, к (ко) generally means "toward":

---

[1] "Hot" to the touch: горя́чий чай "hot tea."
[2] "Hot" as to temperature: жа́ркий день "hot day."

Я иду́ к дру́гу.	I am going to [my] friend.
Е́дете вы к бра́ту?	Are you going (riding) to [your] brother?
Я иду́ к окну́.	I am going to (toward) the window.

c. With other verbs[1] the English preposition "to" is usually rendered in Russian simply by the *dative* case *without any preposition*:

| Я даю́ бра́ту журна́л. | I am giving the periodical to [my] brother. |
| Я объясня́ю дру́гу уро́к. | I am explaining the lesson to [my] friend. |

Note that the verb отвеча́ть is used with the *dative* and the verb спра́шивать with the *accusative*:

| Я спра́шиваю учи́теля. | I ask the teacher. |
| Я отвеча́ю учи́телю. | I answer (to) the teacher. |

Спра́шивать can also be used with у and the *genitive*:

| Я спра́шиваю у учи́теля. | I ask the teacher. |

2. *Its form.* The *dative* singular of masculine and neuter nouns ends in -у when hard and in -ю when soft:

		Hard	*Soft*	*Soft*
Masculine	Nominative	стол	музе́й	дождь
	Dative	столу́	музе́ю	дождю́
Neuter	Nominative	ме́сто	по́ле	зда́ние
	Dative	ме́сту	по́лю	зда́нию

B.   Adjective

1. *Basic types of nominative singular endings*:

Masculine		*Neuter*		*Feminine*	
a. но́вый b[2]. большо́й c[3]. после́дний	} дом	но́вое большо́е после́днее	} зда́ние	но́вая больша́я после́дняя	} ко́мната

[1] Transitive verbs (verbs taking the direct object).

[2] Type (b) adjectives always have the stress on their endings.

[3] Type (c) adjectives are called "soft" because their endings always begin with a "soft" vowel; most of them designate place and/or time.

2. Note that the *accusative* of adjectives modifying *inanimate masculine* nouns and *all neuter* nouns is exactly like their *nominative*:

Nominative   но́вый стол; после́днее сло́во; большо́е зда́ние
Accusative   но́вый стол; после́днее сло́во; большо́е зда́ние

3. *Changes in endings in accordance with vowel mutation rules* (p. 28):

a. In accordance with Rule B, the masculine ending -ый changes to -ий after the gutturals г, к, х and the sibilant consonants ж, ч, ш, щ: ру́сский, горя́чий, хоро́ший, etc.

b. In accordance with Rule C, the *unstressed* neuter ending -ое changes to -ее after the sibilant consonants ж, ч, ш, щ, ц: горя́чее, хоро́шее, etc.
Stressed -о́е does not change: большо́е.

4. In the vocabularies the nominative singular forms will appear as follows: но́вый, -'ая, -'ое "new"; после́дний, -'яя -'ее "last," "latest."

C. Verb

Present tense of the verb дава́ть "to give":

Person	Singular	Plural
First	я даю́	мы даём
Second (fam.)	ты даёшь	вы даёте
Third	он, -а́, -о́ даёт	они́ даю́т

VOCABULARY BUILDING

These units, placed at convenient intervals, suggest ways to organize vocabulary for easier assimilation.

Adjectives and Adverbs

Adj.	Adv.		Adj.	Adv.	
горя́чий	горячо́	hot (of things)	жа́ркий	жа́рко	hot (mainly of weather)
плохо́й	пло́хо	bad	хоро́ший	хорошо́	good, well

Antonyms

бе́лый	white	чёрный	black
холо́дный	cold	горя́чий	hot

хоро́ший	good	плохо́й	bad
мно́го	much	ма́ло	little
открыва́ть	to open	закрыва́ть	to close

V. QUESTIONS

1. Что де́лает това́рищ Во́лков ра́но у́тром? 2. Хорошо́ ли на дворе́ по́сле дождя́? 3. Како́й во́здух? 4. Како́е не́бо? 5. Где живёт и рабо́тает това́рищ Во́лков? 6. Ра́но ли он за́втракает? 7. Куда́ идёт това́рищ Во́лков за́втракать? 8. Что даю́т това́рищу Во́лкову на за́втрак? 9. Куда́ е́дет това́рищ Во́лков по́сле за́втрака? 10. Како́й день? 11. Куда́ он е́дет к обе́ду? 12. Что он де́лает по́сле обе́да? 13. Куда́ он идёт ве́чером? 14. Что есть в клу́бе? 15. Кто скуча́ет в клу́бе?

VI. GRAMMAR EXERCISES

Exercises with Grammar A

a. From the Reading Exercise write out all nouns in the *genitive* and *dative* cases. (For pattern see Lesson 4.)

b. Supply endings:

1. Я отвеча́ю дру́г—. 2. Он идёт к до́ктор—. 3. Мы пи́шем письмо́ това́рищ— Во́лкову. 4. Вы идёте сего́дня к учи́тел—. 5. К обе́д— он е́дет в колхо́з. 6. К у́жин— он идёт домо́й. 7. На за́втрак това́рищ— даю́т хлеб, ма́сло и сыр. 8. На обе́д я даю́ бра́т— суп и мя́со. 9. На у́жин мы даём го́ст— суп, мя́со и чай. 10. Этот студе́нт бы́стро отвеча́ет профе́ссор—. 11. Мы ме́дленно отвеча́ем учи́тел— по-ру́сски. 12. Я иду́ к окн—'. 13. Вы идёте к учи́тел— на уро́к? 14. Кто идёт к зда́ни—? 15. Мы сейча́с е́дем на автомоби́ле к по́езд—.

Exercise with Grammar B

Supply the endings and translate:

1. Горя́ч— чай. 2. Си́н— не́бо. 3. Хоро́ш— друг. 4. После́дн— уро́к. 5. Жа́рк— день. 6. Бе́л— и́ли чёрн— хлеб. 7. Больш—' зда́ние. 8. Но́в— дом. 9. Свеж— во́здух. 10. Хоро́ш— ра́дио. 11. Бе́л— дверь. 12. Бе́л— о́блако. 13. Больш—' ку́хня. 14. Бе́л— снег. 15. Свеж— мя́со.

Exercises with Grammar B and C

a. Supply the *present* tense forms of the verbs and the endings of the adjectives:

1. Я (дава́ть) бра́ту хоро́ш— перо́. 2. Я (есть) бе́л— и чёрн-- хлеб, свеж— ма́сло и свеж— сыр. 3. Я (пить) горяч— чай. 4. Сего́дня мой брат ничего́ не (пить) и не (есть). 5. Я (спра́шивать) бра́та: Почему́ ты не (есть) и не (пить). 6. Брат не (отвеча́ть). 7. До́ктор (открыва́ть) нов— журна́л и (чита́ть). 8. Инжене́р Петро́в (мочь) чита́ть це́л— день. 9. На обе́д мы (есть) суп и мя́со и опя́ть (пить) чай. 10. У нас в Росси́и все (пить) чай.

b. Conjugate in the *present* tense:

1. Я даю́ бра́ту журна́л. 2. Я даю́ дру́гу письмо́.

VII. TRANSLATION INTO RUSSIAN

A

1. A large photograph. 2. My good friend. 3. A new garage. 4. The last building. 5. Fresh meat. 6. Fresh air. 7. A hot day. 8. Hot soup. 9. The last day. 10. Blue sky. 11. Black bread. 12. A white house. 13. He always reads the last word very slowly. 14. For breakfast they eat black bread and fresh butter. 15. They drink hot tea or fresh milk. 16.[There is]a large photograph on the table. 17. My teacher always reads the large Russian periodical "The Russian People." 18. The good student explains to [his] friend the new lesson.

B

1. I live and work on (in) a collective farm. 2. Early in the morning I open [my] window. 3. (It is) a beautiful (good) day. 4. There isn't a cloud in the sky. 5. The sky is blue; the air is fresh. 6. For breakfast I go into a big new building. 7. It is the kitchen. 8. Here I eat white or black bread, butter, and cheese. 9. Then I drive to (into) the field[s]. 10. I work all day without a rest. 11. For supper I ride back to the kolhóz. 12. I eat hot soup and fresh, good meat. 13. I drink hot tea or milk. 14. In the evening I go to [my] friend. 15. He also lives and works on the collective farm. 16. We read or go to the movies. 17. Early in the morning we drive again to the fields and work there all day.

ADDITIONAL READING MATERIAL
Based on the vocabulary and grammar of preceding lessons

МОЙ ДРУГ ДОКТОР ЧЕХОВ

Сегодня целый день идёт дождь. Я сегодня не работаю, сегодня праздник. Мой брат и я сейчас дома. Брат пишет письмо, а я скучаю. Сегодня вечером я еду в город, в клуб. Я ещё не знаю как я еду в клуб. Или на метро, или на трамвае, или на поезде. У меня нет автомобиля, а автомобиль брата в гараже.

Сегодня вечером у меня собрание в клубе. На собрании я никогда не скучаю.

Вот журнал «Русский Народ». Я открываю журнал. Ну, вот новость! В журнале фотография доктора Чехова. Доктора Чехова я хорошо знаю, он мой друг. Я думаю, что он гений. Он не только доктор, но и инженер, и поэт. Он умеет работать! Иногда он работает и день и ночь.

В журнале пишут, что когда доктора Чехова спрашивают:

— Что вы делаете утром? —

— Я работаю всё утро, — он отвечает.

— А что вы делаете после обеда? —

— Конечно, работаю. —

— А куда вы идёте вечером?

— Никуда. Вечером я работаю дома: читаю, пишу... —

— Вы никогда не слушаете радио? —

— Нет, иногда я слушаю радио, но не так часто. Я слушаю радио, когда я ем, но не всегда. Дома у меня нет радио.

— Вы совсем не думаете об отдыхе? —

— Я не могу думать об отдыхе. Я доктор, инженер, поэт! —

Да, думаю я, это энергия! Это мой друг Чехов! Он никогда не скучает!

ВОСЬМОЙ УРОК | EIGHTH LESSON

Instrumental singular of masculines and neuters; prepositions
ме́жду, над, пе́ред, с (со) — *Present tense of the second
conjugation* — *Review of the singular declension
of masculines and neuters*

I. COMMON EXPRESSIONS AND IDIOMS

Домо́й	Home, homeward
Мне пора́ идти́ домо́й.	It is time for me to go home.
Очень жаль!	Too bad! It is a pity!
На́до быть . . .	One must be . . .
Идти́ пешко́м	To walk, go on foot
Совсе́м ря́дом	Very near; right next door
Да что вы говори́те!	You don't say!
С трудо́м	With difficulty
Без труда́	Easily; without trouble
Счастли́вого пути́!	Happy journey! Bon voyage!

II. READING: Я ЕДУ В СТАЛИНГРАД

— Ну, до-свида́ния! **Мне пора́ идти́ домо́й.**

— Куда́ вы спеши́те? Ещё ра́но!

— Нет, уже́ по́здно. Вы забыва́ете, что за́втра ра́но у́тром я е́ду в Сталингра́д.

— Как вы е́дете? По́ездом и́ли парохо́дом?

— Я всегда́ **е́зжу** туда́ по́ездом.

— **Очень жаль,** что вы спеши́те. Но я понима́ю, что **пе́ред** отъе́здом **на́до быть** до́ма не сли́шком по́здно.

— Да, я сейча́с е́ду **домо́й,** трамва́ем и́ли на метро́.

— Вы, коне́чно, мо́жете **идти́ пешко́м.** Вы живёте **совсе́м ря́дом.**

— Нет, я живу́ тепе́рь у бра́та..

— Вот как! А где живёт ваш брат?

— Его́ кварти́ра **над** клу́бом «Кра́сная Звезда́». Это **ме́жду** до́мом инжене́ра Бра́уна и зда́нием ба́нка.

— Это америка́нский инжене́р Бра́ун?

— Да.

66

— Я хорошо́ зна́ю инжене́ра Бра́уна. Он интере́сный челове́к, но я **с трудо́м** понима́ю, когда́ он говори́т по-ру́сски. Мы **с инжене́ром** Бра́уном всегда́ говори́м по-англи́йски.

— **Да что вы говори́те!?** А на заво́де **с** инжене́ром Бра́уном все говоря́т то́лько по-ру́сски и **без труда́** понима́ют инжене́ра Бра́уна … Ну, до-свида́ния!

— До-свида́ния! **Счастли́вого[1] пути́!**

III. VOCABULARY

америка́нский, -'ая, -'ое	American	ма́ленький, -ая, -ое	small
ваш, ва́ша, ва́ше	your, yours	отъе́зд	departure
		парохо́д	steamship
его́	his, its	по́здно	late
её	her, hers	ря́дом,	alongside,
за́втра	tomorrow	ря́дом с	next to
звезда́	star	сли́шком	too, excessively
интере́сный, -'ая, -'ое	interesting	счастли́вый, -'ая, -'ое	happy, lucky
кварти́ра	apartment	туда́	there, thither
кра́сный, -'ая, -'ое	red	уже́	already
		челове́к	human being, man, person

Verbs

забыва́ть (I)	to forget
лежа́ть; лежу́, лежи́шь, лежа́т	to lie, recline
спеши́ть; спешу́, спеши́шь, спеша́т	to hurry, be in a hurry

IV. GRAMMAR

A. Noun. Instrumental case

1. *Its use*:

a. The *instrumental* case, as its name implies, denotes the instrument or agent *by* which an action is performed. It answers the questions "by means of whom?" "by means of what?"

---

[1] Pronounce "Shchastlivəvə."

Он е́здит по́ездом.	He goes by train.
Он пи́шет перо́м.	He writes with a pen.

Notice that the prepositions "by" and "with" are not translated here; the instrumental case is used without any preposition.

b. When the *instrumental* case is used with the *preposition* **c (co)**, it renders "with" in the meaning of "along with," "in the company of":

Он идёт **c** бра́т**ом** в теа́тр.	He goes with [his] brother to the theater.

c. The *prepositions*

ме́жду	between
над	above, over
пе́ред	in front of, before

are *always* followed by the *instrumental* case:

Стол **ме́жду** окн**о́м** и дива́н**ом.**	The table is between the window and the sofa.
Моя́ ко́мната **над** гараж**о́м.**	My room is above the garage.
Мой автомоби́ль **пе́ред** до́м**ом.**	My car is in front of the house.

2. *Its form*:

The *instrumental* singular of *masculine* as well as of *neuter* nouns has the ending **-ом** when "hard" and **-ем** when "soft":

		Hard	*Soft*	*Soft*
Masculine	Nominative	стол	музе́й	дождь
	Instrumental	стол**о́м**	музе́**ем**	дождём [1]
Neuter	Nominative	ме́сто	по́ле	зда́ние
	Instrumental	ме́ст**ом**	по́л**ем**	зда́нием

B. Verb. The second conjugation

The regular verb говори́ть "to speak, to say" is used as an example.

1. To conjugate this type of verb in the present tense, **drop** from the infinitive form говори́ть the three last letters **йть.**

---

[1] Note that whenever the stress falls on the *instrumental* "soft" ending, the e changes to ë. (Ср. also ружьём "with the rifle.")

2. To the resulting stem **говор** add the endings **-ю, -ишь, -ит, -им, -ите, -ят**:

Person	Singular	Plural
First	я говор-**ю**	мы говор-**им**
Second (fam.)	ты говор-**ишь**	вы говор-**ите**
Third	он, -á, -ó говор-**ит**	они говор-**ят**

Verbs belonging to this class will appear in the vocabularies followed by the Roman numeral II, thus: **говори́ть (II)** "to speak, to say." When a verb does not follow *exactly* the conjugational pattern of **говори́ть**, it will be given in four "key" forms, as set forth in Lesson 5. Note that, in accordance with Vowel Mutation Rule A, the first person singular ending -ю changes to -у, and the third person plural ending -ят changes to -ат when preceded by a sibilant consonant (ж, ч, ш, щ, ц): лежа́ть; я лежу́, ты лежи́шь, они лежа́т.

Note that **говори́ть с (со)** plus the *instrumental* renders "to speak with, to converse with." **Говори́ть** can also be used to render "to tell," but in this meaning it must be used with the *dative* (without **с**):

Я **говорю́ с** учи́телем.
I am speaking (conversing) with the teacher.
But:

Я **говорю́** учи́телю, что я не уме́ю чита́ть по-ру́сски.
I am telling the teacher that I cannot read Russian.

3. *The verbs* **ходи́ть** *and* **е́здить**:

a. When the action of going (on foot) is *repeated* or *habitual,* use **ходи́ть** (instead of идти́):

Он **ча́сто хо́дит** в теа́тр.   He often goes to the theater.

b. When the action of riding, driving (going by a vehicle) is *repeated* or *habitual,* use **е́здить** (instead of е́хать):

Он **всегда́ е́здит** в го́род на   He always goes downtown on
метро́.   the subway.

c. Conjugation of

е́здить: е́зжу, е́здишь, е́здит, е́здим, е́здите, е́здят
ходи́ть: хожу́, хо́дишь, хо́дит, хо́дим, хо́дите, хо́дят

C. Review

Table of the full declension of *masculine* and *neuter* nouns in the *singular*:

	Hard	*Hard*	*Soft*	*Soft*	*Soft*	*Soft*
Nom.	стол	ме́сто	музе́й	гость	по́ле	зда́ние
Gen.	стола́	ме́ста	музе́я	го́стя	по́ля	зда́ния
Dat.	столу́	ме́сту	музе́ю	го́стю	по́лю	зда́нию
Acc.	стол	ме́сто	музе́й	го́стя	по́ле	зда́ние
Instr.	столо́м	ме́стом	музе́ем	го́стем	по́лем	зда́нием
Prep.	столе́	ме́сте	музе́е	го́сте	по́ле	зда́нии

Remember that the *accusative* of *animate masculine* nouns ends in -a when "hard," and in -я when "soft," being identical with the *genitive*.

V. QUESTIONS

(In answering the questions identify yourself with the persons in the Reading Exercise.)

1. Ра́но ли сейча́с? 2. Куда́ вы е́дете за́втра у́тром? 3. Как вы е́дете? 4. Как вы идёте домо́й? 5. Мо́жете ли вы идти́ пешко́м? 6. Где вы тепе́рь живёте? 7. Где кварти́ра бра́та? 8. Инжене́р Бра́ун ру́сский? 9. Хорошо́ ли говори́т по-ру́сски инжене́р Бра́ун? 10. Брат понима́ет инжене́ра Бра́уна, когда́ Бра́ун говори́т по-ру́сски? 11. Как говоря́т с инжене́ром Бра́уном на заво́де? 12. Хорошо́ ли там понима́ют инжене́ра Бра́уна?

VI. GRAMMAR EXERCISES

Exercises with Grammar A

a. Supply endings:

1. Я за́втракаю ра́но у́тр—. 2. Я ем хлеб с ма́сл— и сы́р—. 3. Я е́ду в го́род трамва́— и́ли на метр—'. 4. Днём я рабо́таю с профе́ссор— в музе́е. 5. Ве́чер— мы хо́дим с го́ст— в кино́ и́ли в теа́тр. 6. Тепе́рь я чита́ю с бра́т— о́чень интере́сный, ру́сский журна́л. 7. Я с труд—' чита́ю по-ру́сски. 8. Пе́ред отъе́зд—

мы говори́м с учи́тел— о Сталингра́де. 9. Едете вы в Сталин-
гра́д парохо́д—? 10. Нет, мы всегда́ е́здим по́езд—.

b. Give the correct case forms of nouns in parentheses:

1. Мой но́вый дом ме́жду (теа́тр) и (банк). 2. Что э́то
там пе́ред (зда́ние)? 3. Пе́ред (окно́) ма́ленький стол. 4. У
меня́ но́вая кварти́ра над (клуб) «Кра́сная Звезда́». 5. Моё
перо́ лежи́т вот там, на столе́, ме́жду (журна́л) и (хле́б).
6. Пе́ред (отъе́зд) он пи́шет письмо́ дру́гу. 7. Над (гара́ж) у
него́ ма́ленькая ко́мната. 8. Над (о́блако) си́нее не́бо.

c. Translate the following sentences and explain in each case the
use or omission of the preposition **с**:

1. Я е́ду трамва́ем. 2. Мы е́дем **с** бра́том в го́род. 3. Он
говори́т **с** профе́ссором. 4. Ты ешь хлеб **с** сы́ром и́ли **с** ма́с-
лом? 5. Вы пи́шете перо́м? 6. Они́ е́дут в Ленингра́д по́ездом
и́ли парохо́дом?

d. Translate the prepositions in parentheses and supply endings:

1. Я пишу́ пер—'. 2. Он говори́т (with) учи́тел—. 3. Они́
е́дут по́езд—. 4. Это кино́ (between) музе́— и ба́нк—.
5. (Before) обе́д— и (after) обе́д— мы слу́шаем ра́дио.
6. (Above) го́род— большо́е о́блако. 7. Его́ но́вый автомоби́ль
(in front of) до́м—. 8. Вы говори́те (with) профе́ссор—.

Exercises with Grammar B

a. Give the *present* tense forms of the verbs in parentheses:

1. Где (лежа́ть) перо́? 2. Почему́ ты (спеши́ть)? 3. Ты
(забыва́ть), что я за́втра (е́хать) в Сталингра́д. 4. Они́ не
(говори́ть) с до́ктором. 5. Мы всегда́ (забыва́ть), где (жить)
това́рищ Петро́в. 6. (Понима́ть) вы, когда́ господи́н Бра́ун
(говори́ть) по-ру́сски? 7. (Говори́ть) вы по-англи́йски?
8. Нет, я с трудо́м (говори́ть) и о́чень пло́хо (понима́ть) по-
англи́йски.

b. Supply the correct form of идти́ or ходи́ть according to
context:

1. Сего́дня он не ..... на уро́к. 2. Они́ ча́сто ..... на
конце́рт. 3. Почему́ вы никогда́ не ..... в музе́й? 4. ..... ты

сегодня вечером на собрание? 5. К обеду мы всегда ..... в этот ресторан.

c. In the above exercise supply correct forms of ехать or ездить according to context.

Exercises with Grammar C (Review)

a. Decline in the *singular*:

1. чай. 2. дождь. 3. поле. 4. место. 5. народ*. 6. собрание.

b. Supply endings and translate the prepositions and Common Expressions in parentheses:

1. Знаете вы доктор— Чехов—? 2. Никто не работает (as much as) он. 3. Я работаю (in) банк—, а мой друг (at) завод—. 4. (For dinner) мы всегда едим суп и мяс—. 5. Мы едем (to) город (by car). 6. Он не знает, что сегодня (is playing in the movies). 7. Мой брат может (all day) читать (without) отдых—. 8. Он говорит, что я (cannot read at all). 9. (After) дожд—' на двор—' хорошо! Воздух свеж—, небо син—, на неб— ни облак—. 10. (For breakfast) дают това· рищ— чёрн— (or) бел— хлеб и горяч— ча—.

VII. TRANSLATION INTO RUSSIAN
A

1. Today my friend, Mr. Brown, and I are going to Stalingrad. 2. "Are we going to Stalingrad by steamboat or train?" I ask [my] friend. 3. "By train, of course!" he answers. 4. In the evening, before [our] departure, we go to a restaurant right next door and have supper. 5. "It is already very late; it is time to go!" 6. "You don't say!" 7. We eat quickly. 8. We eat only soup with bread and cheese and hurry to the train. 9. We take (go by) the subway. 10. In Stalingrad we go to a friend of Mr. Brown. 11. "What is his name?" I ask. 12. "Alexánder Ivánovich Semyónov. He is a Russian, a very good engineer!" 13. "He lives in the building there, between the bank and the movie." 14. Alexánder Ivánovich is at home. 15. We have breakfast and then go by car to the plant where Alexánder Ivánovich works. 16. We work all day at the plant without a rest. 17. Only late in the evening do we go back home.

---

* Treated as an inanimate noun.

B

1. I live in the city. 2. My new house is small. 3. But I have a large, new kitchen. 4. The house is between the bank and the hospital. 5. In front of the house is a large building, a garage. 6. My new, black, white, and blue car is in the garage. 7. I always drive to [my] friend by car or subway. 8. We never go (ride) by train or streetcar. 9. My friend is a professor. 10. There is someone who works a lot, day and night! 11. He never rides. 12. He always walks (goes on foot) to the museum, where he is now working. 13. But today it is raining. 14. It is a very hot day. 15. What a day! 16. This evening (today in the evening) we cannot go to the theater, the concert, or the meeting at the club. 17. But Pavel says: "It does not matter! I am just as happy at home. 18. I can speak with [my] friend Ivan. 19. We have a radio. 20. Do you have a pen?" 21. "Yes, I have a new pen. 22. It is there on the table between the radio and the magazine." 23. "Thank you! Now I can write my Russian lesson, or a letter to [my] teacher in English or Russian. 24. Thus (and so) I am never bored."

ДЕВЯТЫЙ УРОК

NINTH LESSON

Dative and prepositional of feminine nouns and adjectives—
Хотéть *"to want to"—Omission of personal pronouns*

I. COMMON EXPRESSIONS AND IDIOMS

Рабóтать как маши́на	To work like a machine; work very hard
По дорóге	On the way
Универсáльный магази́н	Department store
Что тут дýмать?	What's there to think? (It's obvious.)
Это хорóшая идéя!	That's a splendid idea!
Ну, прощáй!	Well, good bye!
Скóлько стóит?	How much does it cost?

II. READING: НОВАЯ СКАТЕРТЬ

Я рабóтаю на большóй фáбрике. Рабóта хорóшая, но скýчная. **Рабóтаешь** цéлый день, **как маши́на!** Затó дóма молодáя женá, краси́вая кварти́ра, удóбное крéсло . . .

По дорóге домóй я читáю в вечéрней газéте объявлéние: «Нóвая скáтерть — рáдость женé». Идý в **универсáльный магази́н.** В окнé магази́на краси́вая скáтерть. Я спрáшиваю:

— **Скóлько стóит** эта скáтерть?

— Эта скáтерть óчень дорогáя! — говори́т продавщи́ца.

— Ничегó! — отвечáю я молодóй продавщи́це. — «Нóвая скáтерть — рáдость женé», говори́т объявлéние.

На ýлице я встречáю прия́теля.

— Кудá **спеши́шь?** — спрáшиваю я.

— Я спешý в этот магази́н. Женá говори́т, что там сегóдня большáя распродáжа. Но я не пóмню, что онá **хóчет.**

— **Что тут дýмать!** — говорю́ я. — Вот в газéте **пи́шут:** «Нóвая скáтерть — рáдость женé».

— Да, это хорóшая идéя.

— Конéчно . . . **Ну, прощáй!**

— До-свидáния!

VOCABULARY III

вечéрний, -ʹяя, -ʹее	evening (adj.)	объявлéние	advertisement
газéта	newspaper	приятель (m.)	friend,
дорóга	road, way	продавщица	saleswoman
дорогóй, -áя, -óе	expensive, dear	рáдость	joy, happiness
		распродáжа	sale
затó	on the other hand, but then	скáтерть	tablecloth
		скýчный, -ʹая, -ʹое	boring, tiresome
книга	book	совéтский, -ʹая, -ʹое	Soviet
красивый, -ʹая, -ʹое	beautiful		
		удóбный, -ʹая, -ʹое	comfortable, convenient
крéсло	armchair		
машина	machine, engine	ýлица	street
		фáбрика	factory
молодóй, -áя, -óе	young	ценá	price

Verbs

встречáть (I)	to meet
пóмнить (II)	to remember

IV. GRAMMAR

A. Noun. Dative and prepositional of the feminine in the singular[1]

The ending for both cases is -e when the nominative ends in -a or -я:

Nominative	кóмната	кýхня
Dative	кóмнате	кýхне
Prepositional	кóмнате	кýхне

-и when the nominative ends in -ия or -ь:

Nominative	фамилия	дверь
Dative	фамилии	двéри
Prepositional	фамилии	двéри

B. Adjective

The *dative* and *prepositional* cases of the *feminine* adjective have the ending -ой when hard and -ей when soft:

---

[1] For a statement on the use of cases, refer henceforth to the Reference Table of Cases, p. 30.

	Hard	*Accented*	*Soft*
Nominative	но́вая	больша́я	после́дняя
Dative	но́вой	большо́й	после́дней
Prepositional	но́вой	большо́й	после́дней

Note that according to Vowel Mutation Rule C the *unstressed* -ой appears as -ей after the sibilant consonants ж, ч, ш, щ, ц: горя́чей, хоро́шей, etc.

C.　Verb

1. The *present* tense of the irregular verb хоте́ть "to wish, want":

Person	*Singular*	*Plural*
First	Я хочу́	мы хоти́м
Second (fam.)	ты хо́чешь	вы хоти́те
Third	он, -а́, -о́ хо́чет	они́ хотя́т

Note that хоте́ть in the *singular* has the *first* conjugation endings and in the *plural* the *second* conjugation endings. Also notice the change of the т to ч in the *singular*.

2. *Omission* of the *personal pronoun*:

a. It is quite common in Russian to omit the personal pronoun, especially in conversation:

Хо́чешь чита́ть? Да, хочу́!
Do you want to read? Yes, I want to.

Идёшь сего́дня в теа́тр?
Are you going to the theater today?

Нет, не иду́.
No, I am not going.

b. By omitting the third person plural pronoun, an *impersonal* meaning can be conveyed:

Что говоря́т о но́вой кни́ге?
What do they (people) say about the new book?

Говоря́т, что э́то о́чень интере́сная кни́га.
They say (people are saying) that it is a very interesting book.

Чита́ют э́тот журна́л?
Do people read this periodical? Is this periodical read?

Нет, не **читают**.	No, people don't read (no **one** reads) this periodical; **it is** not being read.

VOCABULARY BUILDING

Time Expressions

вчера́	yesterday	сего́дня today		за́втра	tomorrow
когда́	when		иногда́	sometime(s), at times	
всегда́	always		никогда́	never	
у́тром	in the morning		ве́чером	in the evening	
днём	in the day (time); in the afternoon		но́чью	at night	

вчера́ у́тром	yesterday morning	вчера́ ве́чером	yesterday evening
сего́дня у́тром	this morning	сего́дня ве́чером	this evening
за́втра у́тром	tomorrow morning	за́втра ве́чером	tomorrow evening

V. QUESTIONS

1. Где вы рабо́таете? 2. Кака́я э́то рабо́та? 3. Как вы рабо́таете це́лый день? 4. Хорошо́ ли до́ма? 5. О чём вы чита́ете в вече́рней газе́те? 6. Куда́ вы идёте? 7. Что в окне́ магази́на? 8. О чём вы спра́шиваете? 9. Что говори́т продавщи́ца? 10. Что отвеча́ете вы молодо́й продавщи́це? 11. Где вы встреча́ете прия́теля? 12. Куда́ он спеши́т? 13. По́мнит ли он, что хо́чет его́ жена́? 14. Что пи́шут в газе́те? 15. Хоро́шая ли э́то иде́я?

VI. GRAMMAR EXERCISES

Exercises with Grammar A

a. From the Reading Exercise write out all feminine nouns and give their case and English meaning. (For pattern see Lesson 4.)

b. Supply endings:

1. Ска́терт— больша́я ра́дост— жен—'. 2. Она́ ничего́ не отвеча́ет молодо́й продавщи́ц—. 3. Она́ никогда́ не ду́мает о цен—'. 4. Он спеши́т к жен—'. 5. Он пи́шет бра́ту о но́вой маши́н— на фа́брик—. 6. Я пишу́ об интере́сной рабо́т— дру́гу. 7. Он тепе́рь в Росс—'. 8. Он там рабо́тает на большо́й, но́вой фа́брик—. 9. Где фотогра́ф—? 10. Она́ тут в кни́г—. 11. На фотогра́ф— мой прия́тель. 12. Вот я в кварти́р—.

бра́та. 13. В ма́ленькой ко́мнат— у бра́та удо́бное кре́сло у
окна́. 14. Я ду́маю о после́дней но́вост—. 15. В газе́т— я чита́ю
о большо́й распрода́ж—. 16. Я иду́ к две́р—. 17. На у́лиц—
я встреча́ю дру́га. 18. Он говори́т, что сего́дня больша́я
распрода́ж—. 19. Я чита́ю дру́гу объявле́ние в газе́т—.
20. «Это хоро́шая иде́—», говори́т он.

Exercises with Grammar B

a. From the Reading Exercise write out all feminine *adjectives*
with the nouns they modify, giving their case and English meaning,
as follows (15 forms in all):

на **большо́й фа́брике**   Prepositional   "large, big"
хоро́шая рабо́та   Nominative   "good"

b. Give the *dative* and *prepositional* case forms of the following
expressions:

1. больша́я ку́хня. 2. краси́вая ска́терть. 3. вече́рняя газе́та.
4. после́дняя фотогра́фия.

c. Supply endings:

1. Я чита́ю дру́гу объявле́ние в вече́рн— газе́те. 2. «Это
хоро́ш— идея», говори́т он. 3. Он даёт ска́терть молод—'
жене́. 4. Мы рабо́таем на больш—', но́в— фа́брике. 5. У него́
ма́леньк—, но́в— кварти́ра. 6. Я пишу́ жене́ об интере́сн—
рабо́те.

Exercises with Grammar C

a. Conjugate in the *present* tense:

1. Я не по́мню, где вече́рняя газе́та. 2. Я не хочу́ ду́мать
о рабо́те.

b. From the Reading Exercise write out all sentences or phrases
in which the *personal pronouns* are *omitted*. Translate them (4 in-
stances in all).

c. Translate the following:

1. Что идёт в кино́? 2. Идёшь в кино́? 3. Иду́! 4. Мно́го
говоря́т о но́вой кни́ге? 5. Говоря́т, интере́сная! 6. По́мнишь,
где она́? 7. Нет, не по́мню. 8. Зна́ешь до́ктора Че́хова? 9. Да,
зна́ю и ча́сто встреча́ю! 10. Рабо́тает день и ночь, как маши́на!

Exercise with Grammar A, B, and C

Give the correct *present* tense form of the verbs in parentheses
and supply endings:

1. (Хотéть) вы жить в совéтск— Росс—'? 2. Да, я (хо-тéть), а они не (хотéть). 3. Кóля, почемý ты не (хотéть) жить дóма? 4. Потомý что я (хотéть) жить в нóв— квартир— брáта. 5. Мой брат (хотéть) рабóтать тут на нóв—, больш—' фáбрик—. 6. Сегóдня он (спешит) домóй. 7. На ýлиц— он (встречáть) друга. 8. Он (говорит) с другом о больш—' распродáж—. 9. Он не (пóмнить), что жен—' (хотéть). 10. В вечéрн— газéт— объявлéние об óчень интерéсн— книг—.

VII. TRANSLATION INTO RUSSIAN

A

1. I live in a city. 2. I work at a new factory. 3. The work is tedious. 4. You work all day like a machine. 5. On the way home I meet a friend. 6. "Where are you hurrying to?" I ask [my] friend. 7. "I am hurrying to the new department store. 8. There is a big sale." 9. In the window of the store is a beautiful tablecloth. 10. We go into the store. 11. "How much does this tablecloth cost?" 12. "It is a very expensive table-cloth," the young saleswoman answers. 13. But we don't think of the price. 14. A beautiful tablecloth is a great joy to a wife. 15. "Well, good bye, my friend! I am hurrying home now to [my] wife. 16. Are you driving downtown to the club?" 17. "Yes, I want to listen to the new radio in the club." 18. "And (but) my wife and I are going to the theater tonight (today evening) after supper. Good bye!"

B

1. "What are you reading in the evening paper?" 2. "I am reading an advertisement. 3. They are writing about an apartment in the building downtown. 4. They say that it is a very large and beautiful [one], and not very expensive. 5. But it is right next to a movie house and above the club 'The Red Star'." 6. "You don't say! Too bad! Is there an apartment in a house with a garden? 7. Do you want to read the magazine?" 8. "No, thank you! It is a boring magazine. 9. I am reading in a Russian book about the poet Pushkin. 10. I read Russian with difficulty, but then the book is such an (такáя) interest-ing [one]. 11. Where is the periodical 'The Russian People'?" 12. "I don't remember. Oh, it is lying there, on the sofa! 13. Do you remember the engineer Chekhov? 14. He writes in the periodical about a very interesting new machine. 15. This machine can read and write Russian without difficulty and never forgets anything." 16. "That is news! How much does it cost?" 17. "Oh, it is a very expensive [one]." 18. "I don't care! (it's all the same to me!) The new machine is a joy to a stu-dent! 19. I am hurrying to the department store." 20. "That's a splendid idea! Happy journey!"

ДЕСЯТЫЙ УРОК

TENTH LESSON

*Genitive singular of feminine nouns and adjectives—*Хотéть
"to want to," ждать *"to wait (for)"—Prepositions* для,
из, óколо, от—*Cardinal numerals 1-4*

I. COMMON EXPRESSIONS AND IDIOMS

Вот я и дóма!	Here I am at home!
Идй сюдá!	Come here!
На кýхне	In the kitchen
Наконéц-то!	Finally! At last!
На э́то есть причйна.	There is a reason for it.
С нетерпéнием	Impatiently; with impatience
Что э́то за пакéт?	What kind of package is this?
Для когó?	For whom?
От когó?	From whom?
Вот спасйбо!	Thanks so much!
Как интерéсно!	How interesting!
Я гóлоден, голоднá	I am hungry. (m., f., sing.)
Ужин ещё не готóв.	Supper is not ready yet.
Всё давнó готóво.	Everything has been ready for a long time.

II. READING: ВОТ Я И ДОМА

Вот я и дóма!

— Тáня,[1] ты где?

— Э́то ты, Мйша?[2] **Я на кýхне. Идй сюдá!** Здрáвствуй,
мой дорогóй. **Наконéц-то** ты дóма! Как пóздно!

— Здрáвствуй, мйлая. Ты знáешь, что обыкновéнно я к
ýжину не опáздываю, но сегóдня **на э́то есть причйна.**

— Вот как! Я **с нетерпéнием жду** объяснéния.

— Э́то длйнная истóрия! Сначáла я **хочý** ýжинать...

— Нет, нет. Я не хочý ждать!

— Ну, хорошó. Все знáют, что я серьёзный человéк и
читáю **три** йли **четы́ре** газéты кáждый день. В газéте читáешь
и о послéдней нóвости и о распродáже в магазйне . . .

---

[1] Тáня is an endearing form of Татья́на.
[2] Мйша is an endearing form of Михайл.

— А, тепе́рь я понима́ю! **Что э́то за паке́т ты де́ржишь в руке́, Ми́ша? Для кого́?**

— Коне́чно, **для дорого́й жены́.**

— Ска́терть! **Вот спаси́бо!**

— Да, а вот письмо́ **от сестры́ из Москвы́.** Она́ там уже́ **две** неде́ли и живёт в гости́нице **о́коло** Кра́сной пло́щади.

— **Как интере́сно!** А что ещё она́ пи́шет?

— Это уже́ по́сле у́жина! Ты забыва́ешь, что **я го́лоден.** Или у́жин ещё не гото́в?

— Коне́чно, всё давно́ гото́во!

— Так идём у́жинать ! . . .

III. VOCABULARY

бума́га	paper	неде́ля	week
вода́	water	обыкнове́нно	usually
вопро́с	question	объясне́ние	explanation
гости́ница	hotel	отве́т	answer
давно́	long ago	паке́т	package
дли́нный,	long	пло́щадь	square, area
-'ая, -'ое		рука́	hand, arm
для	for[1]	серьёзный,	serious
исто́рия	story, history	-'ая, -'ое	
ка́ждый,	each, every	сестра́	sister
-'ая, -'ое		снача́ла	at first
ка́ша	porridge	час	hour
ми́лый,	dear, nice (one)		
-'ая, -'ое			

Verbs

держа́ть; держу́, де́ржишь, де́ржат	to hold
ждать; жду, ждёшь, ждут	to wait (for)
опа́здывать (I)	to be late

IV. GRAMMAR

A. Noun. Genitive of the feminine in the singular

The genitive case has the ending **-ы** when hard and **-и** when soft:

---

[1] "for" in the meaning of: "for the purpose of," "for the use of," "for the benefit of," depending on context.

	Hard	Soft	Soft
Nominative	ко́мната	ку́хня	дверь
Genitive	ко́мнаты	ку́хни	две́ри

In accordance with Vowel Mutation Rule B the *genitive* ending -ы changes to -и when preceded by a guttural **г, к, х** or by a sibilant consonant **ж, ч, ш, щ**:

Nom. рука́. Gen. руки́; кни́га, кни́ги; ка́ша, ка́ши, etc.

B. Verb

1. Хоте́ть is followed by the *genitive* (instead of the accusative) when an *indefinite quantity* is expressed or implied:

Хоти́те вы воды́?	Do you want (some) water?
Нет, я **хочу́** молока́.	No, I want (some) milk.
Я **хочу́** ча́ю.	I wish (some) tea.
Они́ **хотя́т** са́хару.	They want some sugar.

Notice *partitive* forms ча́ю, са́хару; also сы́ру, су́пу, табаку́.

2. Ждать is generally followed by:
   a. genitive of inanimate objects;
   b. accusative of animate beings:

Я жду по́езда. (gen.)	I am waiting for the train.
Он ждёт бра́та. (acc.)	He is waiting for [his] brother.

C. Adjective. Genitive singular of the feminine

This case has the ending -ой[1] when hard and -ей when soft:

	Hard	Hard	Soft
Nominative	но́вая	больша́я	после́дняя
Genitive	но́вой	большо́й	после́дней

D. Prepositions with the genitive case

The prepositions для   for
                  из   out of, from
                  о́коло   near, about, approximately, next to
                  от   from

are *always* followed by the *genitive* case:

---

[1] Note that according to Vowel Mutation Rule C the *unstressed* -ой appears as -ей after the sibilant consonants ж, ч, ш, щ, ц: горя́чей, хоро́шей, etc.

Я делаю это для друга.	I am doing this for [my] friend.
Письмо из России	A letter from Russia (i.e. out of Russia)
Я читаю около окна.	I read near the window.
Я читаю около часа.	I read about an hour.
Письмо от брата.	A letter from my brother.

Notice the difference in the meaning of из and от. Из is used to express motion from *within* a place. От is used to express motion *from the side* of some object or person, or to designate the *source* of something. Compare, for instance, the second and last sentences above.

Other prepositions with the *Genitive* were given on p. 53.

E. Cardinal numerals "one" through "four"

1. Один "one" agrees in gender, case, and number with the noun it modifies: один стол "one table"; одна комната "one room"; одно перо "one pen."

2. Два "two," три "three," четыре "four" are followed by the *genitive singular* of the *noun*:

два стола; три журнала; четыре дома

3. The numeral два "two" has a special form for the *feminine*, две: две комнаты; две кухни; две книги, etc.

Note that rule 2 applies only to the nominative and accusative of the numerals with inanimate objects.

V. QUESTIONS

1. Где жена? **2.** О чём спрашивает жена? **3.** Часто ли вы опаздываете к ужину? **4.** Есть ли у вас сегодня вечером на это причина? **5.** О чём вы читаете в газете? **6.** Что вы держите в руке? **7.** Для кого этот пакет? **8.** Что в пакете? **9.** От кого письмо? **10.** Давно ли сестра в Москве? **11.** Где она живёт? **12.** О чём забывает ваша жена? **13.** Готов ли ужин?

VI. GRAMMAR EXERCISES

Exercises with Grammar A

a. From the Reading Exercise write out all *feminine* nouns, giving their case and English meaning. (For pattern see Lesson 4.)

b. Give the correct case form of the nouns in parentheses:

1. У него письмо для (жена). 2. Наш гость всегда встречает доктора Чехова у (дверь) госпиталя. 3. Вы из (Россия)? 4. Мой учитель живёт около (площадь). 5. Без (жена) я в город не езжу. 6. Тут на столе нет (бумага). 7. После жаркой (ночь) сегодня утром идёт дождь. 8. У вас на столе очень интересное письмо от (сестра). 9. Я не могу идти на урок без (книга). 10. Эта скатерть для (сестра).

Exercise with Grammar B

Give correct forms of the words in parentheses:

1. Я (ждать) (трамвай) около музея. 2. Они (ждать) (друг) из Москвы. 3. Товарищ Волков (хотеть) (молоко), а не (чай). 4. Вечером мы (ждать) (гость). 5. На завтрак мы (хотеть) (каша) с молоком. 6. Я знаю, что ты (ждать) (письмо) от сестры. 7. Почему ты не (хотеть) (хлеб)? 8. Они (ждать) большой (распродажа) в магазине. 9. Я (хотеть) (вода), (молоко) или (чай). 10. Я не (хотеть) ни (хлеб) ни (суп).

Exercise with Grammar C

Supply suitable adjectives in correct case forms:

1. У них нет ..... бумаги. 2. Я жду приятеля около ..... фабрики. 3. Эта ..... скатерть для жены. 4. Она живёт около ..... площади. 5. Этот стол для ..... кухни брата. 6. Эта книга для ..... гражданки. 7. Мы спрашиваем о цене у ..... продавщицы. 8. Это письмо от ..... жены. 9. Это письмо из ..... России.

Exercise with Grammar D

Supply suitable prepositions, selecting them from the following: **для, из, около, от**:

1. Эта красивая скатерть ..... жены. 2. Это письмо ..... России. 3. А то письмо ..... брата. 4. Мы теперь живём в доме ..... фабрики. 5. Новый гараж ..... дома. 6. Интересная книга ..... учителя. 7. Сыр и масло на столе, там, ... хлеба. 8. Продавщица идёт ..... магазина.

Exercise with Grammar E

Translate the numerals in parentheses and supply endings of nouns wherever necessary:

1. У бра́та (2) ко́мнат—. 2. На но́вой, сове́тской фа́брике рабо́тает (1) америка́нец—. 3. Тут то́лько (1) фото́граф—. 4. В трамва́е есть (2) ме́ст—. 5. Здесь в го́роде (3) теа́тр—. 6. В клу́бе «Сове́тский Писа́тель» (4) ра́ди—. 7. Я живу́ в Москве́ уже́ (2) неде́л—. 8. На не́бе то́лько (1) бе́лое о́блак—. 9. У до́ктора в гараже́ (2) автомоби́л—. 10. У неё в ко́мнате (1) дива́н—, (2) кре́сл— и (1) стол—.

VII. TRANSLATION INTO RUSSIAN

A

1. On the way home I read in the evening paper about a big sale. 2. They say in the advertisement: "A new, beautiful tablecloth is always a great joy to [your] wife." 3. That is a splendid idea! 4. I walk (go) into the department store. 5. On a table is a large, beautiful, white tablecloth. 6. "How much does it cost?" I ask. 7. "It is a beautiful cloth," the saleslady answers, "and not a very expensive [one]." 8. Here I am, at home! But it is already very late. 9. I am never late for supper. 10. But today I have a reason for it—the big package in [my] hand. 11. Tánya opens the door. 12. "At last you are at home! 13. How late! 14. And what are you holding there, in [your] hand? . . . 15. A package! For whom?" 16. "Of course, for [my] dear wife!" 17. "Oh, a beautiful new tablecloth! Thank you [so much] . . . And from whom is that letter there?" 18. "That is a letter from [your] sister, from Russia. 19. But that is a long story and I am very hungry. 20. Let's go (we go) to supper (to eat supper)."

B

1. Where does the mechanic Petrov live now? 2. I have here a letter from Petrov. 3. He writes that he is now working on the collective farm "The Red Star." 4. He has been working (is working) there already for three or four weeks. 5. He usually works two or three hours in the morning and four hours after dinner. 6. He lives in a town not far (далеко́) from the collective farm. 7. He has a small apartment without a sofa or a radio. 8. There are only two rooms in the apartment. 9. But there is a large table, and at the table two chairs, and next to the window a comfortable armchair. 10. And he has also a little garden. 11. Sometimes he breakfasts in his small kitchen and sometimes at the club. 12. For dinner and supper he always

goes to the club. 13. My friend Pavel often meets Comrade Petrov in the club. 14. There they talk about the latest (last) news (sing.) in the evening paper. 15. Today I am the guest of Comrade Petrov in [his] new apartment. 16. My place is in the armchair next to the window. 17. Above the table is a large photograph of Petrov's friend, the engineer Chekhov. 18. It is a very hot day, and we drink cold tea or milk, and eat only black Russian bread with butter and cheese. 19. The bell! Petrov opens the door. 20. It is his friend Doctor Ivanov. 21. He comes (goes) from the club and wants to go to the theater. 22. And so (thus), all of us (we all) drive downtown, go to the theater, and after the theater, late in the evening, we all go to the club to listen to the radio.

ADDITIONAL READING MATERIAL

Based on the vocabulary and grammar of preceding lessons

Я ЕДУ В ЧИКАГО

Сегóдня ýтром я éду в Чикáго. Ужé пóздно и мне нáдо (I have to) спешúть. Хорошó, что я éду без женьú, дýмаю я. Моя́ мúлая женá дéлает (does) всё óчень мéдленно, но затó óчень хорошó. Онá никогдá никудá не спешúт и, конéчно, всегдá опáздывает на пóезд!

Ну, вот, наконéц-то всё готóво к отъéзду.

— До-свидáния, до-свидáния! — говорю́ я женé.

— Счастлúвого путú! — отвечáет онá.

Вот я и в пóезде. У меня́ удóбное мéсто óколо окнá. Я люблю́ éздить пóездом. В пóезде я никогдá не скучáю. В Чикáго живёт мой хорóший товáрищ, инженéр Петрóв. Петрóв рýсский, но он давнó живёт в Амéрике и óчень хорошó говорúт по-англúйски. Я умéю немнóго читáть и писáть по-рýсски, но говорю́ и понимáю по-рýсски с трудóм.

Вот у меня́ письмó от Петрóва из Чикáго. Он пúшет, что у негó большáя, нóвая квартúра в гóроде, óколо красúвой плóщади. Он рабóтает цéлый день на фáбрике, затó вéчером дýмает тóлько об óтдыхе. Он чáсто хóдит в теáтр, в кинó, на концéрт, éздит с прия́телем в ресторáн обéдать úли ýжинать. Петрóв лю́бит свéжий вóздух, но он не лю́бит гуля́ть, — он всегдá éздит на автомобúле. Да, мой друг Петрóв умéет жить!

ОДИННАДЦАТЫЙ УРОК

ELEVENTH LESSON

Accusative singular of feminine nouns and adjectives—
Prepositions чéрез, за, под—*Past tense;*
translation of "to have" (past)

I. COMMON EXPRESSIONS AND IDIOMS

Ходи́ть в го́сти	To go visiting
Е́здить в го́сти	To go (drive) visiting
В дере́вню	To the village; to the country
В дере́вне	In the village; in the country
Че́рез день, два	In a day or two
Ка́ждый раз	Every time
В после́дний раз	Last time
На пра́здники	For the holidays
Чита́ть вслух	To read aloud
Помога́ть по хозя́йству	To help around the house (in the housekeeping)
Хоть це́лый день	Even for a whole day; for an entire day, if you please
То . . . . . то	Now . . . now . . .
В го́ру . . . . . под гору	Up hill . . . down hill

II. READING: У БАБУШКИ

За́втра Никола́й е́дет **в го́сти** к ба́бушке, в дере́вню.

Ба́бушка всегда́ **жила́ в дере́вне.** Она́ люби́ла приро́ду, дереве́нскую жизнь, све́жий во́здух... Она́ ре́дко приезжа́ла в го́род. Никола́й по́мнил, что, когда́ ба́бушка приезжа́ла в го́род, она́ не могла́ ни спать, ни есть, ни пить и **через день,** два уезжа́ла обра́тно **в дере́вню!** И **ка́ждый раз** она́ говори́ла:
— Ну, э́то уже́ **в после́дний раз** я сюда́ приезжа́ю!

Оте́ц[1] и мать[1] Никола́я рабо́тали на фа́брике и не могли́ е́здить в го́сти к ба́бушке. Зато́ они́ обеща́ли **на пра́здники** присыла́ть вну́ка.

Никола́й люби́л шу́мную, городску́ю жизнь, но и у ба́-

---

[1] For the irregular declension of these nouns see Lesson 15 and 23, respectively.

бушки **в дере́вне** он не скуча́л. В хоро́шую пого́ду он **ходи́л**
че́рез мост, в сосе́днюю дере́вню. Там жил прия́тель Никола́я,
кузне́ц Семён.

Сосе́дняя дере́вня **была́** далеко́. Доро́га **то шла в го́ру, то**
под гору. Но Никола́й **мог** гуля́ть **хоть це́лый день!** А ве́чером
он **и́ли чита́л вслух** ба́бушке интере́сную кни́гу, **и́ли помога́л**
по хозя́йству.

III. VOCABULARY

ба́бушка	grandmother	**мать**	mother
внук	grandson	**мост**	bridge
вчера́	yesterday	**муж**	husband
высо́кий,	high, tall	**оте́ц**	father
-'ая, -'ое		**пого́да**	weather
гора́	mountain	**приро́да**	nature
городско́й,	city, urban	**ре́дко**	rarely
-а́я, -о́е		**река́**	river
далеко́	far, far away	**сосе́дний**	neighboring
дереве́нский,	country, village	**-'яя, -'ее**	
-'ая -'ое	(adj.)	**сюда́**	here, hither
дере́вня	village	**шу́мный,**	noisy
жизнь	life	**-'ая, -'ое**	
кузне́ц	blacksmith		

Verbs

гуля́ть (I)	to walk, take a walk
люби́ть; люблю́, лю́бишь,	to love
лю́бят	
обеща́ть (I)	to promise
помога́ть (1) (+dat.)	to help
приезжа́ть (I)	to arrive
присыла́ть (I)	to send
спать; сплю, спишь, спят	to sleep
уезжа́ть (I)	to depart, drive away

IV. GRAMMAR

A. Noun. Accusative of the feminine in the singular

The *accusative* case has the ending **-y** when hard and **-ю**
when soft. The *accusative* of *feminine* nouns ending in **-ь,**
however, is like their *nominative,* also ending in **-ь:**

	Hard	Soft	Soft
Nominative	ко́мната	ку́хня	дверь
Accusative	ко́мнату	ку́хню	дверь

B. Adjective. Accusative of the feminine

The *accusative* case has the ending -ую when hard and -юю when soft:

	Hard	Accented	Soft
Nominative	но́вая	больша́я	после́дняя
Accusative	но́вую	большу́ю	после́днюю

C. Prepositions

1. Че́рез "across, over" *always* takes the *accusative* case:

Он идёт **че́рез** у́лицу.	He goes across (crosses) the street.
По́езд е́дет **че́рез** мост.	The train crosses the bridge.

2. За[1] "behind" and под[1] "under" are followed by the *accusative* case when they indicate *motion* to a place and answer the question "where to?":

Я иду́ **за** дверь.	I go (step) behind the door.
Я кладу́ газе́ту **под** кни́гу.	I place the newspaper under the book.

D. Verb. The past tense

1. To form the *past* tense of a verb of either conjugation (I: чита́ть or II: говори́ть) drop the ending -ть of the infinitive. To the resulting stems (чита́-; говори́-) *add* the following endings:

---

[1] For за and под with the *instrumental* see Lesson 12.

Singular

Person	Masc.	Fem.	Neut.
First	я читá-л	я читá-ла	not used
Second	ты читá-л	ты читá-ла	not used
Third	он читá-л	онá читá-ла	онó читá-ло

Plural

Person	All Genders
First	мы читá-ли
Second	вы читá-ли
Third	они́ читá-ли

Note that the same forms serve to express both the simple past and the perfect tense when they denote a prolonged or repeated action or condition:

я, ты читáл, читáла   I, you read, have read, have been reading

2. The past tense of the verb "to be" is formed regularly:

быть: был, былá, бы́ло, бы́ли

3. Irregular past tense forms will be given in the Lesson-Vocabularies along with the other forms of the verb.

4. Following are the irregular past tense forms of verbs that have already been introduced:

есть (to eat): ел, éла, éло, éли
идти́ (to go): шёл, шла, шло, шли
класть (to put): клал, клáла, клáло, клáли
мочь (to be able): мог, моглá, могло́, могли́

5. *Past tense of "to have":*

To form the *past* tense of "to have," use the construction explained in Lesson 6, introducing the *past* tense forms of the verb "to be":

Masc.	У брáта был журнáл.	The brother had a magazine.
Fem.	У меня́ былá кни́га.	I had a book.
Neut.	Бы́ло у меня́ перó?	Did I have a pen?
Plural all genders	Да, у меня́ бы́ли и кни́га и перó.	Yes, I had both pen and book.

In the *negative* sentence, however, the verb is *always* in the *neuter* third person *singular* (**бы́ло**), even when the object is in the plural:

У меня́ **не́ бы́ло** журна́ла.	I did not have a magazine.
У меня́ **не́ бы́ло** кни́ги.	I did not have a book.
У меня́ **не́ бы́ло** пера́.	I did not have a pen.
У меня́ **не́ бы́ло ни** кни́ги **ни** пера́.	I had neither book nor pen.

VOCABULARY BUILDING

Expressions of Place

где	where	**куда́**	where (to), whither
тут	here	**сюда́**	here, hither
там	there	**туда́**	there, thither

V. QUESTIONS

1. Куда́ е́дет за́втра Никола́й? 2. Где всегда́ жила́ ба́бушка? 3. Что она́ люби́ла? 4. Куда́ она́ ре́дко приезжа́ла? 5. Почему́ ба́бушке бы́ло пло́хо жить в го́роде? 6. Ско́ро ли она́ уезжа́ла обра́тно в дере́вню? 7. Что она́ говори́ла ка́ждый раз? 8. Где рабо́тали оте́ц и мать Никола́я? 9. Почему́ они́ не могли́ е́здить в го́сти к ба́бушке? 10. Куда́ они́ обеща́ли присыла́ть вну́ка на пра́здники? 11. Люби́л ли Никола́й шу́мную, городску́ю жизнь? 12. У кого́ Никола́й никогда́ не скуча́л? 13. Что он де́лал в хоро́шую пого́ду? 14. Куда́ он ходи́л гуля́ть? 15. Почему́ он ходи́л в сосе́днюю дере́вню? 16. Как шла доро́га? 17. Мог ли Никола́й гуля́ть це́лый день? 18. Что он де́лал ве́чером?

VI. GRAMMAR EXERCISES

Exercises with Grammar A and B

a. From the Reading Exercise write out *all feminine* nouns with their *adjectives* and *prepositions*, giving their case and English meaning as below:

ба́бушка	Nominative	"grandmother"
к ба́бушке	Dative	"to the grandmother"
дереве́нскую жизнь	Accusative	"country (village) life"

b. Give the correct forms of the nouns and adjectives in parentheses:

1. Мой муж читáет (вечéрняя газéта). 2. Внук óчень
лю́бит (ми́лая бáбушка). 3. Я éду в (сосéдняя дерéвня).
4. Бáбушка читáет внýку (интерéсная кни́га). 5. Мы еди́м
(горя́чая кáша) с молокóм и с мáслом. 6. Дорóга идёт чéрез
(большáя дерéвня). 7. Дóктор Чéхов лю́бит (городскáя
жизнь). 8. Мы идём на (большáя распродáжа) в магази́не.
9. Они́ éдут на (нóвая фáбрика). 10. Автомоби́ль éдет пóд
(горá). 11. Я плóхо пóмню (Крáсная плóщадь). 12. Этот поэ́т
пи́шет (нóвая кни́га). 13. Мы хорошó знáем (совéтская
Росси́я).

Exercise with Grammar C

Translate the *prepositions* in parentheses and supply endings
wherever necessary:

1. (Across) ýлиц— бы́ло нóвое здáние. 2. Он шёл (over)
мóст— к дóму дрýга. 3. Он кладёт перó (under) письмó и́ли
(behind) кни́г—. 4. Дорóга шла (under) гор— [downhill].
5. Почемý ты всегдá кладёшь журнáл (under) стол—, а не на
стол? 6. Он кладёт пакéт (behind) двер—. 7. (In) два-три дня
онá всегдá уезжáла обрáтно в дерéвню.

Exercises with Grammar D

a. Give the correct *past* tense forms of the verbs in parentheses:

1. Я (гуля́ть) цéлый день в пóле. 2. Вы (знать) инженéра
Брáуна? 3. Он (кончáть) рабóтать тóлько пóздно вéчером.
4. О чём вы (спрáшивать) учи́теля? 5. Где они́ (рабóтать) в
Росси́и? 6. В клýбе никтó не (скучáть). 7. Вчерá мы (быть)
на концéрте. 8. Что ты (дéлать) ýтром? 9. Он всегдá (обéдать)
дóма. 10. Сестрá (жить) совсéм ря́дом.

b. Change the following sentences into the *past* tense:

1. Кто умéет говори́ть по-англи́йски? 2. Я не люблю́
гуля́ть. 3. Он всегдá забывáет егó фами́лию. 4. Они́ обещáют
приезжáть сюдá чáсто. 5. В жáркую ночь я не могý спать.
6. Я éду пóездом в Сталингрáд. 7. Онá идёт пешкóм. 8. Сестрá
не мóжет гуля́ть сли́шком далекó. 9. Кузнéц Семён чáсто
присылáет брáту свéжее мáсло из дерéвни. 10. Мать уезжáет
в Москвý.

c. Give the complete *past* tense (all persons and genders) of the
following:

1. Я идý домóй. 2. Я не могý спать. 3. Я в гóроде.

d. Change exercise C, a and b, of Lesson 6 into the *past* tense.

VII. TRANSLATION INTO RUSSIAN
A

1. Here I am again, in the country! 2. I never could live in the city. 3. I can neither sleep nor eat there. 4. I have always loved nature and fresh air. 5. [My] father and mother have always worked in the city at a factory. 6. They could never go to the country. 7. But my grandmother lives in the country. 8. And here I am again at [my] grandmother's. 9. Yesterday I went (was) with [my] brother to (in) the neighboring village. 10. There lives my good friend, the blacksmith, Semyon. 11. (It is) far from grandmother's house to (до & gen.) the house of the blacksmith. 12. The road goes now uphill, now downhill and over a bridge. 13. My brother and I have always loved to walk and can walk all day. 14. Here in the country I am always hungry. 15. For breakfast I eat black or white bread and drink fresh milk or hot tea. 16. For dinner and supper I eat soup and meat, black bread with butter and cheese, and again drink tea. 17. In the evening after supper my brother and I usually help grandmother around the house. 18. Grandmother cannot read. 19. Sometimes I read aloud to grandmother. 20. Yes, it is very nice (good) to live at grandmother's.

B

1. "Masha, there is a large package from Russia, from Moscow." 2. "From whom and for whom is that large, beautiful package?" 3. "Of course for Masha from [her] sister in Moscow." 4. In the package was a large white and blue tablecloth, a small photograph, and a long letter from [my] sister. 5. Finally! We had waited four weeks for [that] letter! 6. My sister wrote on very poor paper, and her pen was also very poor. 7. We could not read [her] letter rapidly (fast), but only with difficulty. 8. My sister explained why she did not write. 9. "There is a reason for it," she wrote. 10. "I was working day and night in a large factory and was also helping around the house. 11. I had no energy to read or write and could only sleep when I was not working (did not work). 12. We always say here: 'There is much work here in the city, but little rest, little bread, and little meat!' 13. Now I live with Grandmother in the country. 14. I love life in the village — the blue sky, the fresh air. 15. Not very far from the village is a beautiful little river and a high mountain. 16. In good weather I walk on (по) a bridge across the river to (up to) the high mountain. 17. I love to live here, to walk (take walks) at (near) the river, but in a day or two we go (drive) back to the city and to work." 18. "Misha! Your sister writes that this beautiful tablecloth is from dear Grandma. 19. And she is sending the photograph of your brother because she knows that you always loved that photo. 20. She promises to write again in a week or two."

ДВЕНАДЦАТЫЙ УРОК | TWELFTH LESSON

Instrumental singular of feminine nouns and adjectives —
Prepositions за, под, с (со) *— Review of feminine singular*
noun and adjective declensions and of prepositions

I. COMMON EXPRESSIONS AND IDIOMS

Рабо́тать над кни́гой	To work on the book
С ра́ннего утра́	From early morning
С утра́ до ве́чера	From morning to evening
За за́втраком	At breakfast
За у́жином	At supper
За обе́дом	At dinner
Около неде́ли	About a week
Около го́да	About a year
Около ме́сяца	About a month
Игра́ть на скри́пке	To play the violin
Игра́ть на роя́ле	To play the piano
Игра́ть в ка́рты	To play cards
Рабо́тать под му́зыку	To work while music is playing
Все кро́ме меня́	All except me
Мне не ме́сто	No place for me (to be in) *Lit.*: To me no place.
Сдаётся кварти́ра; ко́мната	Apartment, room for rent
Прости́те за беспоко́йство	Sorry to have troubled you *Lit.*: Forgive for the disturbance.
Пожа́луйста!	Please! If you please!

II. READING: СДАЁТСЯ КОМНАТА

Сего́дня плоха́я пого́да. Утром шёл снег, а сейча́с идёт дождь. Я хоте́л быть сего́дня це́лый день до́ма и **рабо́тать над кни́гой.** Но рабо́тать я не мог. **За** то́нкой стено́й сосе́дка **с ра́ннего утра́** игра́ет на скри́пке. Вчера́ она́ то́же игра́ла це́лый день без о́тдыха. Днём я был на собра́нии. Приезжа́ю с собра́ния — конечно игра́ет! Рабо́тать бы́ло невозмо́жно, и я це́лый ве́чер **игра́л в ка́рты** в клу́бе!

94

Жил я тут в гостинице **около недели**. Гостиница прекрасная, комната удобная и цена комнаты не дорогая. Но я никогда не любил музыки и никогда не мог **под музыку работать**.

В гостинице, **все кроме меня**, очевидно, любят музыку. **Над** комнатой соседки, **с утра до вечера**, слушают радио. В ресторане **за ужином** и **за обедом** всегда играют два оркестра. Одна подруга соседки певица. Она учит арию **за арией**, песню **за песней**... Да, тут в гостинице, **мне не место!**

Я не помню, где я читал объявление: «**Сдаётся комната** в квартире инженера». Теперь мне всё равно, где жить, только без музыки, пожалуйста!

Еду трамваем к дому инженера. Звоню. **За дверью** голос:
— Кто там? — Это, очевидно, жена инженера.

— **Тут сдаётся комната?** —

— Да, да, одна комната была, но сейчас в комнате живёт моя подруга. Она — известная певица.

— Спасибо, — говорю я. — **Простите за беспокойство!** До-свидания!

Да, думаю я, хорошо что нет комнаты в квартире инженера. В квартире, где любят музыку, **мне не место!**

III. VOCABULARY

ария	aria	песня	song
год	year	подруга	girl friend
голос	voice	прекрасный,	excellent,
женщина	woman	-'ая, -'ое	beautiful
известный,	famous	ранний,	early
-'ая, -'ое		-'яя, -'ее	
месяц	month	скрипка	violin
музыка	music	сосед	neighbor (masc.)
невозможно	impossible	соседка	neighbor (fem.)
опера	opera	стена	wall
оркестр	orchestra	тонкий,	thin
очевидно	evidently	-'ая, -'ое	
певец	singer (masc.)	туда	there, thither
певица	singer (fem.)		

Verbs

звонить; звоню, звонишь, звонят	to ring, call by phone
снимать (I)	to take off; to rent
учить; учу, учишь, учат (Acc.)	to learn; to teach
учить друга (Acc.) музыке (Dat.!)	
to teach the friend music, instruct ... in music.	

Use of cases with **игра́ть:** (I) *"to play"*:

Игра́ть на with the *prepositional* case means to play an instrument:

    Игра́ть на скри́пке   to play the violin

Игра́ть в with the *accusative* case means to play a game:

    Я игра́ю в те́ннис, гольф   I play tennis, golf.

IV. GRAMMAR

A. Noun. Instrumental of the feminine in the singular

The instrumental case has the ending -ой (-ою) when hard and the ending -ей (-ею) when soft. Here, however, as in the accusative, the *feminines* ending in -ь form an exception. Their *instrumental* case ends in -ью:

	Hard	*Soft*	*Soft*
Nominative	ко́мната	ку́хня	дверь
Instrumental	ко́мнатой (ою)	ку́хней (ею)	две́рью

In accordance with Vowel Mutation Rule C, *unstressed* -ой (ою) changes to -ей (-ею) when preceded by the sibilant consonants ж, ч, ш, щ, ц:

    Nom. ка́ша, *Instr.* ка́шей(ею); Nom. певи́ца, *Instr.* певи́цей(ею), etc.

Note that when the stress falls on the *instrumental* soft ending, the e of the ending changes to ё. (Ср. семья́ "family," семьёй "with the family.")

B. Adjective

The *instrumental* case of the feminine adjective has the ending -ой (ою) when hard and the ending -ей (-ею) when soft:

	Hard	*Hard*	*Soft*
Nominative	но́вая	больша́я	после́дняя
Instrumental	но́вой (ою)	большо́й (ою)	после́дней (ею)

In accordance with Vowel Mutation Rule C, the *unstressed* -ой (ою) changes to -ей (ею) after the sibilant consonants ж, ч, ш, щ, ц: Nom. горячая, *Instr.* горячей(ею); Nom. хорошая, *Instr.* хорошей (ею), etc.

C. Prepositions

1. *The prepositions* за *"behind" and* под *"under"*:

These prepositions are followed by the *instrumental* when they indicate *position* and answer the question "where?":

Кресло **за** дверью.	An armchair is behind the door.
Газета **под** книгой.	The newspaper is under the book.

2. **За** with the *instrumental* can also have the meaning of "for, after":

Я иду **за** водой.	I go for (after) water (to fetch water).
Он идёт **за** газетой.	He goes for the paper.

3. *The preposition* с (со):

It has been pointed out (Lesson 8) that the preposition **с (со)** is used with the *instrumental* case when meaning "with, along with, in the company of." However, with the meaning "from," this preposition always takes the *genitive* case:

Я снимаю скатерть **со** стола.	I take the tablecloth from the table.

Note that **с (со)** "from" is used as a complementary preposition to **на** "to":

Он идёт **на** концерт.	He is going *to* the concert.
Он идёт **с** концерта.	He is coming (going) *from* the concert.
Я еду **на** завод.	I am going (riding) *to* the factory.
Я еду **с** завода.	I am going (riding) *from* the factory.

D. Review and Summary

Prepositions

Motion towards	*Rest*	*Motion from*
в and acc. "into"	**в** and prep. "in"	**из** and gen. "out of"
на and acc. "on"	**на** and prep. "on"	**с** and gen. "from"
к and dat. "to"	**у** and gen. "at"	**от** and gen. "from"

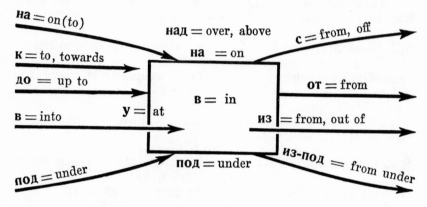

Illustrative Sentences:

Я **в** клу́бе (Prep.)	Я иду́ **в** клуб (Acc.)	Я иду́ **из** клу́ба (Gen.)
Я **на** концéрте (Prep.)	Я иду́ **на** концéрт (Acc.)	Я иду́ **с** концéрта (Gen.)
Я **у** брáта (Gen.)	Я иду́ **к** брáту (Dat.)	Я иду́ **от** брáта (Gen.)

Онá **за** двéрью (Instr.)	Онá идёт **за** дверь (Acc.)
Газéта **на** столé (Prep.)	Он кладёт газéту **на** стол (Acc.)
Газéта **под** кни́гой (Instr.)	Он кладёт газéту **под** кни́гу (Acc.)

Singular Declension of the Feminine Noun[1]

	Hard	*Soft*	*Soft*	*Soft*
Nom.	ко́мната	ку́хня	фами́лия	дверь
Gen.	ко́мнаты	ку́хни	фами́лии	двéри
Dat.	ко́мнате	ку́хне	фами́лии	двéри
Acc.	ко́мнату	ку́хню	фами́лию	дверь
Instr.	ко́мнатой (ою)	ку́хней (ею)	фами́лией (ею)	двéрью
Prep.	ко́мнате	ку́хне	фами́лии	двéри

---

[1] For Vowel Mutation Rule see p. 31.

Singular Declension of the Feminine Adjective

	Hard	Accented	Hard	Soft
Nom.	нóвая	большáя	хорóшая	послéдняя
Gen.	нóвой	большóй	хорóшей	послéдней
Dat.	нóвой	большóй	хорóшей	послéдней
Acc.	нóвую	большýю	хорóшую	послéднюю
Instr.	нóвой (ою)	большóй (óю)	хорóшей (ею)	послéдней (ею)
Prep.	нóвой	большóй	хорóшей	послéдней

V. QUESTIONS

1. Какáя сегóдня погóда? 2. Почемý вы хотéли быть сегóдня дóма? 3. Почемý вы не моглú рабóтать? 4. Когдá сосéдка игрáла на скрúпке? 5. Где вы бы́ли днём? 6. Почемý вы игрáли весь вéчер в кáрты в клýбе? 7. Где вы живёте недéлю? 8. Какáя у вас кóмната? 9. Где слýшают рáдио с утрá до вéчера? 10. Когдá игрáют два оркéстра в ресторáне? 11. Кто, очевúдно, лю́бит мýзыку? 12. Кто былá подрýга сосéдки? 13. Что онá учúла? 14. Где сдаётся кóмната? 15. Как вы éдете к дóму инженéра? 16. Что спрáшивает гóлос за двéрью? 17. Кто сейчáс в кóмнате?

VI. GRAMMAR EXERCISES

Exercises with Grammar A and B

a. From the Reading Exercise write out eight different *feminine* nouns modified by adjectives and/or used with prepositions, giving their case and English meaning, thus:

за тóнкой стенóй	Instrumental	"behind the thin wall"
на скрúпке	Prepositional	"on the violin"

b. Supply correct case forms of the nouns and adjectives in parentheses:

1. За (интерéсная рабóта) я не скучáю. 2. За (тóнкая стенá) мой сосéд игрáл цéлый день на скрúпке. 3. Кнúга там, под (вечéрняя газéта). 4. Моё письмó под (сúняя кнúга). 5. Пéред (молодáя женá) нóвая скáтерть. 6. Моя́ кóмната над (большáя кýхня). 7. Журнáл мéжду (нóвая кнúга) и (вечéрняя газéта). 8. Мéжду (стол) и (дверь) бы́ло крéсло. 9. Вы рабóтаете над (рýсская кнúга)?

Exercise with Grammar C

Supply suitable prepositions, choosing them from among the following: **за, под, с, на, в, из, пéред**:

1. Кресло . . . . . дверью. 2. Я иду . . . . . дверь. 3. Он идёт . . . . . газетой. 4. Ты спешишь . . . . . работу, а я иду . . . . . работы. 5. Она шла . . . . . урок, а мы шли . . . . . урока. 6. Шли они . . . . . театр или . . . . . театра? 7. Сегодня мы уезжаем . . . . . города и едем . . . . . деревню. 8. Кузнец шёл . . . . . водой. 9. Журнал лежал . . . . . газетой, а перо . . . . . газете. 10. Я спешил . . . . . концерта домой.

Exercises with Grammar D (Review)

a. Decline in the singular:

1. Красная площадь. 2. русская книга. 3. удобная комната. 4. последняя неделя. 5. советская Россия.

b. Translate the prepositions in parentheses and supply endings wherever necessary:

1. Я не любил работ— (at) шумн— фабрик—. 2. (After) работ— я спешил (from) фабрик— домой (to) жен—'. 3. Моя квартира была (in) больш—', нов—, но не дорог—' гостиниц—. 4. Я часто думаю (about) счастлив— жизн— (in) деревн—. 5. Сегодня мы едем (with) жен—' (to) бабушк— (to) деревн—. 6. Я еду туда (without) жен—'. 7. (In) вечерн— газет— было объявление (about) интересн—, нов— книг—. 8. Ты опять идёшь (to) концерт— слушать скучн— музык—? 9. Это письмо (from) брат— или (from) сестр—'? 10. Нет, оно (from) подруг— (from) советск— Росс—'. 11. Она теперь живёт в Москве (next to) Красн— площад—. 12. Мы спрашиваем продавщиц— (about) цен—' красив—, бел— скатерт—. 13. (For) кого это удобн— кресло? 14. Он сейчас идёт (across) улиц— (for) вечерн— газет—. 15. Знаете вы известн—, молод—' певиц— Барсову? 16. Конечно, она теперь известн— «звезда» американск— опер— в Нью Иорке. 17. Мы ехали (across) рек— (to) соседн— деревн—. 18. В жаркую погод— мы любили гулять (at) рек—'. 19. Вот красив—, бел— облако там (over) гор—'. 20. (In) книг— (about) русск— музык— интересная фотография известной певиц— Барсовой.

c. Arrange alphabetically all prepositions studied up to this point, giving their case and English meaning; for example:

без	Genitive	"without"
в (во)	Accusative	"into, in"
в (во)	Prepositional	"in"

and so on. 23 forms in all, counting the various cases each preposition can be used with, e. g. **в** with accusative and with prepositional.

d. Form short Russian sentences with all of the above prepositions.

VII. TRANSLATION INTO RUSSIAN

A

1. Today I wanted to work on [my] new book. 2. But I could not work. 3. A neighbor played the violin all day long. 4. I live in a fine (good) hotel. 5. My room is very comfortable. 6. But I do not like music and cannot work while music is playing. 7. Yesterday I read in the evening paper: 8. "Room for rent in the home of an engineer." 9. Now I am going there by streetcar. 10. I ring. A woman opens the door. 11. "How are you! Is there a room for rent here?" 12. "Did you read the announcement in the paper?" 13. "Yes. In the hotel, where I live [there is] music all day [long]. 14. I want a room in a house where there is no music." 15. "Oh! (Ax!) But my friend (fem.) is a famous singer." 16. "Does she live here now?" 17. "Yes! She studies song after song." 18. "Thank you! Good bye! Sorry to have troubled you!"

B

1. On the way home Nina meets her friend (fem.) Vera. 2. "Hello, Vera, how are you? Where (where to) are you going?" 3. "Oh, hello, Nina! I am quite well, thank you. 4. I am going to work in the factory there, across the street. 5. Are you coming (go on foot) from the theater or the concert?" 6. "Oh, no, I am coming from [my] lesson at Professor Ivanov's home. 7. You know, he lives now in a small hotel at (next to) the 'White Square.' "8. "Is that so!" 9. "Yes, I go every day to the lesson; I am learning lesson after lesson but cannot yet speak Russian. 10. Vera, do you remember Mrs. Semyonova? 11. She is our (на́ша) neighbor (fem.) in the new hotel, where we live now. 12. She is a very good friend (fem.) of [my] sister. 13. She, my sister, and I are going (driving) to Russia tomorrow. 14. I am now hurrying, because before departing (the departure) one must not [arrive] (be) home too late." 15. "Nina, that is a splendid idea! 16. My brother Tom lived in Russia about a year and now speaks Russian without difficulty. 17. He lived in a large, new hotel, spoke only Russian, went to the club "The Red Star" during the day, and in the evening (he) often went visiting. 18. At home he lay on the sofa and read a Russian book or a Russian magazine. 19. He can read aloud for an entire day, from early morning until evening, without rest. 20. Yes, my brother Tom is a person of (with) great energy!" 21. "Dear Vera, I am in a great hurry (I hurry very much)! Good bye!" 22. "Good bye, Nina! Bon voyage!"

ADDITIONAL READING MATERIALS

Review of Prepositions

ГРАЖДАНИН ДЫМОВ

По улице идёт гражданин Дымов. Он идёт с работы из банка. Дымов давно работает в банке, в городе, а живёт за городом у сестры. Каждый день Дымов ездит в город, на работу, в банк. Целый день он на работе, в городе, в банке, а вечером он спешит с работы, из города, из банка домой к сестре.

Но сегодня вечером у Дымова собрание в клубе, в городе и он не уезжает из города, а идёт в ресторан ужинать. Сейчас Дымов идёт не в ресторан и не на собрание в клуб, а он идёт за вечерней газетой в магазин Иванова. Он всегда читает вечернюю газету после ужина. Магазин Иванова на большой площади не далеко от банка, между зданием музея и театром.

Ресторан, куда Дымов идёт ужинать, через улицу от магазина Иванова. Тут в ресторане всегда играет оркестр. Дымов любит есть под музыку. Дымов идёт к столу около окна, совсем рядом с оркестром.

— Что вы хотите сегодня на ужин? — спрашивают Дымова.

— Сначала ваш прекрасный суп, потом ваш замечательный бифштекс. К ужину я хочу немного вина, потом конечно я хочу кофе. Перед собранием я всегда пью кофе... — отвечает Дымов.

Дымов ждёт ужина с нетерпением. Уже поздно.

— Простите, — говорит Дымов, — я очень спешу. У меня сегодня вечером собрание в клубе. Мне надо быть на собрании... —

— Очень жаль, что вы спешите. Ужин ещё не готов. Вот вечерняя газета.

— Спасибо, но я никогда не читаю вечерней газеты ни до ужина, ни за ужином, а только после ужина, — говорит Дымов.

— Ах, так... сейчас я иду на кухню. Может быть ваш ужин уже готов. —

— Хорошо, — говорит Дымов, — я жду. —

Вот идёт человек (waiter) с кухни, но ужина нет!

— Очень жаль, — опять говорит он, — но... —

— Я не могу ждать, — говорит Дымов, — но я не могу идти на собрание без ужина! —

— Почему́ вы хоти́те идти́ на собра́ние сего́дня ве́чером? Вы сли́шком ча́сто хо́дите **на** собра́ние! Почему́ вы никогда́ не хо́дите **в** кино́? Сего́дня **в** кино́ идёт прекра́сный фильм. Игра́ет изве́стная «кинозвезда́» (movie star) Орло́ва! —

— Да что вы говори́те! Это не плоха́я иде́я! — отвеча́ет Ды́мов, — **на** собра́нии **в** клу́бе я всегда́ так скуча́ю. —

— Ну, а **на** фи́льме **с** «кино́-звездо́й» Орло́вой никто́ никогда́ не скуча́ет... А, вот и ваш у́жин! —

— Спаси́бо, большо́е спаси́бо и **за** хоро́шую иде́ю и **за** у́жин! —

ТРИНАДЦАТЫЙ УРОК | THIRTEENTH LESSON

Hard adjective singular declension—Imperative mood—
Time expressions

I. COMMON EXPRESSIONS AND IDIOMS

На полу́	On the floor
По расписа́нию	According to schedule
Из го́да в год	Year in, year out; from year to year
Ро́вно в два часа́	At two o'clock sharp (exactly)
В четы́ре часа́ дня	At four P.M.
На три, четы́ре часа́	For three, four hours
В воскресе́нье	On Sunday
В понеде́льник	On Monday
Во вто́рник	On Tuesday
В сре́ду	On Wednesday
В четве́рг	On Thursday
В пя́тницу	On Friday
В суббо́ту	On Saturday
Да́же в воскресе́нье	Even on Sunday
Говори́, говори́!	Go ahead, talk all you want! (Talk, talk!)

II. READING: ЖИТЬ ПО РАСПИСАНИЮ

Граждани́н Петро́в о́чень заня́той челове́к. Живёт он в большо́м, но́вом зда́нии, в кварти́ре до́ктора Че́хова. Обстано́вка в ко́мнате Петро́ва проста́я, но удо́бная. Около большо́го окна́ удо́бное кре́сло. Пе́ред удо́бным кре́слом просто́й стол, а ме́жду кре́слом и просты́м столо́м, ла́мпа. **На полу́,** от стены́ до стены́, лежи́т ковёр.

Жил Петро́в **по расписа́нию. В понеде́льник** у́тром, он писа́л письмо́ сы́ну. **Ро́вно че́рез час** Петро́в конча́л писа́ть письмо́ и е́здил в конто́ру. Сообще́ние бы́ло удо́бное. Че́рез у́лицу от до́ма, где он жил, бы́ло но́вое метро́.

В конторе, Петров не спешил с новой работой. Работал он медленно, зато хорошо. **Во вторник, ровно в два часа,** он слушал английское радио, а **в среду** вечером всегда читал английскую газету.

В четверг, в четыре часа дня, он всегда ездил в клуб на собрание. **В пятницу** вечером он работал дома: **два** или **три часа** готовил английский урок.

В субботу, после службы, он всегда ходил на урок английск**ого** языка.

В воскресенье рано утром Петров всегда ходил в церковь. **В воскресенье** никто не работает, но Петров **даже в воскресенье** иногда ездил в контору, **на три, четыре часа.** И так он жил **из года в год.**

— Слушайте, Петров, — говорила секретарша Петрова, — не работайте так много! Ходите иногда в театр, слушайте музыку, играйте в теннис! Вы ещё молодой человек! —

— Хорошо, хорошо! — отвечал Петров. — **Говори, говори!** — думал он. — Ты думаешь, я могу играть в теннис, или слушать музыку !... Нет, я занят**ой** человек !...

III. VOCABULARY

до (+ Gen.)	till, until	служба	work, job
занятой, -ая, -ое	busy	сообщение	communication
ковёр	carpet, rug	сын	son
контора	office	церковь	church
лампа	lamp	часы (pl. only)	watch, clock
обстановка	furniture	язык	language, tongue
пол	floor		
почта	post office	воскресенье	Sunday
простой, - ая, - ое	simple, plain	понедельник	Monday
раз	one, one time, once	вторник	Tuesday
		среда	Wednesday
свободный -'ая, -'ое	free	четверг	Thursday
		пятница	Friday
секретарша	secretary (fem.)	суббота	Saturday

Verbs

готовить; готовлю, готовишь, готовят	to prepare
петь; пою, поёшь, поют	to sing

IV. GRAMMAR

A. Adjective

1. *Declension of the hard adjective in the singular*[1] :

Case	Masculine	Neuter	Feminine (Review)
Nom.	но́вый	но́вое	но́вая
Gen.	но́вого	но́вого	но́вой
Dat.	но́вому	но́вому	но́вой
Acc.	{ но́вого { но́вый	но́вое	но́вую
Instr.	но́вым	но́вым	но́вой (ою)
Prep.	но́вом	но́вом	но́вой

The accusative of the *masculine* adjective is like the genitive when it modifies an *animate* noun, like the nominative when it modifies an *inanimate*:

я зна́ю хоро́шего до́ктора; я чита́ю ру́сский журна́л.

Adjectives ending in -о́й (молодо́й "young") are declined exactly like но́вый, except that the stress is on the ending throughout the declension.

2. *Peculiarities in the hard declension of the adjective* :

a. In accordance with Vowel Mutation Rule B, the vowel ы of the ending changes to и after г, к, х, ж, ч, ш, щ:

но́вый but ру́сский, хоро́ший; но́вым but ру́сским, хоро́шим.

b. In accordance with Vowel Mutation Rule C, the vowel о of *unaccented* endings changes to е after ж, ч, ш, щ, ц:

но́вый, но́вого, но́вому etc., but хоро́ший, хоро́шего, хоро́шему, etc.[2]

---

[1] For the declension of the soft adjective see the next lesson. For the *plural* declension of the adjective of both types (hard and soft) see Lesson 19.

[2] Yet большо́й, большо́го, большо́му, in spite of ш preceding о, since here the ending is *stressed*.

B. Verb. The imperative mood

1. *Verbs with stems ending in a vowel:*

To obtain the imperative form of a verb the stem of which ends in a *vowel*, drop the **second person singular** ending and add й for the *singular familiar* form, and йте for the *polite* and *plural* forms:

читáй!   read! (addressing a single person familiarly)
читáйте! read! (addressing a single person politely, or a group)

2. *Verbs with stems ending in a consonant:*

To obtain the imperative form of a verb the stem of which ends in a *consonant,* drop the **third person plural** ending and add и for the *singular familiar* form, and ите for the *polite* and *plural* forms:

говорúть: говорú!   говорúте!   speak!

However, if the *infinitive* stress is on the *stem* of the verb, add -ь, -ьте:

готóвить: готóвь!   готóвьте!   prepare!

If the stem ends on *two* consonants, add the full endings: -и, -ите. простúть: простú! простúте! excuse!
чúстить: чúсти! чúстите! clean!
The imperative stress is on the same syllable as in the infinitive. The pronoun is used only for special emphasis: Ты читáй! *You* read!

3. *Irregular imperatives:*

Imperatives that do not follow *exactly* the above pattern will be given in the vocabularies along with the other forms of the verb. Following are such imperatives of verbs that have already occurred:

быть:	будь!	бýдьте!	be!
давáть:	давáй!	давáйте!	give!
есть:	ешь!	éшьте!	eat!
éхать:	поезжáй!	поезжáйте!	ride! drive! leave!
ждать:	жди!	ждúте!	wait!
идтú	идú!	идúте!	go!

класть:	клади!	кладите!	place! put!
писа́ть	пиши!	пишите!	write!
пить:	пей!	пе́йте!	drink!
спать:	спи!	спи́те!	sleep!
ходи́ть:	ходи́!	ходи́те!	go! (repeatedly)
лежа́ть:	лежи́!	лежи́те!	lie! recline!

C. Time expressions

1. *Definite duration of time*:

Definite duration of time is expressed by means of the *accusative* case (without the use of prepositions):

Он чита́л два часа́.	He read [for] two hours.
Он жил здесь неде́лю.	He lived here [for] one week.

2. *Translation of "for" in time expressions*:

When "for" cannot be dropped from the English sentence without changing its meaning, it is rendered by **на** with the accusative.

Thus, one can say "He read *for* two hours," or "He read two hours." Here the "for" must be rendered simply by the accusative case as shown above under (1). Note that here the action expressed by the verb lasts "two hours."

But in the sentence "He is going to Russia *for* two weeks," the "for" cannot be dropped without distorting the meaning of the sentence. This "for" must be rendered by **на** with the accusative. Here the action expressed by the verb does *not* last "two weeks":

Он е́дет в Росси́ю **на** две неде́ли.

3. "In, within, after the lapse of" is rendered by **че́рез** with the *accusative*:

Че́рез год он хорошо́ говори́л по-ру́сски.	Within (after) a year he spoke Russian well.
Че́рез два часа́ мы е́дем в го́род.	In two hours we drive down town.

4. "Per" or "a" (referring to time) is rendered by **в (во)** with the *accusative*:

Он е́здит в го́род раз **в** год.	He drives into town once a year.
Они́ пьют чай три ра́за **в** день.	They drink tea three times a day.

5. "At" and "on" (referring to time) are rendered by **в** (во) with the *accusative*:

Он éдет **в** час.	He is going (leaving) at one o'clock.
Мы éдем **во** втóрник.	We are going on Tuesday.

VOCABULARY BUILDING

Masculine		*Feminine Equivalent*	
господи́н	Mr., sir	**госпожа́**	Mrs., lady
граждани́н	citizen	**гражда́нка**	citizen
сосе́д	neighbor	**сосе́дка**	neighbor
друг	friend	**подру́га**	friend
певе́ц	singer	**певи́ца**	singer
секрета́рь	secretary	**секрета́рша**	secretary
студе́нт	student	**студе́нтка**	student
учени́к	pupil	**учени́ца**	pupil
учи́тель	teacher	**учи́тельница**	teacher

V. QUESTIONS

1. Где жил граждани́н Петрóв? 2. Кака́я была́ обстано́вка в ко́мнате Петро́ва? 3. Что бы́ло о́коло большо́го окна́? 4. Что бы́ло пéред удóбным крéслом? 5. Что бы́ло мéжду крéслом и просты́м столóм? 6. Что лежа́ло на полу́? 7. Как жил Петрóв? 8. Что дéлал Петрóв в понедéльник у́тром? 9. Куда́ éздил Петрóв у́тром? 10. Почему́ сообщéние бы́ло удóбное? 11. Что дéлал Петрóв во втóрник? 12. Что дéлал Петрóв в срéду? 13. Куда́ éздил Петрóв в четвéрг, в четы́ре часа́ дня? 14. Где был Петрóв в пя́тницу вéчером? 15. Куда́ ходи́л Петрóв в суббóту, пóсле слу́жбы? 16. Куда́ éздил Петрóв в воскресéнье? 17. Рабóтал ли он в контóре цéлый день в воскресéнье? 18. Что дéлал Петрóв пóсле рабóты? 19. Что говори́ла Петрóву секрета́рша? 20. Почему́ Петрóв не игра́л в тéннис и не слу́шал му́зыки?

VI. GRAMMAR EXERCISES
Exercises with Grammar A

a. From the first three paragraphs of the Reading Exercise write out all adjectïves, giving their gender, case, and English meaning, thus:

заня́той	Masculine, nominative	"busy"
большо́м	Masculine, prepositional	"big"

b. Give the singular declension of:

1. нóвый урóк. 2. хорóший внук. 3. ру́сский журна́л. 4. го-

ря́чий чай. 5. чёрный хлеб. 6. свобо́дное ме́сто. 7. англи́йская газе́та. 8. большо́е зда́ние.

c. Give the correct form of the adjectives in parentheses:

1. Подру́га (молода́я) певи́цы то́же хорошо́ поёт. 2. Для (молодо́й) челове́ка нет ме́ста в го́спитале. 3. Днём, она́ встреча́ла му́жа о́коло (городско́й) музе́я. 4. До (но́вый) магази́на мы шли два часа́. 5. Без (но́вое) пальто́ он не хо́чет е́хать в го́род. 6. В магази́не нет (све́жее) мя́са. 7. Эта а́рия из (ру́сская) о́перы. 8. Он дал кни́гу (ми́лый) дру́гу. 9. Певи́ца пе́ла (ру́сская) пе́сню. 10. Я чита́л объявле́ние в (ру́сская) газе́те. 11. Мы говори́ли о (краси́вая) же́нщине. 12. Мой друг живёт в (большо́е, кра́сное) зда́нии. 13. Под (большо́й) столо́м был (краси́вый) ковёр. 14. До́ктор Че́хов жил в (но́вый, бе́лый) до́ме, в (удо́бная) ко́мнате. 15. Есть (свобо́дный) ме́сто в теа́тре?

d. Supply the correct endings:

1. Америка́нец скуча́ет без англи́йск— ра́дио. 2. Я зна́ю, что вы за́нят—' челове́к. 3. Около краси́в— по́ля был мой дереве́нск— дом. 4. Сестра́ поёт э́ту а́рию из ру́сск— о́перы. 5. На полу́, от удо́бн— кре́сла до больш—' дли́нн— стола́ лежа́л ковёр. 6. По́сле ску́чн— о́перы мы е́дем домо́й. 7. Вчера́ моя́ мать была́ в плох—' рестора́не. 8. Я спешу́ на больш—' распрода́жу. 9. Днём и но́чью рабо́тают на городск—' фа́брике! 10. Че́рез у́лицу от по́чты но́в— метро́. 11. Че́рез неде́лю ба́бушка е́дет в шу́мн— го́род. 12. Че́рез четы́ре неде́ли он уже́ чита́л англи́йск— газе́ту и англи́йск— журна́л. 13. Ваш сын сего́дня идёт на ру́сск— уро́к? 14. Я не хочу́ говори́ть с за́нят—' секрета́ршей. 15. В по́езде не́ было свобо́дн— ме́ста.

Exercises with Grammar B

a. From the Reading Exercise write out all imperative forms, giving their English meaning (5 forms in all).

b. Give all verbs hitherto learned in the singular and plural *imperative* forms. Check all *irregular* imperative forms.

c. Change the singular imperative forms to the plural (or polite) form and vice versa:

1. Не говори́ с секрета́ршей! 2. Слу́шай хоро́шую му́зыку! 3. Отвеча́й всегда́ бы́стро! 4. Иди́ туда́ пешко́м! 5. Ужина́й до́ма! 6. Обе́дайте в рестора́не! 7. Держи́те скри́пку! 8. Спеши́те на по́чту! 9. Не забыва́йте ба́бушку! 10. Чита́йте вслух!

d. Change to the imperative, familiar, and polite:

1. Я даю́ ру́сскую газе́ту сестре́. 2. Мы по́мним э́тот шу́м-
ный го́род. 3. Но́чью я обыкнове́нно закрыва́ю окно́. 4. Вы не
спра́шиваете о письме́. 5. Вы гото́вите хоро́ший обе́д.

Exercise with Grammar C

Translate the expressions in parentheses:

1. (On Monday) я хожу́ в конто́ру ро́вно (at two o'clock).
2. (On Tuesday) мы е́здим в дере́вню и встреча́ем сестру́. 3. (On
Wednesday and Thursday) ва́ша подру́га была́ на фа́брике
(at three o'clock). 4. (On Friday) я е́ду к подру́ге (for three
weeks). 5. (On Saturday) они́ закрыва́ли магази́н. 6. «Сдаётся
ко́мната (for three weeks)». 7. Певи́ца учи́ла но́вую а́рию (an
hour a day). 8. У бра́та уро́к англи́йского языка́ (three times a
week). 9. Я обе́дал в ру́сском рестора́не (once a week). 10. Мой
друг слу́шает ра́дио (three hours a day). 11. (Within) три го́да
он говори́л по-ру́сски о́чень хорошо́. 12. (In an) час я
был в ба́нке. 13. Мы е́дем к сы́ну (in) две неде́ли. 14. Я е́ду в
клуб .(for three hours). 15. По́сле за́втрака они́ всегда́ закры-
ва́ют рестора́н (for an hour). 16. Он е́хал трамва́ем (for two
hours). 17. Он жил там (for a whole year). 18. Он чита́л (for a
whole hour).

VII. TRANSLATION INTO RUSSIAN

A

1. Comrade Petróv lived in a large, beautiful building.
2. Now he is living in the apartment of [his] son. 3. He lives in
a large, comfortable room. 4. Across the street is a new subway.
5. On Monday Petróv hurries downtown to [his] office. 6. The
communication between the office and the house of [his] son
is very convenient. 7. On Tuesday, Thursday, and Saturday
Petróv dines at home. 8. On Monday, Wednesday, and Friday
he dines in the city, in a good restaurant, exactly at one o'clock.
9. Breakfast and supper he always has at home with [his] son.
10. At his office comrade Petróv does not hurry with new work.
11. He works very slowly, but (for that) very well. 12. He never
talks with [his] secretary about music or the theater. 13. On
Sunday morning (in the morning) Petróv goes to church.
14. Then he drives to [his] office and works two or three hours.
15. In the daytime he always reads a Russian paper for three or
four hours and then listens to the English radio. 16. And so
Petróv lives from year to year according to a [set] schedule.

B

1. Mr. Semyonov was a very famous singer at the opera in Leningrad. 2. He had a wonderful voice. 3. He sang there for four years, three and four times a week. 4. He was always very busy and very serious, and often said impatiently: "You think I can play golf and tennis or listen to the radio or go visiting every evening! No, I am not a free man; I am a very busy person!" 5. For about a month Mr. Semyonov was at the opera in Moscow and sang there every Monday, Wednesday, and Friday. 6. They say that he even sang on Sunday! 7. Sometimes he went (drove) to the country for a week or two. 8. In the noisy city he lived in a large, new building with a beautiful garden. 9. In his apartment was a very large room. 10. On the floor lay a black and white rug from wall to wall. 11. Next to the door there was a small but very expensive table with an expensive lamp, and between the door and the large window there was a splendid piano. 12. Yes, Mr. Semyonov loved expensive furniture! 13. Mr. Semyonov taught music to his son Pavel when Pavel was still very young. 14. At first Pavel did not want to work. 15. Mr. Semyonov always said to [his] son: "Pavel, work while (пока́) you are still young! 16. Play [your] violin and [your] piano! Never be late for (to) [your] lesson! 17. Every week read a Russian and an English book on music. 18. Go to the opera, go to the concert, but never listen to bad music! 19. Don't eat and sleep so much! Work, my son!" 20. Now Pavel can play the violin and the piano, but he does not love music. — And there is a reason for that!

ЧЕТЫРНАДЦАТЫЙ УРОК | FOURTEENTH LESSON

Soft adjective singular declension—Possessive pronoun-adjective singular declension—Future tense; translation of "to have" (future; abstract)

I. COMMON EXPRESSIONS AND IDIOMS

Зимóй; óсенью	In winter; in the fall
Веснóй; лéтом	In spring; in summer
Весь день	All day
На весь день	For the whole day
На всю недéлю	For the whole week
На весь мéсяц	For the whole month
На весь год	For the whole year
На всю зúму	For the whole winter
На всё лéто	For the whole summer
Прóшлая зимá, веснá, óсень	Last (past) winter, spring, fall
Прóшлое лéто	Last (past) summer
До лéта ещё далекó.	It's still a long time till summer.
На дáчу	To the summer home (house)
На дáче	At the summer home (house)
На слýжбу	To (one's) work, job
Живýт и в гóроде.	In the city one can also live.
Я человéк рабóчий.	I am a working man.
Имéть возмóжность	To have the opportunity
Имéть удовóльствие	To have the pleasure
Это твоё дéло!	That's your business (your worry)!

II. READING: ЖИТЬ НА ДАЧЕ

Тепéрь феврáль, послéдний зúмний мéсяц. Сегóдня на дворé, совсéм лéтний день, а **до лéта ещё далекó**: феврáль, март, апрéль, май.

В нáшем клúмате веснá всегдá **рáнняя**, зимá **пóздняя**, лéто хорóшее, а óсень дождлúвая.

Зимóй, в декабрé и в январé, чáсто идёт снег. Я всегдá **бýду пóмнить** зúмний вид из окнá моéй кóмнаты, — свéжий снег на нáшей ýлице, у двéри нáшего дóма ...

113

Мы живём в го́роде, но **ле́том** моя́ жена́, наш сын и я **бу́дем жить** в дере́вне. Я, коне́чно, не **бу́ду жить** на да́че всё ле́то. Я заня́той челове́к. Но жена́ е́дет **на да́чу на всё ле́то.**

Про́шлое ле́то мы жи́ли у бра́та мое́й жены́. У её бра́та свой ле́тний дом в о́чень хоро́шем ме́сте. И сообще́ние ме́жду его́ ле́тним до́мом и на́шим го́родом о́чень удо́бное.

— Мо́жет быть мы **бу́дем име́ть возмо́жность** жить там опя́ть **ле́том,** — говори́т жена́. — **Весно́й, их** сын **бу́дет** до́ма . . . —

— **Это твоё де́ло.** Он твой брат, а не мой, — отвеча́ю я.

— Коне́чно, он мой брат, а не твой. У твое**го́** бра́та свое**́й** да́чи нет! —

— **Живу́т ле́том и в го́роде!** —

— Кто **бу́дет жить ле́том** в го́роде! Ты, очеви́дно, не по́мнишь, что **ле́том** я могу́ жить то́лько в дере́вне, на све́жем во́здухе! —

Я не **бу́ду спо́рить** с мое́й жено́й. **Ле́том** она́ не мо́жет жить в го́роде без све́жего во́здуха, а в дере́вне **бу́дет,** коне́чно, **скуча́ть** без хоро́шей о́перы, хоро́шего теа́тра, хоро́шего кино́!

III. VOCABULARY

вдруг	suddenly	коне́ц	end
весна́	spring	ле́тний,	summer (adj.)
весь, вся, всё	all, everything	-'яя, -'ее	
	everyone	ле́то	summer
вид	view, type, kind	мо́жет быть	perhaps
да́ча	country house,	нача́ло	beginning
	summer home	о́сень	fall, autumn
де́ло	business, affair	пла́тье	dress
дождли́вый,	rainy	по́здний	late
-'яя, -'ое		-'яя, -'ее	
зима́	winter	тру́дный,	difficult, hard
зи́мний	winter (adj.)	-'яя, -'ое	
-'яя, -'ее	wintry	успе́х	success
кли́мат	climate		

дека́брь (m.)	December	март	March
янва́рь (m.)	January	апре́ль (m.)	April
февра́ль (m.)	February	май	May

(For remaining months see next Lesson-Vocabulary.)

Verbs

имéть (I)	to have, possess
спóрить (II)	to contradict, quarrel (followed by **с (со)** with the instrumental)
не спорь!	do not contradict! don't quarrel!

IV. GRAMMAR

A. Soft adjective declension in the singular

	Masc.	*Neut.*	*Fem.* (*Review*)
Nom.	послéдний	послéднее	послéдняя
Gen.	послéднего	послéднего	послéдней
Dat.	послéднему	послéднему	послéдней
Acc.	Nom. or Gen.	послéднее	послéднюю
Instr.	послéдним	послéдним	послéдней
Prep.	послéднем	послéднем	послéдней

The *soft* declension always has in its endings the soft equivalents of the hard vowels of the *hard* declension: for ы an и; for о an е; for а а я; for у а ю; (-ый : -ий; -ого : -его; -ая : -яя; -ую : -юю).

For the *plural* of the soft declension see Lesson 19.

B. Possessive pronoun-adjectives

1. The possessive pronoun-adjectives correspond to the personal pronouns as follows:

Personal	*Possessive*	*Personal*	*Possessive*
я	**мой**	**мы**	**наш**
ты	**твой**		
он	**егó**	**вы**	**ваш**
онó			
онá	**её**	**они́**	**их**

2. In their endings the possessive pronoun-adjectives correspond to the gender, number, and case of the *thing possessed*:

Вот мой стол, моя́ кни́га, моё перó; óколо моегó столá, моéй кни́ги, моегó перá; я даю́ э́то моемý дрýгу, etc.

3. Thus we have the following declension of the possessive pronoun-adjective in the singular:

	Masc.	Neut.	Fem.	Masc.	Neut.	Fem.
Nom.	мой	моё	моя́	наш	на́ше	на́ша
Gen.	моего́	моего́	мое́й	на́шего	на́шего	на́шей
Dat.	моему́	моему́	мое́й	на́шему	на́шему	на́шей
Acc.	N. or G.	моё	мою́	N. or G. на́ше		на́шу
Instr.	мои́м	мои́м	мое́й(ею)	на́шим	на́шим	на́шей(ею)
Prep.	моём	моём	мое́й	на́шем	на́шем	на́шей

Like **мой** are declined **твой** "your, yours" and the reflexive possessive pronoun-adjective **свой** "my own, your own," etc.

Like **наш** is declined **ваш, Ваш** "your, yours."

4. Third person possessives **его, её, их** never change in form; that is, they are not declined:

его́ стол; **его́** перо́; **его́** кни́га	his (its) table, pen, book
её стол; **её** перо́; **её** кни́га	her table, pen, book
их стол; **их** перо́; **их** кни́га	their table, pen, book
их стола́; **их** пера́; **их** кни́ги	of their table, pen, book, etc.

5. A form of **свой** must be used when the possessive reflects to a *third* person subject:

Он чита́ет **свою́** кни́гу.	He reads *his own* book.
Он чита́ет **его́** кни́гу would mean:	He reads *his* (not his own, but someone else's) book.

C. Verb

1. *The future tense*:

a. The future tense of the verb **быть** "to be":

Person	Singular		Plural	
1st	я **бу́ду**	I shall be	мы **бу́дем**	we shall be
2nd (fam.)	ты **бу́дешь**	you will be	вы **бу́дете**	you will be
3rd	он, -а́, -о́ **бу́дет**	he, she, it, will be	они́ **бу́дут**	they will be

b. To form the future tense of any verb,[1] use the proper form of **быть** together with the *infinitive* of the verb. For example the future of **чита́ть** is as follows:

---

[1] Note that this type of future tense formation holds only for the *imperfective aspect* verbs. For the future of the perfective aspect see Lesson 16.

Person	Singular	Plural
1st	я бу́ду чита́ть	мы бу́дем чита́ть
2nd (fam.)	ты бу́дешь чита́ть	вы бу́дете чита́ть
3rd	он, -а́, -о́ бу́дет чита́ть	они́ бу́дут чита́ть

2. *Translation of "to have" in the future tense:*

a. Use the construction explained in Lesson 6, introducing the *future* tense forms of the verb "to be":

У бра́та бу́дет журна́л.	The brother will have a magazine.
У него́ бу́дут и журна́л и кни́га.	He will have both a book and a magazine.

b. Note, however, that in the *negative* sentence the verb is *always* in the *neuter* 3rd person *singular*:

У него́ не бу́дет журна́ла.	He will not have a magazine.
У него́ не бу́дет ни кни́ги ни пера́.	He will have neither a book nor a pen.

c. To express *abstract* possession, the verb име́ть "to have" should be used:

Я име́ю удово́льствие.	I have the pleasure.
Я име́л возмо́жность.	I had the opportunity.
Я бу́ду име́ть удово́льствие.	I shall have the pleasure.

VOCABULARY BUILDING

Noun	Adjective	
ве́чер	вече́рний	evening
весна́	весе́нний	spring
ле́то	ле́тний	summer
о́сень	осе́нний	fall, autumn
зима́	зи́мний	winter
дождь	дождли́вый	rainy
свет	све́тлый	light

Adverb	Adjective	
до́рого	дорого́й	dear, expensive
ми́ло	ми́лый	dear, nice
интере́сно	интере́сный	interesting
по́здно	по́здний	late
ра́но	ра́нний	early

V. QUESTIONS

1. Сейча́с февра́ль и́ли март? 2. Како́й после́дний зи́мний ме́сяц? 3. Како́й сего́дня день? 4. До ле́та ещё далеко́?. 5. Како́й ме́сяц бу́дет по́сле февраля́? 6. Како́й ме́сяц бу́дет по́сле ма́рта? 7. Како́й ме́сяц бу́дет по́сле апре́ля? 8. Кака́я в на́шем кли́мате весна́? 9. Кака́я в на́шем кли́мате зима́? 10. Како́е в на́шем кли́мате ле́то? 11. Кака́я в на́шем кли́мате о́сень? 12. Где мы живём зимо́й? 13. Где вы бу́дете жить ле́том? 14. Где вы жи́ли про́шлое ле́то? 15. Почему́ вы не мо́жете жить на да́че всё ле́то? 16. Кто е́дет на да́чу на всё ле́то? 17. Где да́ча бра́та жены́? 18. Како́е сообще́ние ме́жду его́ да́чей и на́шим го́родом? 19. Почему́ жена́ не мо́жет жить в го́роде ле́том? 20. Почему́ она́ бу́дет скуча́ть в дере́вне?

VI. GRAMMAR EXERCISES

Exercises with Grammar A

a. From the Reading Exercise write out all *soft* adjectives with their nouns, indicating their gender, case, and English meaning, as follows:

после́дний ме́сяц	Masculine, nominative	"last month"
зи́мний ме́сяц	Masculine, nominative	"winter month"

b. Supply the endings:

1. Я люблю́ зи́мн— во́здух. 2. Сего́дня свеж—, зи́мн— у́тро. 3. По́сле жа́рк— пого́ды бу́дет дождь. 4. Для заня́т—' челове́ка нет ле́том о́тдыха. 5. Я не могу́ е́хать на да́чу без ле́тн— пальто́. 6. К моему́ хоро́ш— дру́гу е́дет жена́. 7. В дождли́в— день я обыкнове́нно до́ма. 8. В жа́рк— пого́ду мы хо́дим гуля́ть в по́ле. 9. Я всегда́ бу́ду по́мнить мою́ после́дн— ночь в дере́вне. 10. Она́ рабо́тает с ра́нн— утра́ до по́здн— ве́чера. 11. Они́ люби́ли игра́ть в те́ннис ра́нн— у́тром. 12. Я е́хал домо́й после́дн— по́ездом. 13. Я говори́л с поэ́том о его́ после́дн— кни́ге. 14. Я гото́влю свеж— чай сестре́. 15. Мы говори́м о сосе́дн— до́ме.

Exercises with Grammar B

a. From the Reading Exercise write out all possessive adjectives along with the nouns they modify, indicating their gender, case, and English meaning, as follows (18 forms in all):

в на́шем кли́мате	Masculine, prepositional	"in our climate"
мое́й ко́мнаты	Feminine, genitive	"of my room"

b. Supply the Russian equivalent of the English words in parentheses:

1. Вот (their) дом. 2. Это (my) ме́сто. 3. (His) фами́лия — Петро́в. 4. К (my) жене́ е́дет (her) подру́га. 5. Я люблю́ игра́ть в те́ннис с (my) прия́телем. 6. В (thine) кварти́ре сейча́с живёт (his) това́рищ. 7. Присыла́йте вече́рнюю газе́ту (my) вну́ку! 8. (Her) муж е́дет на слу́жбу. 9. Утром она́ спеши́т на (her own) рабо́ту. 10. Я был в теа́тре со (my own) жено́й. 11. (Your) жизнь интере́сная, а (our) жизнь о́чень ску́чная. 12. Весно́й в (our) магази́не всегда́ распрода́жа, а о́сенью в (yours). 13. Около (his) до́ма дли́нный бе́лый мост. 14. Ме́жду (our) и (your) до́мом бу́дет гара́ж. 15. Зимо́й (their) сын е́дет в Ленингра́д. 16. Ле́том он всегда́ е́здит в го́сти к (his own) ба́бушке.

Exercises with Grammar C

a. From the Reading Exercise write out all verbs in the future tense and translate, as follows:

Я всегда́ бу́ду по́мнить   I shall always remember.

b. Change into the future tense:

1. Я рабо́таю на заво́де. 2. Ты зна́ешь о но́вой распрода́же? 3. Брат пи́шет письмо́ жене́. 4. Моя́ сосе́дка игра́ет на скри́пке. 5. Зимо́й они́ скуча́ют и ждут ле́та. 6. Мы с прия́телем обе́даем до́ма. 7. Ле́том вы живёте на да́че? 8. Ты слу́шаешь ве́чером ра́дио? 9. Вы по́мните дождли́вую о́сень. 10. В феврале́ они́ всегда́ снима́ют кварти́ру в го́роде.

Exercises with Grammar C and Review

a. Give the correct forms of the words in parentheses:

1. У (друг) свой автомоби́ль. 2. У (моя́ жена́) своя́ да́ча. 3. У (прия́тель) ру́сская кни́га. 4. У (её муж) большо́й дом. 5. У (ва́ша подру́га) но́вое зи́мнее пальто́. 6. У (мой хоро́ший прия́тель) больша́я но́вость. 7. У (его́ жена́) но́вая ска́терть. 8. У (молодо́й меха́ник) хоро́шая рабо́та. 9. Мой автомоби́ль сейча́с у (до́ктор). 10. У (её брат) своя́ да́ча. 11. У (твоя́ сосе́дка) но́вая скри́пка. 12. Мой англи́йский журна́л тепе́рь у (инжене́р).

b. Put the sentences into the past and future tenses.

c. Change the sentences into question form.

d. Change the sentences into the negative form.

VII. TRANSLATION INTO RUSSIAN

A

1. Now it is February, the last winter month. 2. It is still very cold, and it is snowing now. 3. In our climate spring starts late (is a late one) and winter begins early (is an early one). 4. The summer is fine, but fall is always rainy. 5. In winter we live in the city. 6. We love opera and theater, and often go in the evening to the movies or to the concert. 7. But in the summer my wife cannot live in the city. 8. My wife's brother has a big summer home in a beautiful spot in the country. 9. Last summer we lived there. 10. Our son also has a beautiful country home. 11. We shall live there this summer (acc.). 12. But I am a busy man and cannot spend (live) there all summer. 13. My wife, too, did not wish to live in the country all summer. 14. She is bored without the fine opera and theater of the big city.

B

1. "Hello, Peter, where are you hurrying?" 2. "Oh, hello, Paul, I am hurrying home. 3. Today we are going (driving) to Leningrad." 4. "Are you going in your big new car?" 5. "No, we are going by train." 6. "Will you live in the old house of your grandmother?" 7. "No, we shall live in the beautiful big house of the famous poet Ivanov. 8. He is a very good friend of my brother. 9. Each one will live his own life, and do what he wants. 10. You remember, Paul, my sister is a singer; she will, of course, study aria after aria. 11. She has a very fine (excellent) voice and has sung with great success at the club 'The Red Star.' 12. Perhaps she will now have the opportunity of singing (to sing) at a club or a restaurant or even at the opera in the big city [of] Leningrad! 13. I shall work at a large new plant. 14. My work will be interesting and not very hard. 15. I shall always have early breakfast (breakfast early), and shall never be late for work. 16. My brother will, of course, write from early morning until late [in the] evening; he is again writing a book. 17. But after work we shall have the great pleasure of going to the theater, the opera, and the concert." 18. "Well, Peter, your life in the big, noisy city will never be boring." 19. "No, Paul, it will be a very interesting one. 20. But I shall always remember our life here in this little village [of] Blinsk!"

ПЯТНАДЦАТЫЙ УРОК | FIFTEENTH LESSON

Singular declension of masculines in -ок and -ец — Short form of the adjective — Declension of the interrogative pronoun — Reflexive verb

I. COMMON EXPRESSIONS AND IDIOMS

В начале, в конце	In the beginning, in the end
Чем он болен?	What is his sickness?
У него жар, температура.	He has fever, temperature.
Он простужен.	He has a cold.
Он бывал простужен.	He sometimes had a cold.
У отца болит (болело) горло, голова.	Father has (had) a sore throat, a headache.
У отца насморк, кашель.	Father has a (head) cold, a cough.
Принимать лекарство	To take medicine
Быть пациентом	To be a patient
Смеяться над (+ instr.)	To laugh at
Веселиться до утра	To have a good time (make merry) till morning
Чувствовать себя[1] плохо, хорошо	To feel (oneself) ill, well
Хорошо смеётся тот, кто смеётся последний.	He who laughs last laughs best.

II. READING: ПЕРВАЯ БОЛЕЗНЬ ОТЦА

Мой отец **болен** уже четыре месяца: июнь, июль, август и сентябрь.

Отец лежит в госпитале; мы ещё не знаем, **чем он болен.**

В начале августа он был очень **болен,** но теперь доктор **доволен** здоровьем отца. Он думает, что отец будет дома в октябре, а **в конце** ноября он будет совсем **здоров.**

Эта болезнь — первая болезнь **отца.** Иногда, я помню, **он бывал простужен.** Но даже когда у **отца болело горло** или был **кашель** или **насморк,** он не лежал в постели, не ходил к доктору, не **принимал лекарства**... Он **просыпался,** как всегда, рано утром, быстро мыл**ся,** одева**лся** и ехал в универ-

---

[1] **N.B. себя** does *not* change with the person.

121

ситéт. А вéчером, пóсле рабóты он иногдá ещё **встречáлся** с
приáтелем и **готóв** был **веселúться до утрá**!

Мой отéц всегдá был **зáнят** и всегдá был **пóлон** энéргии.
Он чáсто **смеáлся над** нáшим дóктором.

— Что дéлать, дóктор? Не могý имéть удовóльствия **быть**
вáшим **пациéнтом**. Я **рад** лечúться, но что дéлать? Я всегдá
здорóв! Хорошó, что не всé так **здорóвы**, как я! —

— **Смéйтесь**, смéйтесь, — отвечáл наш дóктор. «**Хорошó**
смеётся тот, кто смеётся послéдний!» —

Тепéрь-то мы знáем, как **прав** был дóктор!

III. VOCABULARY

америкáнец (†е)	American	пóлный,	full
болéзнь	disease, illness	-´ая, -´ое	
готóвый,	ready,	постéль	bed
-´ая, -´ое	prepared	прáвый,	right
дáже	even	-´ая, -´ое	
довóльный,	satisfied,	ребёнок († о)	child
-´ая, -´ое	pleased	рубль (m.)	ruble
здорóвье	health	строкá	line
здорóвый,	healthy, well	удовóльствие	pleasure, joy
-´ая, -´ое		университéт	university
кáшель (†е) (m.)	cough	устáлый,	tired
кусóк († о)	piece	-´ая, -´ое	
		шляпа	hat

июнь (m.)	June	сентябрь (m.)	September
июль (m.)	July	октябрь (m.)	October
áвгуст	August	ноябрь (m.)	November

[See also grammar D]   *Verbs*

болéть (I)	to be sick, ill
болéть; болúт; болят (used in the 3rd person only)	to hurt, pain, ache
боáться (II) with gen.	to be afraid of, fear
веселúться (II)	to be merry, to make merry
вставáть, встаю, встаёшь, встают	to get up
лечúть(ся), лечý(сь), лéчишь(ся), лéчат(ся)	to treat (oneself), to be in care of a doctor, to treat, heal
мыть(ся), мóю(сь), мóешь(ся), мóют(ся)	to wash (oneself)
поправляться (I)	to get well, recover
чýвствовать, чýвствую, чýвствуешь, чýвствуют (себя)	to feel (oneself)

IV. GRAMMAR

A. Noun

A large number of masculine nouns the stem of which ends in -ок or -ец, and some others,[1] drop the o or e when a declensional ending is added:

Nom.	кусóк "piece"	отéц "father"	день "day"
Gen.	кускá	отцá	дня
Dat.	кускý	отцý	дню
Acc.	кусóк	отцá	день
Instr.	кускóм	отцóм	днём
Prep.	кускé	отцé	дне

This loss of vowel will be indicated in the vocabularies as follows: отéц (†e); день (†e); кусóк (†o); звонóк (†o); ковёр (†ё); цéрковь (†o)

B. Adjective. Short form of the adjective

1. *Many Russian adjectives have a "short" form. It is ob-*tained by dropping the long adjective endings -ый, -ой, -ий, -ие, etc., and adding the following short endings:

			Long Form	*Short Form*
No ending	for the *masculine*	*singular*	красѝвый	красѝв
-a	for the *feminine*	*singular*	красѝвая	красѝва
-o	for the *neuter*	*singular*	красѝвое	красѝво
-e	for the *neuter (soft)*	*singular*	сѝнее	сѝне
-ы or -и[2]	for the *plural of all genders*	{ красѝвые красѝвы хорóшие хорошѝ	

2. The *short* form of the adjective cannot be declined. It can be used only in a *predicative* function:

Профéссор óчень бóлен.	The professor is very sick.
Эта кнѝга интерéсна.	This book is interesting.

---

[1] For instance: ковёр, коврá "rug"; лоб, лба "forehead." After л, н, and p the lost vowel e is often replaced by ь: лёд, льдá "ice"; лев, львá "lion."

[2] In accordance with Vowel Mutation Rule B, after г, к, х, ж, ч, ш, щ. Also with soft declension adjectives.

The *long* form *must* be used whenever the adjective is used *attributively*:

Мы живём в **красивом** здании.   We live in a beautiful building.

It is also used when "one" is expressed or understood:

Какой он **здоровый**!   What a healthy one he is!

3. *Consonants in final position:*

The elimination of the long ending in the masculine forms of the adjective often leaves a group of consonants in final position. In such case **e** (**ё**) is usually inserted before the final **л**, **м**, or **н**; and **o** before all other final consonants; **e** replaces **ь**[1]:

	больной, бо́л**ен**	sick, ill
	удо́бный, удо́б**ен**	comfortable
	у́мный, ум**ён**	clever
	коро́ткий, коро́т**ок**	short, brief
But notice:	по́лный, по́л**он**	full

4. The following *short* forms are particularly common:

бо́лен, больна́, больно́, больны́	sick, ill
дово́лен, дово́льна, дово́льно, дово́льны (+instr.)	satisfied
гото́в, гото́ва, гото́во, гото́вы	ready
здоро́в, здоро́ва, здоро́во, здоро́вы	well, healthy
за́нят, занята́, за́нято, за́няты	busy
по́лон, полна́, полно́, полны́	full
Прав, права́, пра́во, пра́вы[2]	right, correct
свобо́ден, свобо́дна, свобо́дно, свобо́дны	free
умён, умна́, умно́, умны́	clever

5. The following adjective is used only in its *short* form:

рад, ра́да, ра́до, ра́ды   glad, happy

C. Pronoun

Full declension of the *interrogative* pronouns **кто** "who" and **что** "what":

Nom.	**кто**	who	**что**	what
Gen.	**кого́**	of whom	**чего́**	of what
Dat.	**кому́**	to whom	**чему́**	to what
Acc.	**кого́**	whom	**что**	what
Instr.	**кем**	with whom	**чем**	with what
Prep.	**ком**	about whom	**чём**	about what

---

[1] The various exceptions to this general statement cannot be considered in this elementary text.

[2] The long form **пра́вый, -'ая, -'ое** also means "right" in a directional sense:

Я пишу́ пра́вой руко́й.   I write with the right hand.
Пра́вый бе́рег реки́.   The right bank of a river.

D. Verb

1. The Russian reflexive verb is characterized by the un-changing endings -ся or -сь.

-ся is added whenever the verb ends in a consonant, in й, or in ь. It contracts to -сь after vowels.

2. Conjugation of the reflexive verb одеваться "to get dressed, to dress oneself":

PRESENT TENSE
Singular

я одеваю + **сь**	I dress (myself)
ты одеваешь + **ся**	you dress (yourself)
он, она, оно одевает + **ся**	he, she, it, dresses (him-, her-, itself)

Plural

мы одеваем + **ся**	we dress (ourselves)
вы, Вы одеваете + **сь** (fam. & pol.)	you dress (yourselves)
они одевают + **ся**	they dress (themselves)

PAST TENSE

Singular   я, ты, он одевался; она одевалась; оно одевалось

Plural   мы, вы, Вы, они одевались

IMPERATIVE
одевайся!   одевайтесь!

Note: -ся, -сь are contractions of the reflexive pronoun себя "oneself, myself, yourself," etc. When the verb is used with a direct object other than "oneself," it does *not* take the ending -ся, -сь:

	Я одеваюсь.	I dress *myself.*
but:	Я одеваю ребёнка.	I dress the *child.*

3. Not all verbs in -ся, and -сь are reflexive in their mean-ing:

начинаться (I)   "to begin"   кончаться (I)   "to end"
просыпаться (I) "to wake up" Я просыпаюсь. I wake up.

садиться: сажусь, садишься, садятся   "to sit down"
Я сажусь за стол.   I sit down at the table.
                         (N.B. no "myself" in English)

смеяться, смеюсь, смеёшься, смеются "to laugh"

As their translation indicates these verbs are *not* "reflexive" in English, that is they do not use "self."

4. Some verbs in -ся or -сь express mutual (reciprocal) action: встречáться "to *meet*" (*one another,* not oneself!):

Я встречáюсь с прия́телем.   I meet a friend.

Встречáться (I) must be used with с (со) and the *instrumental,* while the nonreflexive встречáть takes its direct object in the *accusative* case without any preposition:

Я встречáю прия́теля.   I meet a friend.

V. QUESTIONS

1. Где отéц ужé четы́ре мéсяца: ию́нь, ию́ль, а́вгуст и сентя́брь? 2. Почемý отéц в го́спитале? 3. Чем отéц бо́лен? 4. Когда́ был отéц о́чень бо́лен? 5. Дово́лен ли тепéрь ваш до́ктор здоро́вьем отца́? 6. Когда́ бýдет отéц совсéм здоро́в? 7. Болéл ваш отéц ча́сто? 8. Быва́л ли он иногда́ простýжен? 9. Что у отца́ иногда́ болéло? 10. Быва́ли ли у отца́ ча́сто ка́шель и на́сморк? 11. Что он принима́л, когда́ он был простýжен? 12. Что он дéлал ýтром? 13. Куда́ он éздил? 14. С кем он встреча́лся вéчером? 15. Был ли отéц всегда́ за́нят? 16. Над кем ча́сто смея́лся отéц? 17. Что он говори́л до́ктору? 18. Что отвеча́л отцý до́ктор?

VI. GRAMMAR EXERCISES

Exercise with Grammar A

Give correct case forms of the Russian nouns in parentheses:

1. Мать скуча́ет без (ребёнок). 2. У моего́ бра́та в кварти́ре нет но́вого (ковёр). 3. На́ша сосéдка гото́вила обéд (ребёнок). 4. Сего́дня моя́ жена́ и я идём в универса́льный магази́н за (ковёр). 5. Я спра́шивала свою́ подрýгу о её (ребёнок). 6. Я не мог мы́ться три (день), так как нé было горя́чей воды́. 7. Мы никогда́ не хо́дим в теа́тр (день). 8. Он всегда́ встреча́лся с (америка́нец) в клýбе. 9. У его́ (отéц) был большо́й и о́чень краси́вый дом в го́роде. 10. Тепéрь до́ктор о́чень дово́лен здоро́вьем на́шего (отéц).

Exercises with Grammar B

a. From the Reading Exercise write out all *short* adjective forms, giving their gender, number, and English meaning, as follows:

бо́лен   Masculine, singular   "sick"

b. Replace the adjectives in parentheses by the correct *short* forms:

1. Сегóдня моя́ подру́га бу́дет óчень (заня́тая). 2. Этот ребёнок (больнóй), а тот (здорóвый). 3. Все зна́ли, что наш отéц (у́мный). 4. Вчера́ собра́ние в клу́бе бы́ло óчень (ску́чное). 5. В воскресéние я бу́ду (свобóдный), а мой брат бу́дет (заня́той). 6. В на́шем кли́мате óсень всегда́ (дождли́вая). 7. На́ша сосéдка была́ (молода́я) и люби́ла весели́ться. 8. Твой ребёнок никогда́ не бу́дет (больнóй). 9. Утром я всегда́ (пóлная) энéргии. 10. Это мéсто бу́дет (удóбное) для ребёнка.

Exercise with Grammar C

Change the following sentences into questions, replacing the bold face expressions by proper forms of **кто** or **что** and observing correct word order, thus: я чита́ю **нóвую кни́гу: что** я чита́ю?

1. Я всегда́ бу́ду пóмнить **кузнеца́**. 2. **Пакéт** на столé. 3. **У бра́та** нет своегó автомоби́ля. 4. Я не хочу́ принима́ть **лека́рства**. 5. Я ча́сто задава́л **этот вопрóс сестрé**. 6. Она́ лю́бит **своегó ребёнка**. 7. Они́ всегда́ готóвы спóрить **с отцóм**. 8. Вы довóльны **своéй жи́знью**? 9. На да́че **мы** бу́дем ча́сто встреча́ться **с америка́нцем**. 10. Мы бои́мся ду́мать **о егó серьёзной болéзни**. 11. В ма́рте мы ещё не ду́маем **о да́че**. 12. Отéц всегда́ готóв весели́ться **с вну́ком**. 13. Сосéдка смея́лась **над подру́гой**. 14. Мы смея́лись над **её истóрией**.

Exercises with Grammar D

a. From the Reading Exercise write out all reflexive verbs, giving their English meaning, as follows:

Он просыпа́лся.   He awoke (woke up).

b. Put the following sentences (1) into the present; (2) into the past; (3) into the future:

1. Он (мы́ться) у́тром, а ты (мы́ться) вéчером. 2. Вы бы́стро (одева́ться). 3. Они́ (просыпа́ться) тóлько к за́втраку. 4. Мы (лечи́ться) у ва́шего дóктора. 5. В Ленигра́де ты ча́сто (встреча́ться) с твои́м отцóм. 6. На да́че она́ хорошó (поправля́ться). 7. Отéц (смея́ться) над вечéрней газéтой. 8. Она́ (чу́вствовать себя́) плóхо. 9. Това́рищ Ивáнов всегда́ (мы́ться) горя́чей водóй. 10. На парохóде мы (весели́ться). 11. Ребёнок (боя́ться) дóктора. 12. Мы (чу́вствовать себя́) óчень хорошó.

VII. TRANSLATION INTO RUSSIAN

A

1. Our father was always very healthy. 2. He was always full of energy and was always ready to have a good time (be merry). 3. Sometimes he had a (head) cold or a cough. 4. But he never stayed (lay) in bed. 5. As always, he woke early, dressed quickly, had breakfast, read his Russian paper, and went to the university. 6. He never went to the doctor and never took medicine. 7. He often laughed at our doctor. 8. He laughed and said: "I can't have the pleasure of being your patient, doctor. I would gladly (am glad to) be treated, but I am always so healthy." 9. But now he is very sick. 10. He has been (lies) in the hospital for four months, June, July, August, and September. 11. We do not know what his sickness is. 12. But our doctor says that our father is very ill. 13. He does not know when father will be at home again; perhaps (at) the end of October or (at) the beginning of November. 14. We shall all be very happy when father is (will be) well again.

B

1. It is already very late but Sonya is still lying in bed. 2. In her little room it is warm, but outside (out of doors) it is cold and it is raining. 3. Good weather or bad, when Sonya is well (healthy) she gets up early, is full of energy, and works from early morning till late [in the] evening. 4. But today Sonya feels ill; she has a headache and a sore throat. 5. But she has no temperature. 6. Perhaps she has only a cold, a simple cough, or a head cold. 7. It is time to get up! 8. Sonya always meets her dear friend Nina on the way to work; she is never late. 9. And so Sonya slowly gets up, washes, and slowly gets dressed (dresses). 10. She sits down at the table. 11. Usually, she eats a hearty (big) breakfast, but today she drinks only hot tea and eats a piece of black bread without butter. 12. Sonya gets up from (из за and gen.) the table and opens the window. 13. There is not a cloud in the sky now; it is warm outside now, and the air is fresh. 14. Suddenly Sonya feels quite well again. 15. "I cannot lie in bed all day, listen to the radio, and be bored," thinks Sonya; "I am a busy person and a healthy one! 16. And my friend Nina is waiting [for] me (меня) at the office." 17. Sonya puts on hat and coat, closes the window and the door, and goes quickly to the office. 18. She is again the happy, healthy Sonya, and full of energy!

ADDITIONAL READING MATERIAL

Based on the vocabulary and grammar of the preceding lessons

У БАБУШКИ В ДЕРЕВНЕ.

Я ещё не знаю где я буду жить летом. Конечно, теперь только ноябрь и до лета ещё далеко.

Прошлое лето мы с братом жили у бабушки на даче. Зимой бабушка всегда жила в своём большом·городском доме. В начале июня она всегда говорила: — Летом мне не место в шумном городе. Хотите быть всегда здоровы и не болеть и не ходить к доктору, уезжайте летом из города. Природа лечит человека. —

Никто с бабушкой не спорил. Мы знали, что «бабушка всегда права».

Жизнь у бабушки в деревне шла по расписанию. Каждое утро все в доме просыпались рано, завтракали, а потом помогали бабушке по хозяйству. У бабушки всегда было много работы и в доме и на дворе.

Днём и вечером мы были свободны и могли делать что хотели. Днём в хорошую погоду мы иногда ездили к соседу играть в теннис или ходили гулять. Мы всегда очень любили природу. Я всегда буду помнить, какое это удовольствие гулять в поле или около реки. Летнее небо было всегда синее, а воздух свежий, здоровый . . .

В плохую погоду мы тоже не скучали: мы читали вслух, играли в карты, слушали как бабушка играла на рояле. Я не умею играть ни на рояле, ни на скрипке, но мой брат хорошо играет на скрипке. Он часто играл с бабушкой; бабушка играла на рояле, а брат на скрипке.

Вечером мы иногда ездили в соседний город в кино. Бабушка в кино никогда не ездила. — Это городское удовольствие, — говорила она, — будете ездить в кино осенью или зимой. Летом надо быть на свежем воздухе целый день, а вечером надо идти рано спать.

Кто мог спорить с бабушкой? Конечно, она была права!

ШЕСТНАДЦАТЫЙ УРОК | SIXTEENTH LESSON

ASPECTS OF THE RUSSIAN VERB

This Lesson has been given rather more than the usual space and has been divided into two parts, in order to introduce the student to this very important feature of the Russian language as gradually as possible and to provide the greatest possible amount of exercise material. Part A acquaints the student with the fundamentals, Part B with the more advanced characteristics of this typical feature of the Russian Verb System.

PART A

I. COMMON EXPRESSIONS AND IDIOMS

Мне не на́до спеши́ть	I don't have to, need to hurry
По́сле того́ как ... (он) погуля́л	After ... he had taken a walk
То, что ...	That which. . .
Быть вторы́м Пу́шкиным	To be a second Pushkin (Note the instrumental case in this construction.)

II. READING: ВИКТОР ИВАНОВИЧ — ПОЭТ

Ви́ктор Ива́нович Светло́в — поэ́т. Он нигде́ не рабо́тает и ка́ждое у́тро, когда́ он просыпа́ется он ду́мает: — как хорошо́, что я не меха́ник, не инжене́р, не до́ктор и не профе́ссор. **Мне не на́до спеши́ть** на рабо́ту. Утром я могу́ споко́йно **полежа́ть** в посте́ли, **почита́ть, поду́мать, послу́шать** му́зыку по ра́дио ...

Ви́ктор Ива́нович просыпа́лся по́здно, ме́дленно мы́лся, бри́лся и одева́лся, а пото́м, **по́сле того́ как** он **помы́лся, побри́лся и оде́лся,** он люби́л **погуля́ть** в па́рке. Све́жий во́здух, приро́да..! Како́е удово́льствие **погуля́ть** час, два в прекра́сном па́рке. Как хорошо́, что **мне не на́до** сиде́ть це́лый день в конто́ре и́ли рабо́тать на заво́де. —

130

Но говорят, что «кто не работает — тот не ест» и, очевидно, они правы, потому что **после того как** Виктор Иванович **погулял** в парке, он всегда шёл домой, садился за свой рабочий стол и начинал писать.

Виктор Иванович писал медленно. **После того как** он **написал** две, три строки, он всегда читал вслух то, что он **написал,** слушал, думал: — хорошо ли это? Потом опять начинал писать, опять читал вслух, опять думал: — **написал** ли я то, что хотел **написать?**

Виктор Иванович ещё совсем молодой человек, но он уже известный поэт. Его последняя книга имела большой успех и в журнале «Поэт» о Викторе Ивановиче **написали,** что он — «второй Пушкин»!

Виктор Иванович конечно знает, что он не «второй Пушкин». Он часто говорил: я буду всю жизнь свою писать и писать; может быть то, что я **напишу** будет не плохо, но **быть вторым Пушкиным** никто не может! —

III. VOCABULARY

Verbs and Their Aspects

Imperfective	*Perfective*	*English*
бриться; бреюсь, бреешься, бреются;	побриться (бриться)	to shave
гулять (I)	погулять (I)	to take a walk
думать (I)	подумать (I)	to think
лежать (see L. 8)	полежать (лежать)	to lie
мыться (see L. 15)	помыться (мыться)	to wash (oneself)
начинать (I)	начать; начну, начнёшь начнут	to begin
одеваться (see L. 15)	одеться; оденусь, оденешься, оденутся	to dress (oneself)
писать (see L. 6)	написать (писать)	to write
работать (I)	поработать (I)	to work
сидеть; сижу, сидишь, сидят	посидеть (сидеть)	to sit
слушать (I)	послушать (I)	to listen
читать (I)	почитать (I)	to read

N.B. Verb in parentheses behind the Perfective form indicates that the Perfective verb is conjugated exactly like the Imperfective. In subsequent vocabularies the verbs will always be given in this manner.

IV. GRAMMAR

A. Basic characteristics of the Imperfective and Perfective Aspects:

1. Almost all Russian verbs are either of the *imperfective* or of the *perfective* aspect.

2. The *imperfective* aspect of the verb indicates a *continuous* (durative), repeated (iterative), or *habitual* action:

я пишу́	I am writing, keep on writing, am in the habit of writing.

3. The *perfective* aspect indicates a *completed* or *to be completed* action:

я написа́л	I wrote, have written, had written.
я напишу́	I shall write, shall complete the action of writing.

4. The imperfective aspect appears in all *three tenses*: in the *present,* the *past,* and the *future.*

5. The perfective aspect appears only *in two tenses*: in the *past* and in the *future. It has no present tense!* The form of the perfective verb that looks like a present tense form has a *future* meaning. The perfective verb can *never* have a future constructed with the verb **быть** "to be".

B. Sample Sentences

The following sentences illustrate the meaning and use of the aspects in the *past* and *future* tenses:

Imperfective Aspect

a. Я ка́ждый день **писа́л**.	I wrote (was writing) every day.[1]
Я бу́ду ка́ждый день **писа́ть**.	I shall write (be writing) every day.
b. Он **писа́л** письмо́, когда́ я вошёл.	He was writing a letter when I came in.
Он **бу́дет писа́ть** письмо́, когда́ ты войдёшь.	He will be writing a letter when you come in.
c. Сего́дня я **писа́л** три часа́.	I have been writing (I wrote) three hours today.
За́втра я **бу́ду писа́ть** три часа́.	I shall write (be writing) three hours tomorrow.

---

[1] "I was writing" is very often rendered by "I wrote" in English, even though the progressive idea is being expressed.

C. ASPECT-TENSE TABLE

	Imperfective Aspect	Perfective Aspect
Present Tense	я пишу́ ты пи́шешь он пи́шет мы пи́шем вы пи́шете они́ пи́шут I write, am writing, am in the habit of writing, etc.	*N O N E*
Past Tense	я, ты, он **писа́л** я, ты, она́ **писа́ла** мы, вы, они́ **писа́ли** I was writing, I have been writing, I had been writing, etc.	я, ты, он **написа́л** я, ты, она́ **написа́ла** мы, вы, они́ **написа́ли** I wrote, I have written, I had written, you wrote, you have written, etc.
Future Tense	я бу́ду писа́ть ты бу́дешь писа́ть он бу́дет писа́ть мы бу́дем писа́ть вы бу́дете писа́ть они́ бу́дут писа́ть I shall write, I shall be writing, you will write, you will be writing, etc.	я **напишу́** ты **напи́шешь** он **напи́шет** мы **напи́шем** вы **напи́шете** они́ **напи́шут** I shall write, you will write, etc.

Note carefully that the *perfective* verb can never have a future constructed with the verb **быть** "to be."

In the sentences under (a) above the action of writing is *repetitive* or *habitual*.

In the sentences under (b) the action of writing is *progressive*.

In the sentences under (c) the action of writing is *continuous* (its extension is specifically indicated).

In each instance the *imperfective* had to be used.

Perfective Aspect

Он вчера́ **написа́л** письмо́.	Yesterday he wrote (completed writing) a letter.
Он за́втра **напи́шет** письмо́.	Tomorrow he will write (complete writing) a letter.

Note that in these sentences the action of writing is *not* repetitive, *not* habitual, *not* progressive, *nor is its extension specifically indicated.* The use of the *perfective* aspect of the verb "to write" makes it clear that we are dealing here with a *completed* action or with *one that is to be completed.*

C.   (See page 133)

D.   Perfective with the prefix   ПО

This perfective generally expresses *brevity, informality,* or *lack of strain* or *intensity* in an action:

Он **порабо́тал**.	He worked for a while.
Он **почита́л** газе́ту.	He read the paper (casually, briefly).
Он лю́бит хорошо́ **поку́шать**.	He likes to have a good bite to eat.
Он **поговори́л** с хозя́ином.	He had a chat with the landlord.
Она́ **погуля́ла** в па́рке.	She took a walk in the park.

V.   QUESTIONS

1. Где рабо́тает Ви́ктор Ива́нович Светло́в? 2. Он инжене́р и́ли до́ктор? 3. Куда́ он спеши́т у́тром? 4 Что он де́лает у́тром? 5. Ра́но ли просыпа́ется Ви́ктор Ива́нович? 6. Где он за́втракает? 7. Что де́лал Ви́ктор Ива́нович по́сле за́втрака? 8. Люби́л ли он приро́ду? 9. Что де́лал Ви́ктор Ива́нович по́сле того́ как он погуля́л в па́рке? 10. Бы́стро ли он писа́л? 11. Что написа́ли о Ви́кторе Ива́новиче в журна́ле «Поэ́т»? 12. Ду́мал ли Ви́ктор Ива́нович, что он «второ́й Пу́шкин»?

VI. EXERCISES

1. Write out all *perfective* verbs occuring in the Reading Exercise.

2. Conjugate all Perfective verbs in the *past* and *future* tenses.

3. In the Reading Exercise change all Perfective verbs into *imperfectives* and observe the resultant change in the meaning of the sentences.

VII. TRANSLATION INTO RUSSIAN

1. I do not like to write. 2. But today I have to write a letter to my father. 3. I write for a while and then I listen for a while to the radio and then I write again for a while. 4. After I had finally written the letter, I had a bite to eat. 5. I like to eat well and then to stroll in our beautiful park. 6. Yesterday I walked for four hours without a rest. 7. But at home I rested (lay) for an hour or two on the comfortable sofa, sat for a while in the easy chair at the window, thought a little, and began to write that letter to my father. 8. I wrote and wrote, but what (that) I wrote was very bad. 9. I had to start the letter from the very beginning (completely from the beginning). 10. Now I am glad that I have finally written it. 11. It is already late. 12. I shall now shave and dress quickly, because in the evening I always go to the movies or to the club.

$$\boxed{\text{PART B}}$$

I. COMMON EXPRESSIONS AND IDIOMS

С тех пор как	Since the time that
Однáжды	Once, once upon a time
Зарáнее	Beforehand, in advance
Покá	So long as, while
Занимáться хозя́йством	To keep house
Купи́ть за рубль, дóллар	To buy for a ruble, a dollar
Купи́ть за два, три рубля́, дóллара	To buy for two, three rubles, dollars
Ходи́ть (пойти́, поéхать) за покýпками	To go (drive) shopping
Закуси́ть и вы́пить чáшку чáя, кóфе	To have a snack (bite) and (drink) a cup of tea, coffee
Смотрéть прогрáммы по телеви́зору	To watch (see) television programs
Как тóлько	As soon as

II. READING: НА ГЛАВНОЙ УЛИЦЕ

С тех пор как Алексéй Ивáнович и егó женá Óльга **приéхали** в США[1], они́ жи́ли в мáленьком гóроде, в штáте Или-нóйс[2].

Алексéй Ивáнович инженéр. Он рабóтает в контóре боль-шóго, нóвого завóда, а Óльга **занимáется хозя́йством.** Они́ живýт в небольшóй, удóбной кварти́ре в цéнтре гóрода, на глáвной ýлице.

Алексéй Ивáнович **начинáл** свой рабóчий день рáно. Иногдá он **уезжáл** на слýжбу, когдá Óльга ещё спалá.

Óльга простáя и дóбрая жéнщина. Онá люби́ла **зани-мáться хозя́йством** и всё дéлала бы́стро и вéсело: с удовóль-ствием **убирáла** кварти́ру, **мы́ла, чи́стила, ходи́ла за покýпка-ми, готóвила** обéд...

Как тóлько Óльга **убралá** кварти́ру, **вы́мыла** и **вы́чистила** всё, **сдéлала** покýпки и **приготóвила** обéд, онá люби́ла **поси-дéть** в удóбном крéсле у окнá и **посмотрéть** из окнá на шýм-ную жизнь глáвной ýлицы.

---

[1] США—Соединённые Штáты Амéрики—United States of America.
[2] Иллинóйс—Illinois.

Большо́й ли го́род и́ли ма́ленький, а гла́вная у́лица везде́ одина́кова. Тут всегда́ **уви́дишь** и гости́ницу, и кино́, и банк, и по́чту, и универса́льный магази́н.

С ра́ннего утра́ до по́зднего ве́чера на гла́вной у́лице шум, толпа́, движе́ние . . .

Ольга зна́ла, что в понеде́льник, в час дня на гла́вной у́лице всегда́ **уви́дишь** до́ктора Джо́нса. Ка́ждый понеде́льник до́ктор Джонс **прихо́дит** в рестора́н «Том и Бил», где он **встреча́ется** со свои́м прия́телем до́ктором Ричардсо́ном.

Ка́ждую сре́ду в четы́ре часа́ дня **приезжа́л** на такси́ профе́ссор Бра́ун. Этот высо́кий, худо́й челове́к всегда́ спеши́л . . .

Когда́ Ольга **ви́дела** на гла́вной у́лице большо́й, си́ний автомоби́ль пе́ред зда́нием ба́нка, она́ зна́ла, что сего́дня пя́тница и госпожа́ Смит **прие́хала** в го́род **за поку́пками.** Ольга **зара́нее** могла́ **сказа́ть,** что **бу́дет де́лать** госпожа́ Смит. Снача́ла она́, ·коне́чно, **пойдёт** в банк, пото́м она́ **пойдёт** на по́чту, пото́м **встре́тит** подру́гу и они́ **пойду́т** в рестора́н, **закуси́ть и́ли вы́пить ча́шку ко́фе.** Наконе́ц она́ **пойдёт** с подру́гой в универса́льный магази́н и че́рез час, два, весёлая и дово́льная, она́ **уе́дет** домо́й на своём си́нем автомоби́ле.

— Я **ви́жу,** что ты ско́ро **смо́жешь написа́ть** исто́рию на́шего го́рода, — смея́лся Алексе́й Ива́нович.

— Ну, не зна́ю **напишу́** ли я кни́гу о на́шем го́роде, — отвеча́ла Ольга, — но **пока́** мы живём тут в кварти́ре на гла́вной у́лице, мне не на́до ни **смотре́ть програ́ммы по телеви́зору,** ни ходи́ть в кино́. —

III. VOCABULARY

библиоте́ка	library	**ско́ро**	soon
везде́	everywhere	**споко́йный,**	quiet, peaceful
весёлый,	merry, jolly	**-′ая, -′ое**	
-′ая, -′ое		**такси́**	taxi
гла́вный,	main, chief	**телеви́зор**	television (set)
-′ая, -′ое		**толпа́**	crowd
движе́ние	movement	**худо́й,**	thin, skinny
до́ллар	dollar	**-′ая, -′ое**	
наконе́ц	finally	**центр**	center
одина́ковый,	same, identical,	**штат**	state
-′ая, -′ое	equal	**шум**	noise
отку́да	whence, from where		

Verbs*

Imperfective	Perfective	English[1]
вѝдеть; вѝжу, вѝдишь, вѝдят	увѝдеть (вѝдеть)[2]	I. to see; P. to catch sight of
встречáть(ся) (I)	встрéтить(ся), встрéчу(сь), встрéтишь(ся), встрéтят(ся)	to meet
говорѝть (II)	сказáть; скажý, скáжешь, скáжут	I. to speak; P. to say, tell
готóвить; готóвлю, готóвишь, готóвят	приготóвить (готóвить)	to prepare
давáть; даю̀, даёшь, даю̀т	дать; дам, дашь, даст, дадѝм, дадѝте, дадýт	to give
дéлать (I)	сдéлать (I)	I. to do, make; P. finish, complete
мочь; могý, мóжешь мóгут	смочь (мочь)	to be able
мыть; мóю, мóешь, мóют	вы̀мыть (мыть)	I. to wash; P. to wash thoroughly
открывáть (I)	откры̀ть; открóю, открóешь, открóют	to open
покáзывать (I)	показáть; покажý, покáжешь, покáжут	to show
покупáть (I)	купѝть; куплю̀, кýпишь, кýпят	to buy

---

* This system of listing both aspects of the verb will be used henceforth.

[1] The verb following an "I" renders the *imperfective* Russian verb; one following a "P" renders the *perfective* Russian verb; when these letters are not used, the English verb must be understood to render *both* aspects of the Russian verb.

[2] The verb followed by a verb in parentheses is conjugated like the verb in parentheses, i.e., увѝдеть like вѝдеть.

Imperfective	Perfective	English
приезжа́ть (I)	прие́хать (е́хать)	to arrive (by vehicle)
приходи́ть (ходи́ть)	прийти́ (идти́)	to arrive (on foot)
смотре́ть, смотрю́, смо́тришь, смо́трят	посмотре́ть (like смотре́ть)	I. to look; P. take a look
спеши́ть (II)	заспеши́ть (II)	to hurry, start hurrying
спра́шивать (I)	спроси́ть; спрошу́, спро́сишь, спро́сят	to ask (a question)
убира́ть (I)	убра́ть; уберу́, уберёшь, уберу́т	to clean, tidy up, remove
уезжа́ть (I)	уе́хать (е́хать)	to drive away, off
хоте́ть; хочу́, хо́чешь, хотя́т	захоте́ть (хоте́ть)	I. to wish, want; P. to get the desire
чи́стить; чи́щу, чи́стишь, чи́стят	вы́чистить (чи́стить)	I. to clean, cleanse; P. to clean, cleanse thoroughly

IV. GRAMMAR

A. Further functions of the perfective aspect

In Part A several functions of the *perfective* aspect have been discussed and illustrated, particularly its use to express the *completion* of an action or the *termination* of a state.

The *perfective aspect* can also express:

1. the *beginning* of an action or a state:

Он закрича́л	He began to shout
Она́ запе́ла	She began to sing

2. a *single, instantaneous* action or state, one suddenly begun and suddenly ended:

Он кри́кнул	He gave a shout
Он чихну́л	He sneezed

The verb крича́ть may serve to indicate the variety of meanings conveyed by the Russian verb-aspect:

a. кричáть: Ребёнок кричáл   The child cried
                    весь день.   all day.
b. покричáть: Он покричáл.   He cried a little.
c. закричáть: Он закричáл.   He began shouting.
d. крúкнуть: Он крúкнул   He gave a shout
                    и затúх.   and fell silent.

B.   Formation of the perfective aspect

From the various examples in Section A it can be seen that the aspect forms are, generally, rather closely related. They are usually differentiated by means of 1) Prefixes; 2) Infixes; 3) the change of the root vowel and/or consonant; 4) different stems: брать (imperf.): взять (perf.); говорúть (imperf.): сказáть (perf.). A helpful device for memorizing the verbs is to group them according to their aspect-formation, for example:

1. By means of prefixes:

ВЫ: ВЫмыть(ся): ВЫчистить
ЗА: ЗАпéть; ЗАкричáть; ЗАхотéть; ЗАспешúть
НА: НАписáть
ПО: ПОдýмать; ПОгулять; ПОсидéть
ПРИ: ПРИготóвить, ПРИéхать
С: Сдéлать; Смочь; Спеть

2. with the typical *imperfective infix* ВА:

одеВАться (Imperf.): одéться (Perf.); открыВАть (Imperf.): открыть (Perf.)

3. with the typical *perfective infix* НУ:

кричáть (Imperf.): крúкНУть (Perf.); чихáть (Imperf.): чихНУть (Perf.)

4. by means of root *vowel and/or consonant change*:

отвеЧАть (Imperf.): отвéТИть (Perf.); получАть (Imperf.) получИть (Perf.)

For a listing of verbs used in this text arranged according to their aspect-formation, see Table 15 in the Appendix.

C. The verbs ходи́ть and е́здить

There are certain verbs of motion, the so-called "double imperfective verbs" (indeterminate — determinate; see Lesson 25), which by their very nature cannot have *perfective* forms. They use their second imperfective form, the so-called "determinate" (or "actual") *plus a prefix* as their *perfective aspect*. Two of the most frequently used verbs of this type which the student already knows are ходи́ть and е́здить. For their *perfectives* they use prefixed forms of идти́ and е́хать, respectively.

Imperf.	Я **хожу́** в шко́лу.	I go (habitually) to school, attend school.
Perf.	Я за́втра **пойду́** в шко́лу.	I shall go to school tomorrow.
Imperf.	Я **е́зжу** в го́род.	I commute to town (habitually back and forth).
Perf.	Я за́втра **пое́ду** в го́род.	I shall drive to town tomorrow.

Note that the future of ходи́ть and е́здить will *always* be formed with a form of быть: Я бу́ду ходи́ть; он бу́дет е́здить, while the future of идти́ and е́хать can *never* be formed with быть: Я пойду́; он пое́дет.

Note also that a double imperfective verb like ходи́ть or е́здить when used with a prefix *does change* in meaning but *not* in *aspect*, thus ПРИезжа́ть (to arrive) remains *imperfective* and must use приЕХАТЬ for its *perfective;* Уходи́ть (to go away) remains *imperfective* and must use уЙТИ for its *perfective*.

D. The verbs говори́ть (Imperf.) and сказа́ть (Perf.)

Говори́ть is used when referring to the process of speaking or to "speaking in general": Он **говори́т мно́го**; они́ **говоря́т по-ру́сски.**

Сказа́ть is used when making a *definite* statement or conveying information:

Она́ **сказа́ла:** я иду́ тепе́рь домо́й.
Я **скажу́** бра́ту, куда́ я е́ду.

Note that сказа́ть cannot express the *repetitive* or *habitual* action of "conveying information," or of "making a definite statement." In such a context говори́ть must be used:

Он **всегда́ говори́л:** я заня́той челове́к.

Use **говори́ть** with **с (со)** and the *instrumental* to render "to speak (talk) with, to have a conversation with":

Вчера́ я **говори́л с** мои́м дру́гом; **говори́ли** вы **с** учи́телем?

E. In a negative command the imperfective is normally used

Не говори́те, когда́ он
  чита́ет вслух!
	Do not speak when he is
	  reading aloud!

Не жди́те учи́теля!	Do not wait for the teacher!

V. QUESTIONS

1. Где жи́ли Алексе́й Ива́нович и его́ жена́? 2. Где рабо́тает Алексе́й Ива́нович? 3. Рабо́тает ли Ольга? 4. Когда́ начина́ет свой рабо́чий день Алексе́й Ива́нович? 5. Что за челове́к была́ Ольга? 6. Что де́лала Ольга по́сле того́ как она́ убра́ла кварти́ру, сде́лала поку́пки и пригото́вила обе́д? 7. В ка́ждом ли го́роде есть гла́вная у́лица? 8. Одина́кова ли гла́вная у́лица в большо́м и́ли ма́леньком го́роде? 9. Что вы всегда́ уви́дите на гла́вной у́лице? 10. Когда́ на гла́вной у́лице толпа́? 11. Кто приезжа́л на гла́вную у́лицу в понеде́льник? 12. Кого́ (acc. of кто) ви́дела Ольга на гла́вной у́лице ка́ждую сре́ду? 13. Кто приезжа́л на гла́вную у́лицу ка́ждую пя́тницу? 14. Что де́лала госпожа́ Смит на гла́вной у́лице? 15. Кого́ она́ там встреча́ла? 16. Куда́ она́ люби́ла ходи́ть с подру́гой? 17. Куда́ госпожа́ Смит уезжа́ла, весёлая и дово́льная? 18. Что говори́л жене́ Алексе́й Ива́нович? 19. Что отвеча́ла му́жу Ольга? 20. Вы ча́сто смо́трите програ́ммы по телеви́зору?

VI. GRAMMAR EXERCISES

1. From the Reading Exercise of Part B write out all the *perfective* verbs, giving their tense and English meaning, thus:

прие́хали   past   "they arrived (by vehicle)"

2. Group the *perfective* verbs according to the type of their aspect-formation, thus:

Прие́хать, пригото́вить; уе́хать, уви́деть etc., using Reading Exercises of Parts A and B.

3. Insert verbs in the required aspect and tense:

(1) Вчера́ я до́лго ..... кварти́ру и её хорошо́ ..... — чи́стить : вы́чистить

(2) Мой друг весь день мо́жет ... ра́дио, а я ..... час, два и пойду́ домо́й — слу́шать : послу́шать

(3) Оте́ц мне вчера́ ..... : «Я ... с твои́м учи́телем.» — говори́ть : сказа́ть

(4) Ка́ждую суббо́ту отец мне ... рубль, а сего́дня он мне ..... два рубля́. — дава́ть : дать

(5) Я весь день ..... уро́к и наконе́ц хорошо́ ..... — гото́вить : пригото́вить

(6) Па́вел не лю́бит ....., но в э́то воскресе́нье он хоть (at least) ..... ру́ки. — мы́ться : вы́мыть

(7) По среда́м учи́тель ..... ра́но, но в э́ту сре́ду он ..... о́чень по́здно. — приезжа́ть : прие́хать

(8) Вчера́ я три часа́ ..... и ..... три письма́. — писа́ть : написа́ть

(9) Со́ня, не ..... двери! — открыва́ть : откры́ть

(10) Где мы сего́дня ..... ? Коне́чно на гла́вной у́лице, где мы всегда́ ..... ! — встреча́ться : встре́титься

4. a. From the following sentences write out *all* verbs, indicating their *aspect* and giving their English meaning, thus:

я пойду́   Perfective   "I shall go"

b. Change the following sentences into the *past* tense:

1. Че́рез два часа́ я пойду́ в но́вую библиоте́ку. 2. Ле́том мы пое́дем в дере́вню. 3. Здоро́вый челове́к не захо́чет лежа́ть в посте́ли це́лый день. 4. Когда́ она́ встре́тит подру́гу в университе́те? 5. Ты посмо́тришь, что сего́дня идёт в кино́? 6. Я иду́ покупа́ть чёрное пальто́. 7. Утром я хочу́ поза́втракать в рестора́не. 8. Ве́чером прие́дет сестра́ из Москвы́. 9. Русский челове́к лю́бит поговори́ть! 10. Брат встре́тит своего́ прия́теля на гла́вной у́лице в це́нтре го́рода. 11. Оте́ц пое́дет на да́чу в ию́не, а мы е́дем туда́ уже́ в ма́е. 12. Сего́дня на у́лице большо́е движе́ние; до́ктор не захо́чет е́хать в го́род на автомоби́ле. 13. Я пойду́ в сосе́дний магази́н и куплю́ све́жий сыр. 14. Я

спра́шиваю продавщи́цу ско́лько сто́ит э́то кра́сное пла́тье? 15. Сего́дня они́ пое́дут в го́род посмотре́ть на наш но́вый банк. 16. Во вто́рник я спрошу́ инжене́ра, где он жил в Росси́и. 17. Вы скажи́те това́рищу Петро́ву закры́ть окно́ пе́ред отъе́здом! 18. В понеде́льник у́тром уезжа́ет профе́ссор Джонс.

5. a. In the following sentences replace all boldface *imperfective* verbs by corresponding *perfective* forms, thus:

Мы **бу́дем писа́ть** кни́гу по-ру́сски: мы **напи́шем** кни́гу по-ру́сски.

b. Put all *perfective* forms thus obtained into the *past* tense, thus:

Мы **напи́шем** кни́гу по-ру́сски: мы **написа́ли** кни́гу по-ру́сски.

1. Утром к отцу́ **бу́дет приезжа́ть** до́ктор Ивано́в. 2. Петро́в **бу́дет за́втракать** до́ма. 3. Когда́ ты **бу́дешь убира́ть** кварти́ру? 4. Подру́га **спра́шивает,** когда́ я куплю́ но́вую шля́пу. 5. Они́ **бу́дут говори́ть** о после́дней ру́сской кни́ге. 6. Вы **бу́дете открыва́ть** сего́дня магази́н? 7. Вы **бу́дете смотре́ть** програ́мму по телеви́зору. 8. Я всегда́ **бу́ду встреча́ть** моего́ бра́та на гла́вной у́лице пе́ред зда́нием но́вого ба́нка. 9. Ма́ша и я **бу́дем пока́зывать** отцу́ большо́й и краси́вый го́род, Ленингра́д. 10. Они́ **бу́дут приготовля́ть** свой уро́к в университе́те и́ли до́ма.

6. Translate the verbs in parentheses:

1. Он (says), что не пое́дет в го́род. 2. Мы с бра́том не (speak) по-англи́йски. 3. Она́ (will speak) за́втра о свое́й кни́ге. 4. Продавщи́ца уже́ (said), ско́лько э́та шля́па сто́ит. 5. Никто́ не мог (tell), что идёт сего́дня в кино́. 6. В той шко́ле никто́ не уме́л (speak) по-ру́сски. 7. Они́ (will tell) за́втра, куда́ идти́. 8. (Did you speak) с профе́ссором об э́том? 9. Нет, мы с профе́ссором (did not speak). 10. (They say), что (they have told) на́шему бра́ту пое́хать за до́ктором. 11. (Tell) ва́шему дру́гу, что мы сего́дня до́ма.

VII. TRANSLATION INTO RUSSIAN

a. Imperfective:

1. Our city is not very large. 2. But in our little town there is a fine university. 3. On [its] main street there is a large, new

department store. 4. From morning to evening there is always a crowd on the main street. 5. Early in the morning the working people (рабо́чий наро́д) hurry to the plant, office, or shop. 6. In the daytime they hurry to the restaurant and in the evening to a movie or club. 7. Now, during the summer, we live in the country. 8. But in the winter we shall live again in the city. 9. Then we shall have the opportunity to go shopping in the new department store. 10. Father always asks the saleslady: "How much does this cost and how much does that?" 11. But I never think about the price. 12. When the saleslady shows a beautiful hat or an expensive coat, I always buy [them].

b. Perfective:

1. Today, early in the morning, I shall drive downtown. 2. I shall have breakfast at the restaurant, and then I shall go to the department store. 3. There I shall buy a new summer coat. 4. Yesterday I went to a store to buy a hat. 5. I said to the saleswoman: "Please show [me] that hat there.!" 6. She showed it [to me] and I bought it (её). 7. Afterwards I met my friend Nina (Ни́ну) at a restaurant. 8. Today we shall meet there again and have dinner. 9. I shall tell her (ей) where to buy good and not very expensive furniture. 10. We shall have a chat about the latest news. 11. Then we shall go to a movie and in the evening we shall drive home with [my] father and have supper at home.

c. Imperfective and Perfective:

1. All day yesterday it was raining. 2. I could not do anything outdoors. 3. I slept late, washed slowly, dressed, and cleaned my room thoroughly. 4. I listened to the radio a little while and then wrote a letter to my girl friend. 5. I wrote how I had gone shopping and had bought a very beautiful new dress. 6. I was going along on Main Street and caught sight of that beautiful dress (acc.) in the window of a big store. 7. Suddenly I wanted to buy it. 8. It was very expensive but I did not think of the price and bought it. 9. In the letter I also asked my friend when she would (will) come (arrive by vehicle) to the city. 10. When she comes, we shall go to the theater, the opera, and the concert. 11. I know that she will also want to see the new university. 12. My father is a professor at the university. 13. He will be able to show her everything—the big, new library, the museum, the beautiful club. 14 She will drive off, happy and satisfied.

ADDITIONAL READING MATERIAL
Practice of the imperfective-perfective verbs of Lesson 16

ПИСЬМО ОТЦУ

Ка́ждую неде́лю в понеде́льник у́тром я **пишу́** письмо́ отцу́. Сего́дня понеде́льник и, как всегда́, я уже́ за столо́м и сейча́с **буду писа́ть** письмо́ отцу́.

Когда́ я **писа́ла** письмо́, Ма́ша **откры́ла** дверь, **вошла́** и **спроси́ла:** — Ты **е́дешь** в го́род сего́дня у́тром? —

— Да, когда́ я **напишу́** э́то письмо́, я **пое́ду** в го́род за поку́пками, — отве́тила я Ма́ше.

— Очень хорошо́. Я то́же хочу́ **е́хать** в го́род. Когда́ ты **напи́шешь** письмо́, пожа́луйста **скажи́** мне. —

— Я не **узна́ю** свое́й ми́лой сестры́, — отвеча́ю я. — Все зна́ют, что Ма́ша всегда́ **спеши́т,** никогда́ не мо́жет ждать! —

— Сме́йся, сме́йся, — **говори́т** Ма́ша, — сего́дня у меня́ нет автомоби́ля, а у тебя́ есть. Вот почему́ я сего́дня никуда́ не **спешу́** и гото́ва ждать! —

— Ну, хорошо́. Я бу́ду гото́ва че́рез час. В како́й магази́н ты хо́чешь **пойти́?** Что ты хо́чешь **покупа́ть** в го́роде? — **спра́шиваю** я сестру́.

— **Говоря́т,** что сего́дня в магази́не Сми́та больша́я распрода́жа. Я **хоте́ла посмотре́ть** но́вую обстано́вку для мое́й да́чи. —

Этот магази́н **откры́ли** совсе́м неда́вно (quite recently), но в э́том магази́не очеви́дно ма́ло **покупа́ли.**

— Где ты чита́ла о распрода́же? **Дай** мне газе́ту и **покажи́** объявле́ние, — **попроси́ла** я Ма́шу.

Ма́ша **пока́зывает** объявле́ние и я **ви́жу,** что магази́н Сми́та **открыва́ют** сего́дня то́лько по́сле обе́да, в два часа́ дня.

— Вот **ви́дишь, говорю́** я сестре́, — ты всегда́ всё так бы́стро де́лаешь, всегда́ так **спеши́шь,** что вот чита́ла и не **уви́дела,** что магази́н **открыва́ют** то́лько в два часа́ дня! По́мнишь как наш оте́ц всегда́ **говори́л:** «Поспеши́шь — люде́й **насмеши́шь!**»[1] Не так ли э́то? —

---

[1] A Russian proverb: He who acts in haste, makes a fool of himself. *Lit.*: If you hurry, you will make people laugh (at your expense).

СЕМНАДЦАТЫЙ УРОК | SEVENTEENTH LESSON

*Peculiarities in the singular masculine and neuter declensions;
prepositional in -y; neuters in -мя — Declension of personal
pronouns — Impersonal expressions (with dative)*

I. COMMON EXPRESSIONS AND IDIOMS

Звони́ть по телефо́ну (+dat.)	To phone, call up
Иду́! Пойдём!	I am coming! Let's go!
Приглаша́ть в го́сти	To invite (on a visit, as a guest)
Приня́ть приглаше́ние	To accept the invitation
Разреши́те мне вам предста́-вить...	Permit me to introduce to you ...
Я хочу́ вас познако́мить...	I (should) like to introduce you.
Очень прия́тно познако́-миться.	It's a pleasure to make your acquaintance.
Да мы знако́мы!	But we know each other!
Ми́лости про́сим!	Welcome (in)!
Прости́те!	I beg your pardon; please forgive me!
«В гостя́х хорошо́, а до́ма лу́чше».	"It's pleasant enough visiting, but at home it's better." "East or West, home is best."

II. READING: ПРИНЯТЬ ПРИГЛАШЕНИЕ

Утром в кварти́ре инжене́ра Мо́лотова позвони́л телефо́н.

— Алло́!

— Попроси́те, пожа́луйста, к телефо́ну Татья́ну Мо́ло-тову.

— Кто говори́т?

— Это её подру́га, Ве́ра Попо́ва

— Сейча́с . . . Та́ня! Телефо́н! С **тобо́й** хо́чет говори́ть Ве́ра Попо́ва.

— Иду́! . . . Алло́? . . . Ве́ра?! Здра́вствуй, дорога́я! Ты давно́ в Ленингра́де? . . .

147

— Ми́ша, ты свобо́ден в суббо́ту ве́чером?

— Да, я свобо́ден. А что?

— Ве́ра **приглаша́ет нас в го́сти.**

— Кто у **неё** ещё бу́дет?

— У **неё** бу́дет большо́й прие́м. **Бу́дет** о́чень **интере́сно. Пойдём!**

— В большо́м о́бществе **мне** всегда́ **ску́чно,** но е́сли **тебе́** бу́дет **ве́село,** я с удово́льствием **принима́ю** её **приглаше́ние.**

В суббо́ту ве́чером, Мо́лотов с жено́й **е́дут в го́сти.**

— **Тебе́** не **хо́лодно** без пальто́, Та́ня?

— Нет, сего́дня **тепло́.** Днём, на **со́лнце, бы́ло** да́же **жа́рко.**

Позвони́ли. Хозя́йка откры́ла **им** дверь.

— До́брый ве́чер, Та́ня. Я так ра́да **тебя́** ви́деть!

— Ве́ра, э́то мой муж, Михаи́л Серге́евич.

— **Очень прия́тно познако́миться. Ми́лости про́сим**... Та́ня, Михаи́л Серге́евич, **разреши́те мне вам предста́вить** Ви́ктора Ива́новича Светло́ва.

— **Да мы знако́мы!** Как вы пожива́ете, Ви́ктор Ива́нович? Что вы тепе́рь де́лаете?

— **Тру́дно** отве́тить... **Вре́мя от вре́мени** я пишу́ для журна́ла «Сове́тский Писа́тель», рабо́таю над но́вой кни́гой...

— Михаи́л Серге́евич, Та́ня, **прости́те,** — услы́шали они́ го́лос хозя́йки. — Ви́ктор! **Я хочу́ вас познако́мить с** певи́цей Ба́рсовой. Ты, Та́ня, иди́ со **мной,** а вы, Михаи́л Серге́евич, не сиди́те **в углу́,** а поговори́те с това́рищем Си́доровым. Он ге́ний! Но, пожа́луйста, не спо́рьте с **ним!**

Мо́лотов посмотре́л на това́рища Си́дорова и поду́мал:

«..В гостя́х хорошо́, а до́ма лу́чше».

III. VOCABULARY

алло́	hello	**рот** (†о)	mouth
вещь	thing, object	**сло́во**	word
		телефо́н	telephone
е́сли	if (not whether)	**телефони́ст**	telephone operator
о́бщество	society, company	**ую́тный,**	cozy, comfortable
приглаше́ние	invitation	**-′ая, -′ое**	
прие́м	reception, party	**хозя́йка**	hostess, proprietress

Verbs

Imperfective	Perfective	English
звони́ть (Lesson 12)	позвони́ть (like звони́ть)	to ring, call up
знако́мить; знако́млю, знако́мишь, знако́мят	познако́мить (знако́мить)	to acquaint
знако́миться (знако́мить)	познако́миться (знако́мить)	to get acquainted
отвеча́ть (I)	отве́тить; отве́чу, отве́тишь, отве́тят	to answer
представля́ть (I)	предста́вить; предста́влю, предста́вишь, предста́вят	to introduce
приглаша́ть (I)	пригласи́ть; приглашу́, пригласи́шь, приглася́т	to invite
принима́ть (I)	приня́ть; приму́, при́мешь, при́мут	to receive, accept
проси́ть; прошу́, про́сишь, про́сят	попроси́ть (проси́ть)	to ask a favor, beg
разреша́ть (I)	разреши́ть; разрешу́, разреши́шь, разреша́т	to permit, solve
слы́шать, слы́шу, слы́шишь, слы́шат	услы́шать (like слы́шать)	I. to hear; P. to catch the sound (of)
сто́ить (II)	None	to cost

IV. GRAMMAR

A. Peculiarities in the singular masculine and neuter declensions

1. *Masculine*:

a. In accordance with Vowel Mutation Rule C, hard masculine nouns the stem of which is stressed and ends in ж, ш, щ,

ч, ц take the ending **-ем** in the instrumental instead of **-ом**:

месяц "month": месяцем; товарищ: товарищем

b. After the prepositions **в** and **на** some masculine nouns take the ending **-у (-ю)** in the prepositional instead of **-е**:

в, на углу[1]	in, on the corner	на полу	on the floor
в саду	in the garden	в году	in the year
во рту	in the mouth	на мосту	on the bridge

2. *Neuter*:

a. In accordance with Vowel Mutation Rule A, neuter nouns ending in **-же, -че, -ше, -ще**, or in **-це** take **-а** instead of **-я** in the *genitive*: солнце: "sun": солнца; and **-у** instead of **-ю** in the *dative*: солнце: солнцу.

b. The neuter nouns **имя** "name" (Christian name) and **время** "time" have the following declension in the singular:

Nom.	имя	время
Gen.	имени	времени
Dat.	имени	времени
Acc.	имя	время
Instr.	именем	временем
Prep.	имени	времени [2]

B. Declension of the personal pronouns

	Singular				
	First Person	Second Person	Third Person		
	All Genders	All Gen.	Masc.	Neut.	Fem.
Nom.	я — I	ты — you	он he	оно it	она she
Gen.	меня — of me	тебя	его		её
Dat.	мне — to me	тебе	ему		ей
Acc.	меня — me	тебя	его		её
Instr.	мной — by me (мною)	тобой (тобою)	им		ею (ней)
Prep.	обо мне — about me	о тебе	о нём		о ней

---

[1] Note that угол, рот lose the o in the oblique cases: угла, углу, etc. рта, рту, etc.

[2] For the plural declension and other details, see Lesson 21 .

Plural

All Genders

Nom.	мы	we	вы	you	они́	they
Gen.	нас	of us	вас		их	
Dat.	нам	to us	вам		им	
Acc.	нас	us	вас		их	
Instr.	на́ми	by us	ва́ми		и́ми	
Prep.	о нас	about us	о вас		о них	

The *third* person *personal* pronouns take prefixed **н** when used as the object of prepositions. They do this in contrast to the *third* person *possessive* pronoun-adjectives, which *never* take prefixed **н**:

Personal Pronouns

Они́ пошли́ без него́ в теа́тр.	They went without him to the theater.
Я говори́л с ним, а не с ней.	I spoke with him and not with her.
Он спо́рил с ни́ми.	He argued with them.
Мы говори́ли о них.	We spoke about them.

Possessive Pronoun-Adjectives

У **его́** бра́та есть автомоби́ль.	His brother has a car.
Я говори́л с **её** подру́гой.	I spoke with her girl friend.
Я спо́рил с **их** сосе́дкой.	I argued with their neighbor.
Мы говори́ли об **их** рабо́те.	We spoke about their work.

C. Impersonal expressions

1.

хо́лодно	It is cold.	интере́сно	It is interesting.
тепло́	It is warm.	ску́чно	It is boring.
жа́рко	It is hot.	удо́бно	It is comfortable.
тру́дно	It is difficult.	неудо́бно	It is uncomfortable.
легко́	It is easy.	прия́тно	It is pleasant.
хорошо́	It is good.	неприя́тно	It is unpleasant.
пло́хо	It is bad.	бо́льно	It is painful.

2. These impersonal expressions can be used with reference to a person. The person appears in the Russian sentence in the dative case.

		Literal Translation
мне хо́лодно	I am cold.	to me [it is] cold
тебе́ тепло́?	Are you warm? (fam.)	to you [it is] warm?
вам тепло́?	Are you warm? (pol.)	to you [it is] warm?
ему́ тру́дно	It is difficult for him.	to him [it is] difficult
ей легко́	It is easy for her.	to her [it is] easy
нам ве́село	We have a good time.	to us [it is] merry
удо́бно вам?	Are you comfortable?	to you [it is] comfortable?
им неудо́бно	They are uncomfortable.	to them [it is] uncomfortable
нам ую́тно	We are cozy, comfortable.	to us [it is] cozy, comfortable

3. To form the past and future tense, **бы́ло** and **бу́дет** are used respectively:

| Мне **бы́ло тру́дно** говори́ть по-ру́сски. | It was difficult for me to speak Russian. |
| Вам **бу́дет легко́** говори́ть по-ру́сски. | It will be easy for you to speak Russian. |

4. The verbs **хоте́ться** "to feel like, have a desire" and **каза́ться** "to seem, appear":

Present	Мне **хо́чется** чита́ть.	I feel like reading.
Past	Ему́ **хоте́лось** есть.	He felt like eating (had the desire to eat).
Future	Им **бу́дет хоте́ться**[1] or Perf.: им **захо́чется** }	They will feel like
Present	Мне **ка́жется,** что я бо́лен.	It seems to me that I am sick.
Past	Нам **каза́лось, что он** бо́лен.	It seemed to us that he was sick.
Future	Им **бу́дет** каза́ться or Perf.: им **пока́жется** }	It will seem to them.

---

[1] Rarely used.

V. QUESTIONS

1. Когда́ позвони́л телефо́н в кварти́ре инжене́ра Мо́лотова? 2. Кого́ попроси́ли к телефо́ну? 3. Кто звони́л по телефо́ну? 4. Свобо́ден Мо́лотов в суббо́ту ве́чером? 5. Кто пригласи́л их в го́сти? 6. Кто ещё бу́дет у Ве́ры? 7. Бу́дет ли у неё интере́сно? 8. Ску́чно ли Мо́лотову в большо́м о́бще стве? 9. Почему́ при́нял Мо́лотов приглаше́ние Ве́ры? 10. Куда́ е́дут Мо́лотов с жено́й в суббо́ту ве́чером? 11. Почему́ Та́не не́ было хо́лодно без пальто́? 12. Где бы́ло днём жа́рко? 13.Кто им откры́л дверь, когда́ они́ позвони́ли? 14. Что сказа́ла им хозя́йка? 15. Зна́ла ли Ве́ра инжене́ра Мо́лотова? 16. Познако́мила ли Та́ня Мо́лотова свою́ подру́гу с му́жем? 17. Как Ве́ра Попо́ва познако́мила их с Ви́ктором? 18. Бы́ли ли они́ уже́ знако́мы? 19. Что де́лает сейча́с Ви́ктор Ива́нович? 20. С кем хоте́ла хозя́йка познако́мить Ви́ктора Ива́новича? 21. О чём поду́мал Мо́лотов, когда́ он посмотре́л на това́рища Си́дорова?

VI. GRAMMAR EXERCISES

Exercise with Grammar A

Give the correct case of the nouns in parentheses:

1. У меня́ нет (вре́мя) чита́ть. 2. Я не зна́ю его́ (и́мя). 3. Я хорошо́ по́мню его́ (и́мя). 4. С ва́шим (и́мя) вы мо́жете тут де́лать, что хоти́те. 5. Когда́ мы у вас в гостя́х, мы не ду́маем о (вре́мя). 6. Мы спро́сим хозя́йку о его́ (и́мя). 7. Мы не мо́жем жить без (со́лнце). 8. Я с удово́льствием встреча́лся со свои́м (това́рищ). 9. Ме́жду феврале́м и ма́ртом (ме́сяц) я бу́ду жить в Москве́. 10. Что у вас во (рот)? 11. Он сиде́л в (у́гол) и чита́л журна́л «Ру́сский Наро́д». 12. Я посмотре́л на (пол); на (пол) лежа́ла моя́ но́вая кни́га. 13. Они́ у́жинают у на́шего бра́та три ра́за в (год). 14. В (сад) сейча́с о́чень прия́тно; пойди́те в (сад).

Exercises with Grammar B

a. From the Reading Exercise write out all the *personal pronouns,* except those in the nominative case (singular or plural). Give their person, case, and number, and their English meaning, thus (14 forms in all):

| с тобóй | 2nd sing. (fam.) | Instrumental | "with you (thee)" |
| нас | 1st plur. | Accusative | "us" |

b. Supply the Russian equivalent of the English words in parentheses ("Thou" has been used wherever the *familiar* form of the second person is to be supplied).

1. Он сидéл óколо (me) и читáл (to me) интерéсную истóрию. 2. Брат поéхал в гóрод без (me). 3. Óколо (thee) э́тот пакéт? 4. Я купи́л скáтерть для (her). 5. Певи́ца Бáрсова больнá; у (her) боли́т гóрло. 6. У (us) сегóдня большóй приём. 7. Я бýду скучáть без (you). 8. У (them) в дóме мы встрéтили поэ́та Светлóва. 9. Сегóдня мы идём (to him), а зáвтра он придёт (to us). 10. Я (him) спрáшиваю по-англи́йски, а он (to me) отвечáет по-рýсски. 11. Даёт он (to thee) урóки рýсского языкá? 12. Нóвая скáтерть (to her) большáя рáдость. 13. Сегóдня невозмóжно идти́ (to them) в гóсти. 14. Сказáл он (to you), кудá они́ éдут? 15. Мой друг хóчет (me) ви́деть зáвтра, а (thee) в понедéльник. 16. Я попрошý (him) не спóрить с дóктором. 17. Хозя́йка спрóсит (her), где э́тот магази́н. 18. Они́ приглашáют (us) к себé на дáчу. 19. Покажи́те (to me) вечéрнюю звездý. 20. Мне всегдá вéсело (with thee), а тебé (with me). 21. Отéц лю́бит смея́ться над (him). 22. (With her) всегдá прия́тно поговори́ть. 23. Пéред (us) высóкая горá. 24. Кто живёт в кóмнате над (you)? 25. Кто éдет (with them) в óперу, а кто (with us) в теáтр. 26. Не говори́те с ним (about me)! 27. (About thee) писáли вчерá в газéте. 28. Онá позвони́ла (us) по телефóну. 29. Мы чáсто говори́м (about him) с сосéдом. 30. (About them) никтó не пóмнит. 31. (About us) все знáют. 32. Мы мнóго слы́шали (about you).

Exercises with Grammar C

a. Translate the words in parentheses:

1. Вчерá нам бы́ло óчень (cold). 2. Ей (easy) говори́ть по-рýсски. 3. Емý всегдá (interesting) на урóке. 4. Мне óчень (pleasant) познакóмиться с вáми. 5. (Is it difficult) писáть и говори́ть по-рýсски? Нет, (it is easy)! 6. Вам бýдет (uncomfortable) здесь. 7. Лéтом здесь (hot), а óсенью бýдет (warm) и óчень (pleasant). 8. Бы́ло вам (painful) у дóктора? 9. Счастли́вый человéк — емý никогдá не (boring)! 10. (I feel like) читáть, но нет хорóшей кни́ги. 11. (It seems) сегóдня бýдет (hot), нá небе ни óблака. 12. Они́ не éли весь день и тепéрь

(they felt very [much] like) пообедать. 13. (It is uncomfortable) здесь спать. 14. Когда (cold), я обыкновенно пью горячее молоко. 15. Жаль, что вам было (boring) на концерте.

b. Give the following expressions in all persons:

1. Здесь мне удобно. 2. Мне очень больно. 3. Мне легко читать и говорить по-русски. 4. Мне хочется пойти в кино. 5. Мне кажется, что идёт дождь.

c. Change the following sentences into (1) the past tense; (2) the future tense:

1. Мне тепло в новом пальто. 2. Летом нам всегда жарко. 3. В гостях вам весело. 4. Тебе не холодно? 5. Ему скучно в большом обществе. 6. Нам хочется поехать в город. 7. Нам очень интересно познакомиться с профессором. 8. Ему кажется, что он знает это слово. 9. Ей хочется играть в теннис. 10. Мне очень приятно познакомиться с ним.

VII.   TRANSLATION INTO RUSSIAN

A

1. Sunday morning Véra Popóva called us up. 2. She invited us to (на and accusative) a big reception. 3. My husband does not work Sunday evening. 4. We accepted the invitation with great pleasure. 5. We knew that it would (i.e. will) be pleasant, interesting, and gay. 6. In the evening we drove to her [house] in our car. 7. It was a very warm evening. 8. Even without a coat I felt warm. 9. We rang and the hostess opened the door. 10. "Hello! How are you? Come (Welcome) in!" 11. "I am so happy to see you, Véra! This is my husband, Mikhaíl Sergéevich Mólotov." 12. "It is a pleasure! And now I want to introduce you and your husband to my good friend, the singer Bársova (Бáрсовой). 13. Nina Alekséevna, permit me to introduce to you my friend Tatyána Petróvna Mólotova and her husband Mikhaíl Sergéevich. 14. "Oh, but we are already acquainted!" 15. "How are you, Nína?" 16. "And how are you, my dear?" 17. "We were at your last concert. It was so interesting!" 18. Mikhaíl Sergéevich looked at the singer and then at his wife and thought: "It's all right to go visiting, but it's better at home!"

B

1. It is raining today, and it is very cold outside. 2. I did not feel well. I had a headache and did not go to the office. 3. All morning I played cards with my sister, but she does not play well and I don't like to play with her. 4. The bell! I go to the telephone. 5. My friend Paul is calling. 6. He feels like playing cards tonight (today evening). 7. He has not called me [for] three weeks, but I don't mind (it's all the same to me). 8. I invite him to play with my brother and me. 9. Paul has not played cards with us [for] about a month. 10. Now he is very happy and accepts the invitation with great pleasure. 11. At two o'clock sharp the telephone rings again; [it is] my brother calling (calls) to tell me that in two hours he will be at our home (at us). 12. He always eats supper with my sister and me in our beautiful new apartment. 13. After supper Paul arrives in his big black and red car. 14. I introduce him to my brother. 15. "It is a pleasure to make your acquaintance — again!" says Paul and laughs. 16. "Dear Peter! You remember that your brother Sasha and I know each other already for three years. 17. We have met often at the club "White Mountain," and I have often played with him tennis and golf!" 18. That's news, good news to me! Go ahead! Laugh, laugh! He who laughs last, laughs best!" 19. In the kitchen my sister has already prepared the tea; now she is watching the television program, while (a) we play cards until late in the evening. 20. We are comfortable and cozy in our large, warm [living] room, and have a very good time.

ADDITIONAL READING MATERIAL

Based on the vocabulary and grammar of the preceding lessons

ТЕЛЕФОН

Я так дово́лен, что наконе́ц-то я до́ма. Когда́ рабо́таешь це́лый день в конто́ре, ве́чером прия́тно посиде́ть до́ма, почита́ть интере́сную кни́гу, послу́шать ра́дио ...

Но то́лько я вошёл в кварти́ру, я услы́шал звоно́к. Иду́ к телефо́ну и говорю́:

— Алло́! —

— Кто говори́т? —

— Говори́т То́мас Бар. С кем вы хоти́те говори́ть? —

— Э́то не кварти́ра Петро́ва? Попроси́те, пожа́луйста к телефо́ну ...

— Это не квартира Петрова. У телефона господин Бар. —

— Ах, простите, простите за беспокойство … —

Да, хорошо быть дома, думаю я и иду к удобному креслу. Но вот опять слышу зазвонил телефон!

— Алло!

— Мэри? Почему у тебя такой неприятный голос? Ты простужена? — слышу я незнакомый голос по телефону.

— Это не Мэри говорит. У телефона Томас Бар. —

— Ваша фамилия Бар! Да что вы говорите! Я познакомилась с господином Баром в прошлую субботу на приёме у доктора Чехова. Я так рада иметь возможность поговорить с вами. Я так много о вас слышала … —

— Простите, говорю я. — Разрешите мне вам сказать, что я не тот господин Бар. Я не знаком с доктором Чеховым и в прошлую субботу я был в гостях у профессора Джонса. —

— Ах, простите, пожалуйста. До-свидания. —

Вот наконец я сел в своё кресло, открыл книгу и опять сейчас-же услышал звонок. Ну, и жизнь! Я помню, как моя мать всегда говорила: «В гостях хорошо, а дома лучше». Не знаю, права ли была она.

— Алло! Кого попросить к телефону?

ВОСЕМНАДЦАТЫЙ УРОК | EIGHTEENTH LESSON

Plural Declension of the Masculine, Neuter, and Feminine Nouns — Declensional Peculiarities of the Masculine Noun: plural in -a; irregular genitive plural — Impersonal expressions (cont.) — Cardinal numerals 5-12; скóлько, мáло, мнóго *(genitive plural)*

I. COMMON EXPRESSIONS AND IDIOMS

Узнáть расписáние поездóв	To find out the train schedule (timetable)
Какúм пóездом мне éхать?	Which train am I to take?
Ехать скóрым пóездом	To take an express train
Опоздáть на пóезд	To be late for the train
Когдá отхóдит пóезд?	When does the train leave?
Дать знать	To notify
Дать, получúть телегрáмму	To send, receive a telegram
Сдать в багáж	To check the luggage
Томý назáд	Ago
Сейчáс же	Immediately

II. READING: ТЕЛЕГРАММА ИЗ МОСКВЫ

Вчерá я **получúл телегрáмму** от товáрищ**ей** из Москвы́: «Ждём твоегó приéзда».

Я с товáрищ**ами** не встречáлся **мнóго** мéсяцев. Мы бы́ли давнó знакóмы. Мы вмéсте учúлись в шкóле. В прáздники мы всегдá вмéсте ходúли в музéи, теáтры, кинó, а вечерáми[1] мы любúли читáть журнáлы úли слýшать рáдио.

Пóсле шкóлы Пётр и Алексéй получúли рабóту в Москвé, а я в Ленингрáде.

Мне кáжется, пять úли **шесть** мéсяцев **томý назáд** я написáл им, что **мне** не **нрáвится** моя́ рабóта. Здесь на завóдах мехáники получáют **мáло**, а рабóтают **дéвять** часóв в день.

---

[1] **Вечерáми** (instr.) or **по вечерáм** (dat.) indicates the habitual or repeated nature of an action.

А, кроме того, я скучал без товарищей и **мне хотелось** жить с ними в Москве.

Я был очень доволен телеграммой[1] и **сейчас же** позвонил на вокзал узнать **расписание поездов.** Конечно, рано ещё думать, **каким поездом мне ехать!** До отъезда мне нужно уложить все вещи в чемоданы и отправить сундуки. На работе **я должен** поговорить с директором. Кроме того, **мне надо дать знать** хозяйке, что я уезжаю и что комната мне больше не нужна.

В пятницу утром, **всё готово** к отъезду. **Я прощаюсь с** хозяйкой, беру чемоданы и еду на вокзал.

На вокзале толпа, шум . . . не знаешь, кто уезжает, кто приезжает. Все одинаково спешат, спорят с носильщиками, боятся **опоздать на поезд.**

Сегодня на вокзале **мало** носильщиков. Но у меня **только два чемодана** и мне носильщики не **нужны.** Один чемодан я **сдаю в багаж,** один беру в вагон.

Между Москвой и Ленинградом хорошее сообщение, и поезда идут часто. Я **поеду скорым поездом,** прямо в Москву. Я покупаю **билет.** Теперь **можно дать телеграмму** товарищам!

III. VOCABULARY

багаж	baggage	**носильщик**	porter
билет	ticket	**отделение**	department
вагон	carriage	**отъезд**	departure
вместе	together	**приезд**	arrival
вокзал	station	**солдат**	soldier
директор	director	**спорт**	sport
класс	class	**сундук**	trunk, box, chest
кроме того	besides that, moreover	**телеграмма**	telegram
		чемодан	suitcase
		школа	school

Verbs

Imperfective	*Perfective*	*English*
брать; беру, берёшь, берут	**взять; возьму, возьмёшь, возьмут**	to take
нравиться; нравлюсь, нравишься, нравятся	**понравиться; (нравиться)**	I. to please, to like; P. to get (begin) to like

---

[1] Instrumental case with доволен.

Imperfective	Perfective	English
отправля́ть (I)	отпра́вить; отпра́влю, отпра́вишь, отпра́вят	to send off
получа́ть (I)	получи́ть; получу́, полу́чишь, полу́чат	to receive, get
проща́ться (I) (Use this verb with с (со) and the *instr.*)	прости́ться; прощу́сь, прости́шься, простя́тся	to say goodbye, farewell (to)
сдава́ть (дава́ть)	сдать (дать)	to give up, check, rent
укла́дывать (I)	уложи́ть, уложу́, уло́жишь, уло́жат	to pack (one's belongings)
узнава́ть; узнаю́ узнаёшь, узнаю́т	узна́ть (I)	to recognize
уходи́ть (ходи́ть)	уйти́ (идти́)	to leave, go away

IV. GRAMMAR

A. Regular plural declension of the masculine, neuter, and feminine nouns

Plural endings of the three genders being *identical* or *closely related,* the three declensions are here juxtaposed for convenient reference and memorization:

MASCULINE[1]

	Hard	Soft	Soft
Nom.	столы́	музе́и	дожди́
Gen.	столо́в	музе́ев	дожде́й
Dat.	стола́м	музе́ям	дождя́м
Acc.	столы́	музе́и	дожди́
Instr.	стола́ми	музе́ями	дождя́ми
Prep.	стола́х	музе́ях	дождя́х

---

1 Observe Vowel Mutation Rule and remember that the *accusative* plural of *animate* masculine nouns is like their *genitive.*

NEUTER

	Hard	Soft	Soft
Nom.	места́	поля́	зда́ния
Gen.	мест	поле́й	зда́ний
Dat.	места́м	поля́м	зда́ниям
Acc.	места́	поля́	зда́ния
Instr.	места́ми	поля́ми	зда́ниями
Prep.	места́х	поля́х	зда́ниях

FEMININE

	Hard	Soft	Soft	Soft
Nom.	ко́мнаты	неде́ли	две́ри	фами́лии
Gen.	ко́мнат	неде́ль	двере́й	фами́лий
Dat.	ко́мнатам	неде́лям	деверя́м	фами́лиям
Acc.	ко́мнаты	неде́ли	две́ри	фами́лии
Instr.	ко́мнатами	неде́лями	дверя́ми	фами́лиями
Prep.	ко́мнатах	неде́лях	дверя́х	фами́лиях

B. Declensional peculiarities of the masculine noun in the plural

1. *Nominative plural*:

In the nominative plural (and accusative with inanimate nouns), several masculine nouns have the ending -a when hard and -я when soft (instead of -ы and -и, respectively), with the stress on that ending:

Nom. Sing.	Nom. and Acc. Pl.		Nom. Sing	Nom. and Acc. Pl.	
ве́чер	вечера́	evening	го́род	города́	city
глаз	глаза́	eye	дом	дома́	house
лес	леса́	forest	по́езд	поезда́	train
го́лос	голоса́	voice			

The more important *animate* nouns of this type are: доктора́/о́в; профессора́/-о́в; учителя́/-е́й. (Nominative plural ending -á, accusative and genitive plural -о́в.)

Note that with this type of noun, in the *plural*, the *stress* is always on the *ending*: дома́, домо́в, дома́м, *etc.*

2. *Genitive plural*:

a. Several masculine nouns have for their *genitive plural* a form which is exactly like the *nominative singular*. The more important of these are: **раз** "once, one time"; **солдат** "soldier"; **глаз** "eye."

b. Masculine nouns the stem of which ends in **-ж, -ч, -ш, -щ** have the ending **-ей** in the genitive plural (instead of **-ов**):

Nom. Sing.	*Gen. Pl.*	
карандаш	карандашей	pencil
товарищ	товарищей	comrade

c. Masculine nouns the stem of which ends in **-ц** and which do not have the stress on the ending, take **-ев** in the genitive plural (instead of **-ов**): **месяц**; **месяцев** "month."

3. *Plural of* **день**: **дни, дней, дням, дни, днями, днях.**

C. Impersonal expressions with the infinitive

Можно	[It is] permissible, possible one may, one can.
Нельзя	[It is] forbidden, impossible, one may not, one cannot.
Надо or **Нужно**	[It is] necessary, it is needed.

When used with the *dative*, these expressions acquire a personal force:

Можно мне играть в теннис?	May I play tennis?
Нет, **вам нельзя** играть в теннис.	No, you may not play tennis.
Мне **надо** (**нужно**) идти домой.	I must (have to) go home.

Note that **надо, нужно** express need or necessity. To express *obligation* use **должен, должна, должно, должны.**

Я **должен** идти.	I must (should, ought to) go.
Она **должна** читать.	She must read.
Они **должны** работать.	They must work.

Note that дóлжен is *always* and нáдо is *usually* used with *verbs*. With *nouns*, that is to express the need of *something* or *someone*, use нýжен, нужнá, нýжно, нужны́ (нáдо cannot be used in this context.) :

		Literal translation
Мне нýжен стол.	I need a table.	to me [is] necessary a table
Емý нужнá кни́га.	He needs a book.	to him [is] necessary a book
Тебé нýжно перó.	You need a pen.	to you [is] necessary a pen
Студéнту нужны́ карандаши́.	The student needs pencils.	to the student [are] necessary pencils

Note that here the predicate adjective, нýжен, -á -'о ,-ы́, agrees with the subject of the Russian sentence (стол, кни́га, перó, карандаши́).

For the *past* and *future* of this construction, use proper forms of быть.

Вчерá мне нельзя́ бы́ло читáть.	Yesterday I was forbidden to read.
Когдá вам мóжно бýдет читáть?	When will you be permitted to read?
Мне нáдо (нýжно) бы́ло идти́ домóй.	I had to go home.
Мне нýжен бýдет э́тот стол.	I shall need this table.
Мне нужны́ бýдут карандаши́.	I shall need pencils.

D. Translation of "to like"

"To like" is rendered by the verb нрáвиться and the *dative* construction:

		Literal translation
Мне нрáвится э́та кни́га.	I like this book.	to me is pleasing this book
Этот стол ей нрáвится.	She likes this table.	to her is pleasing this table
Профéссору нрáвятся э́ти журнáлы.	The professor likes these journals.	to the professor are pleasing these journals

Note that the English subject (I, she, professor) is placed in the *dative,* and the direct object (book, table, journals) becomes the *subject* of the Russian sentence, thus determining person and number of the verb: книга (стол) нравится; журналы нравятся.

Нравиться should be used whenever the liking has been established *just prior to* or *at the moment of* speaking about it:

О, эта картина мне нравится.   Oh, I like this picture!
(Seeing the picture for the first time.)

Любить should be used:

a. when the liking is of longer standing:

Да, эту картину я люблю!   Yes, I like this picture!
(A picture which one has known and liked for some time.)

b. generally with *verbs*:

Я люблю читать.   I like to read.

E.   Cardinal numerals 5-12 and expressions of quantity [1]

1. *Cardinals*:

5	пять	8	восемь	11	одиннадцать
6	шесть	9	девять	12	двенадцать
7	семь	10	десять		

These numerals are followed by the noun in the *genitive plural*: **пять** столов, **шесть** учителей, **семь** солдат, **восемь** раз.

2. **много** "many," **мало** "few," **сколько** "how much," "how many" take the *genitive plural*: **много** солдат "many soldiers"; **мало** столов "few tables"; **сколько** учителей "how many teachers?"

V.   QUESTIONS

1. Что вы получили вчера от товарищей? 2. Сколько месяцев вы не встречались с товарищами? Давно ли вы знакомы? 4. Где вы вместе учились? 5. Где вы бывали в праздники? 6. Что вы любили делать вечерами? 7. Где получили работу Пётр и Алексей? 8. Где вы получили работу? 9. Почему вам не нравилась ваша работа? 10. Где вам хотелось жить? 11. Куда вы позвонили узнать расписание поездов? 12. О чём ещё рано думать? 13. Что ещё нужно сде-

---

[1] For a listing of numerals, see Appendix II, Table VI.

лать до отъе́зда? 14. С кем вы должны́ поговори́ть на рабо́те?
16. Гото́во ли всё к отъе́зду в пя́тницу? 17. Ско́лько носи́ль-
щиков сего́дня на вокза́ле? 18. Почему́ вам не ну́жен носи́ль-
щик? 19. Куда́ вы берёте оди́н чемода́н? 20. Куда́ вы сдаёте
чемода́н? 21. Како́е сообще́ние ме́жду Москво́й и Ленингра́дом?
22. Пое́дете ли вы ско́рым по́ездом пря́мо в Москву́? 23. Что
вы покупа́ете на вокза́ле?

VI. GRAMMAR EXERCISES

Exercises with Grammar A

Give the *plural* declension of the following nouns:

a. Masculines: **автомоби́ль, конце́рт, трамва́й, студе́нт**
b. Neuters: **собра́ние, о́блако, ружьё, объявле́ние**
c. Feminines: **маши́на, ска́терть, исто́рия, дере́вня**
d. Various genders: **гость, река́, мост, а́рия, де́ло**

Exercises with Grammar B

a. From the Reading Exercise write out all *plural* nouns (with
the prepositions), giving their case and English meaning, as follows:

от това́рищей	Genitive	"from [my] friends"
с това́рищами	Instrumental	"with [my] friends"

b. Change bold face words to the *plural*:

1. По у́лице **шёл солда́т**. 2. О́сенью ча́сто **идёт дождь**.
3. Я хочу́ отпра́вить **сунду́к** ма́лой ско́ростью. 4. На **вокза́ле**
нет **носи́льщика**. 5. Я получи́л телегра́мму для **учи́теля**. 6. **То-
ва́рищ** уезжа́ет на вокза́л без **чемода́на**. 7. **Ве́чером** мы ча́сто
хо́дим в **теа́тр**. 8. Я сейча́с **е́ду** в **гара́ж** за **автомоби́лем**. 9. За
до́мом сад. 10. **Биле́т** под **журна́лом**. 11. В **теа́тре** о́чень жа́рко.
12. Сего́дня **я говори́л с меха́ником** о **его́ клу́бе**. 13. **Мне**
ску́чно ду́мать об **уро́ке**. 14. **Я проща́юсь с прия́телем**.

c. Supply the correct *plural* endings:

1. Дома́ ме́жду ба́нк— и магази́н—. 2. До́ктор—' живу́т
в це́нтре го́рода. 3. Поезд—' е́дут пря́мо в Москву́. 4. Вот
поезд—' для солда́т—. 5. Мы е́дем по́ездом и ви́дим город—'
и лес—'. 6. Учител—' у́чат нас ру́сскому языку́. 7 Профес-
сор—' и учител—' рабо́тают в университе́т—, а инжене́р—
и меха́ник— на заво́д—. 8. Мы лю́бим вечер—' в клу́бе.

9. Уро́к— ру́сского языка́ нам нра́вятся; мы о́чень лю́бим язы́к—'. 10. По вечер—' в рестора́н— игра́ют орке́стр—. 11. В большо́м клу́бе в угла́х дива́н— и на полу́ ковр—'. 12. В пра́здник— днём мы хо́дим в музе́—, а ве́чером в теа́тр—. 13. Я не зна́ю его́ това́рищ— и прия́тел—. 14. В це́нтре го́род—' магази́н—, теа́тр—, музе́— и ба́нк—.

Exercise with Grammar C

Use the appropriate Russian expression in the appropriate tense in place of the English phrases in parentheses:

1. (May I) обе́дать с ва́ми? 2. (We have to) быть на вокза́ле в семь часо́в ве́чера. 3. Тут, на парохо́де (one cannot) хорошо́ пообе́дать. 4. Я (must) позвони́ть за́втра сосе́дке. 5. (You did not have to) знать э́то сло́во. 6. Брат (ought to) дать телегра́мму отцу́. 7. (He may not) опозда́ть на по́езд. 8. Эти чемода́ны (one can) сдать в бага́ж. 9. (He had to) идти́ в шко́лу вчера́. 10. (It is necessary) пить и есть хорошо́. 11. Здесь (it is possible) купи́ть и шля́пу и пальто́. 12. (Were you permitted) посмотре́ть, что они́ де́лают? 13 (He needs) стол и ковёр. 14. (They will need) хлеб и мя́со. 15. (You will have to) показа́ть ему́, как открыва́ть э́тот сунду́к.

Exercise with Grammar D

Supply the correct form of нра́виться or люби́ть. Give reasons for your choice.

1. Вы ..... му́зыку? 2. Това́рищу не ..... моя́ ко́мната. 3. До́ктор Че́хов всегда́ пьёт чай. Он не ..... ко́фе. 4. Оте́ц не ..... опа́здывать на по́езд. 5. Ле́том мы ..... жить в дере́вне. 6. Бра́ту о́чень ..... мой но́вый ковёр. 7. Они́ о́чень ..... свою́ мать. 8. Мое́й подру́ге ..... моя́ но́вая шля́па. 9. Ве́чером по́сле слу́жбы я ..... слу́шать ра́дио. 10. Мне ..... уро́ки ру́сского языка́.

Exercise with Grammar B and E

Write out the numbers in Russian and give the correct case forms of the nouns in parentheses:

1. Ско́лько (ме́сяц) вы бы́ли в Москве́? 2. (7 ме́сяц) тому́ наза́д мы получи́ли письмо́ от бра́та. 3. Тут, в ваго́не (9 солда́т). 4. Сего́дня на вокза́ле ма́ло (носи́льщик). 5. У меня́

бы́ло (5 каранда́ш). 6. В шко́ле у него́ бу́дет мно́го (това́-рищ). 7. Кото́рый час? (6 час). 8. Ско́лько (раз) бы́ли вы в теа́тре и́ли в кино́? 9. Я был (2 раз) в теа́тре и (8 раз) в кино́. 10. Ско́лько у тебя́ (глаз). У меня́ (2 глаз). 11. Рабо́таете вы ле́том в саду́ (2 и́ли 3 час)? 12. Нет, я рабо́таю (5 час) и то́лько по воскресе́ньям (2 и́ли 3 час).

VII. TRANSLATION INTO RUSSIAN

A

1. I do not like my work in Leningrad. 2 [I] work like a machine and receive very little [money]. 3. My friend works in Moscow. 4. He wrote me that he works only five, six hours and in the evening goes to museums, theaters, concerts, and movies. 5. I also want to live and work in Moscow. 6. Today I found out about the train schedule and know which train to take. 7. I can go tomorrow morning by express to Moscow. 8. I shall pack the things into the suitcases. 9. The trunks I shall check; the suitcases I shall take into the car. 10. There is always a crowd at our station and few porters. 11. But I shall not need porters because I shall have only two suitcases. 12. I shall take one into the car and one I shall check. 13. I shall buy a ticket at the station and then send a telegram to my friend: "Am arriving early this evening." 14. I have not seen my friend for many months and shall be very happy to see him again.

B

1. Today is Saturday and on Saturdays my sister and I always go to the new department store at the corner of Uspenskaya Street. 2. We leave home (go away out of the house) at exactly nine o'clock, have lunch at the restaurant in the store, afterwards go to a movie, and are at home again at about six or seven o'clock. 3. In the store we go from department to department, talk with the saleswomen, and ask·them: "How much are the radios and the television sets, the armchairs, and the lamps?" 4. My sister needs rugs and lamps for her new apartment; I need a new coat, and dresses, hats, and slippers. 5. "Sonya, do you like this blue dress?" I ask my sister. 6. "No, Masha, I don't like this dress; I love your old one, remember, the black and (with) white one?" 7. "But how do you like this red one?" 8. "Oh yes, this dress *is* beautiful; I like this one very much! You must buy it! And it costs only eight

rubles!" 9. I ask the saleslady: "May I put on this dress? I like it and want to buy it." 10. "No," the saleslady answers, "one is not allowed (it is not permitted) to put on dresses in this store; first one must (it is necessary to) buy them; this one costs twelve rubles." 11. "But I thought the dresses cost only eight rubles! 12. Well, it does not matter, I like this dress and must have it! 13. And so I give the twelve rubles and another eleven rubles for (за + acc.) a hat and two pairs of slippers. 14. And, of course, my sister buys a very expensive rug and six lamps for her large apartment. 15. I do not even ask her how many rubles she had to give for them. 16. At the restaurant we just (only) quickly drink a cup of black coffee. 17. It is already very late and we must hurry to the movie. 18. It was nine o'clock, when we finaly were home again, exhausted (tired ones) but happy.

ДЕВЯТНАДЦАТЫЙ УРОК | NINETEENTH LESSON

Irregularities in the plural declension of masculine nouns
(-анин, -янин; *irregular plural)* — *Plural declension of*
adjectives, hard and soft — *Numerals (ordinals*
1-12, fractions) and time expressions (clock)

I. COMMON EXPRESSIONS AND IDIOMS

По́езд опозда́л на три че́тверти часа́	The train was three quarters of an hour late.
Часы́ спеша́т, отстаю́т на...	The watch is fast, is slow ...
Переводи́ть стре́лку	To set the watch
Часы́ про́били...	The clock has struck ...
Отпра́вить ма́лой ско́ростью	To send by freight
Снима́ть но́мер в гости́нице	To take a room in a hotel
Я стал в о́чередь.	I got into line, took my place in the queue.
Впереди́, позади́ меня́	In front of me, behind me
«Люде́й посмотре́ть, да себя́ показа́ть.»	To look at the people and to show oneself; "To see and be seen."

II. READING: В МОСКВЕ

Я так рад, что я, наконе́ц, в Москве́! Мой **по́езд опозда́л
на три че́тверти часа́,** но на вокза́ле меня́ никто́ не ждал.
Това́рищи бы́ли на рабо́те и не могли́ меня́ встре́тить.

Я пое́хал пря́мо в гости́ницу и **снял но́мер** на **пя́том**
этаже́. Из окна́ мое́й ко́мнаты замеча́тельный вид. Вот они́
моско́вские бульва́ры, па́рки, дома́...

Я сейча́с же пошёл осма́тривать го́род.

На углу́ я спроси́л милиционе́ра:

— Где Кра́сная пло́щадь?

— Кра́сная пло́щадь совсе́м ря́дом, — отве́тил он. —
Иди́те пря́мо, пото́м поверни́те в **тре́тью** у́лицу напра́во и
второ́й поворо́т нале́во бу́дет Кра́сная пло́щадь.

Я поблагодари́л милиционе́ра и че́рез де́сять мину́т, я
был уже́ на Кра́сной пло́щади.

Больши́е часы́ на ба́шне Кремля́ пока́зывали че́тверть четвёртого. Я прове́рил вре́мя на свои́х часа́х. Они́ то спеша́т, то отстаю́т. Они́ пока́зывали полови́ну четвёртого. Я перевёл стре́лку и пошёл по пло́щади.

Около мавзоле́я Ле́нина све́жие, краси́вые цветы́. Пе́ред мавзоле́ем толпа́ люде́й. Я стал в о́чередь.

В толпе́ бы́ли и крестья́не, и рабо́чие, и тури́сты англича́не. По пло́щади шла гру́ппа ребя́т.

Впереди́ меня́ гру́ппа крестья́н. — Вы отку́да, това́рищи? — спроси́л я.

— Из Сиби́ри. Вот прие́хали «люде́й посмотре́ть, да себя́ показа́ть»!

— Да, тут вы скуча́ть не бу́дете, това́рищи! — услы́шал я молоды́е голоса́ позади́. — Мы вот уже́ восьмо́й день осма́триваем Москву́. Замеча́тельный го́род! Мы никогда́ не ду́мали, что в одно́м го́роде мо́жет быть сто́лько краси́вых па́рков, сто́лько замеча́тельных музе́ев и теа́тров.

Часы́ на ба́шне Кремля́ проби́ли без че́тверти четы́ре, когда́ я вошёл в мавзоле́й Ле́нина.

III. VOCABULARY

ба́шня (е)	tower	нале́во	to the left
бульва́р	boulevard	напра́во	to the right
вождь (m.)	leader	поворо́т	turn
гро́мко	loud(ly)	пра́вильно	correctly
гру́ппа	group	рабо́чий	worker
замеча́тельный,	remarkable	слу́чай	occasion
-ая, -ое		ста́нция	station
как то́лько	as soon as	сто́лько	so much, so
мавзоле́й	mausoleum	(+ gen.)	many
милиционе́р	policeman	страна́	country
моско́вский	Moscow (adj.)	тури́ст	tourist
-'ая, -'ое		эта́ж	floor

Verbs

Imperfective	*Perfective*	*English*
благодари́ть (II)	поблагодари́ть (II)	to thank
закрыва́ть (I)	закры́ть, закро́ю, закро́ешь, закро́ют	to close, shut
класть (Lesson 5)	положи́ть, положу́, поло́жишь, поло́жат	to place, put

Imperfective	Perfective	English
осма́тривать (I)	осмотре́ть; осмотрю́, осмо́тришь, осмо́трят	to inspect, examine, sightsee
переводи́ть, перевожу́, перево́дишь, перево́дят	перевести́, переведу́, переведёшь, переведу́т	to move, transfer, translate
повора́чивать (I)	поверну́ть; поверну́, повернёшь, поверну́т	to turn
поправля́ться (I)	попра́виться, попра́влюсь, попра́вишься, попра́вятся	to get well improve
проверя́ть (I)	прове́рить; прове́рю, прове́ришь, прове́рят	to check
снима́ть (I)	снять; сниму́ сни́мешь, сни́мут	to take off, to rent

IV. GRAMMAR

A. Irregularities in the plural of masculine nouns

1. *Masculine nouns ending in* -анин *and* -янин *drop the syllable* ин. Thus, англича́нин "Englishman" and крестья́нин "peasant" have the following plural declension, typical of this type of nouns:

Nom.	англича́не	крестья́не
Gen.	англича́н	крестья́н
Dat.	англича́нам	крестья́нам
Acc.	англича́н	крестья́н
Instr.	англича́нами	крестья́нами
Prep.	англича́нах	крестья́нах

Note particularly the nominative case ending -е and the lack of ending in the genitive case.

2. *Irregular plurals*:

Singular			Plural		Plural Declension
господи́н господжа́	Mr., Sir Mrs., Lady	} господа́	господа́	gentlemen, ladies, Mr. and Mrs.	N. господа́ G. госпо́д D. господа́м A. госпо́д I. господа́ми P. господа́х

Singular		*Plural*		*Plural Declension*
граждани́н гражда́нка[1]	citizen citizeness	}гра́ждане	citizens	like англича́не
дитя́[2]	child	де́ти	children	N. де́ти G. дете́й D. де́тям A. дете́й I. детьми́ P. де́тях
ребёнок	child	ребя́та	lads, fellows, youngsters	like господа́, except that stress remains on я throughout
челове́к	man person	лю́ди[3]	people	like де́ти
цвето́к (+ о)	flower	цветы́	flowers	reg. like столы́
цвет	color	цвета́	colors	like цветы́, ex- cept nom. and acc.: цвета́

B. Declension of the adjective in the plural

	Hard		*Soft*	
	All Genders			
Nom.	но́вые		после́дние	
Gen.	но́вых		после́дних	
Dat.	но́вым		после́дним	
Acc.	Like Nom. or Gen.		Like Nom. or Gen.[4]	
Instr.	но́выми		после́дними	
Prep.	но́вых[5]		после́дних	

[1] Гражда́нка has the plural гражда́нки.

[2] The *singular* declensional forms are rare. They are: дитя́, дитя́ти, дитя́ти, дитя́, дитя́тею, дитя́ти.

[3] When counting, the singular or plural genitive of челове́к is used: Three, six people were in our room.

три челове́ка }
шесть челове́к} бы́ло в на́шей ко́мнате.

[4] Like nominative when modifying an *inanimate* noun; like genitive when modifying an *animate* noun.

[5] For Vowel Mutation Rules see p. 31.

Adjectives ending in -ой (молодой) are declined exactly like новый, the stress, however, always falling on the ending.

C. Numerals and time expressions

1. Ordinals 1st - 12th:[1]

1st	первый,	-'ая, -'ое	7th седьмой,	- áя, - óе
2nd	второй,	- áя, - óе	8th восьмой,	- áя, - óе
3rd	третий,	-'ья, -'ье	9th девятый,	-'ая, -'ое
4th	четвёртый,	-'ая, -'ое	10th десятый,	-'ая, -'ое
5th	пятый,	-'ая, -'ое	11th одиннадцатый,	- ая, - ое
6th	шестой,	- áя, - óе	12th двенадцатый,	- ая, - ое

Ordinals, except третий, are declined like adjectives in -ый or -ой, depending on the ending:

первый, первого, первому, etc.
второй, второго, второму, etc.

2. Declension of третий:

	Singular Masc.	Singular Neut.	Singular Fem.	Plural, All Genders
Nom.	третий	третье	третья	третьи
Gen.	третьего	третьего	третьей	третьих
Dat.	третьему	третьему	третьей	третьим
Acc.	Nom. or Gen.	третье	третью	Nom. or Gen.
Instr.	третьим	третьим	третьей	третьими
Prep.	третьем	третьем	третьей	третьих

3. Fractions:[2]

четверть часа (genitive singular of час)   quarter of an hour
четверть фунта (genitive singular of фунт)   quarter of a pound

полчаса (gen. sing.)   half an hour
полфунта (gen. sing.)   half a pound

три четверти[3] часа   three quarters of an hour
три четверти фунта   three quarters of a pound

---

[1] Most ordinals are formed by dropping the -ь of the cardinal and adding the endings -ый or -ой. Ordinals agree with their noun in gender, case, and number.

[2] A complete *systematic* treatment of the complicated topic of *fractions* exceeds the scope of this elementary text. Therefore a strictly *functional* approach is used.

[3] четверти is the genitive singular of четверть, which is declined like дверь.

4. *Time Expressions*:

Который час?	What time is it?
По мойм часа́м...	By my watch. ...
час но́чи	1:00 A. M.
четы́ре часа́ утра́	4:00 A. M.
шесть часо́в ве́чера	6:00 P. M.
оди́ннадцать часо́в утра́	11:00 A. M.
оди́ннадцать часо́в ве́чера	11:00 P. M.

в двена́дцать часо́в дня
в по́лдень } at noon

в двена́дцать часо́в но́чи
в по́лночь } at midnight

Quarter past the hour:

12:15 че́тверть пе́рвого	2:15 че́тверть тре́тьего
1:15 че́тверть второ́го	3:15 че́тверть четвёртого

Half past the hour:

4:30 полови́на пя́того	6:30 полови́на седьмо́го
5:30 полови́на шесто́го	7:30 полови́на восьмо́го

Quarter to the hour:

8:45 без че́тверти де́вять	10:45 без че́тверти оди́ннадцать

Note that in Russian one *always* refers to the *coming* hour: whereas we say: "quarter past one," the Russian literally says: "quarter of the *second* hour" (второ́го); whereas we say: "half past two," the Russian says: "half of the *third* hour" (тре́тьего); whereas we say "quarter to three" (in this case also looking to the *coming* hour), the Russian literally says: "without a quarter three," and so forth.

VOCABULARY BUILDING

Perfective Verbs

Imperf.	*Perfective with the* Prefix **с**	*English*
(де́лать)	сде́лать (I)	to do, complete
(есть)	съесть	to eat up, consume
	conjugated like есть	
(уме́ть)	суме́ть	to know how, contrive
	conjugated like уме́ть	
(мочь)	смочь[1]	to be able
	conjugated like мочь	

[1] In the *future* tense, only смочь is used (never мочь with быть): я смогу́, ты смо́жешь, etc. (never я бу́ду мочь, etc.).

	With the Prefix про	
(читáть)	**прочитáть** (I)	to read through
	прочéсть; прочтý, прочтёшь, прочтýт	to read through
	прочёл, прочлá, прочли	read through

V. QUESTIONS

1. Рáды ли вы, что вы наконéц в Москвé? 2. На скóлько опоздáл ваш пóезд? 3. Почемý товáрищи вас не ждáли на вокзáле? 4. Кудá вы поéхали с вокзáла? 5. Какóй вид из окнá вáшей кóмнаты? 6. Кудá вы пошли из гостиницы? 7. Когó вы спросили, где Крáсная плóщадь? 8. Как вам нáдо бы́ло идти на Крáсную плóщадь? 9. Где вы бы́ли чéрез дéсять минýт? 10. Котóрый час покáзывали большие часы́ на бáшне Кремля́? 11. Почемý вы провéрили врéмя на свои́х часáх? 12. Почемý вы перевели стрéлку на свои́х часáх? 13. Что вы увидели óколо мавзолéя Лéнина? 14. Что вы увидели пéред мавзолéем Лéнина? 15. Почемý вы стáли в óчередь? 16. Кто был в толпé? 17. Кто шёл по плóщади? 18. Кто был впереди вас? 19. Что вы их спроси́ли? 20. Для чегó крестья́не приéхали в Москвý? 21. О чём говори́ли молоды́е лю́ди позади вас? 22. Скóлько врéмени они́ ужé осмáтривают Москвý? 23. Дýмали ли они́ что в однóм гóроде мóжет быть стóлько замечáтельных музéев, теáтров и стóлько краси́вых пáрков? 24. Котóрый час проби́ли часы́ на бáшне Кремля́, когдá вы вошли в мавзолéй Лéнина?

VI. GRAMMAR EXERCISES

Exercises with Grammar A

a. From the Reading Exercise write out all irregular *plural* nouns (given in Grammar A.), giving their case and English meaning and the corresponding *singular* form, as follows (9 **forms** in all):

цветы́	Nominative	"flowers"	**цветóк**
людéй	Genitive	"people"	**человéка**

b. Translate the English words in parentheses:

1. Они́ свобóдные (people). 2. Мы купи́ли автомоби́ль для молоды́х (people). 3. Мы говори́ли весь вéчер о рýсских

(people). 4. К весёлым (Englishmen) приéхали прия́тели. 5. У ру́сских (peasants) всегда́ мно́го рабо́ты. 6. Эти (citizens) говоря́т по-ру́сски. 7. Он идёт по пло́щади с (youngsters). 8. Ру́сские (citizens) лю́бят Росси́ю. 9. В саду́ бы́ли краси́вые (flowers). 10. (The colors) цвето́в бы́ли о́чень краси́вы. 11. Я написа́л на́шему инженéру о до́ме (of Mr. and Mrs.) Петро́вых. 12. Сундуки́ (of the Englishmen) ещё на вокза́ле. 13. Я зна́ю её (children) о́чень хорошо́. 14. Она́ пошла́ с (children) в кино́. 15. Они́ серьёзные (youngsters)! 16. Вчера́ я говори́л с ру́сскими (citizens), с (peasants), с инженéрами, доктора́ми, учителя́ми. 17. Очеви́дно все (children) сего́дня в шко́ле.

Exercises with Grammar A and B

a. From the Reading Exercise write out all *plural* adjectives giving their case and English meaning, as follows (7 adjectives in all):

москóвские   Nominative   "Moscow" (adj.)

b. Change all bold face words into the *plural*:

1. Вот **замеча́тельный дом**. 2. Сего́дня у меня́ есть **хоро́ший биле́т** в теа́тр. 3. **Я живу́** о́коло **большо́го па́рка**. 4. Мне ску́чно жить в Москве́ без **хоро́шего това́рища**. 5. Нам не **ну́жен плохо́й инженéр**. 6. Я всегда́ е́зжу за поку́пками в **дорого́й магази́н**. 7. Я люблю́ **све́жий зи́мний день**. 8. **Я хочу́** учи́ться в **но́вом университéте**. 9. **Мне** прия́тно е́хать на **удо́бном автомоби́ле**. 10. Я иду́ в парк с **ма́леньким ребёнком**. 11. В трамва́е мы сиде́ли мéжду **англи́йским тури́стом** и **ру́сским рабо́чим**. 12. **Занято́й господи́н** никогда́ не **чита́ет** моско́вского журна́ла. 13. **Тебé** бу́дет ску́чно на да́че в **дождли́вый день**. 14. Я написа́л това́рищу о **послéднем приéме** в до́ме **господи́на** Петро́ва (Петро́вых). 15. Мы мно́го зна́ем о **ру́сском вождé**. 16. По пло́щади **шёл ма́ленький ребёнок** с **молоды́м учи́телем**. 17. Како́й **краси́вый цвето́к**! 18. Мне **нра́вится его́ цвет**!

c. Give the full declension (singular and plural) of the following expressions:

1. Послéдний, лéтний день. 2. Ру́сский человéк. 3. Ма́ленький ребёнок. 4. Молодо́й англича́нин. 5. Краси́вый цвето́к.

Exercises with Grammar C

a. Change the cardinal numerals to ordinals, for example:

Оди́н милиционéр *to* Пéрвый милиционéр

1. Одно кресло. 2. Две зимы. 3. Три платья. 4. Четыре
случая. 5. Пять радио. 6. Шесть заводов. 7. Семь билетов.
8. Восемь уроков. 9. Девять месяцев. 10. Десять солдат.

b. Give the Russian of the ordinals in parentheses:

1. Он тут на заводе (1st) механик. 2. У меня нет (2nd)
шляпы. 3. Я опоздал даже к (3rd) поезду! 4. Я не вижу (4th)
билета. 5. Идите прямо в (5th) вагон. 6. Я приехал на вокзал
перед (3rd) звонком. 7. Брат стал в очередь в (8th) раз.
8. Мы сняли комнату на (9th) этаже. 9. Я помню это место
в (5th) уроке. 10. Декабрь (12th) месяц года.

c. Express in Russian:

(1) 2:00 A. M.; 4:00 P. M.; 7:00 P. M.; 10:00 A. M.

(2) Quarter past six (6:15); 5:15; 2:15; 8:15.

(3) Half past nine (9:30); 8:30; 7:30; 4:30.

(4) Quarter to two (1:45); 6:45; 5:45; 2:45; 12:45.

d. In the following sentences give the Russian of the expressions
in parentheses. Write out all numerals in full.

1. Я буду у вас (in five minutes). 2. Брат опоздал на (two
hours). 3. Её часы спешат на (ten minutes). 4. Его часы отста-
ют на (quarter of an hour). 5. Мы обедаем (at 12:30). 6. Вы
будете на вокзале (at 2:45 P. M.)? 7. Товарищи едут в город
(in 45 minutes). 8. Вечером доктор едет в госпиталь (for 2 or
3 hours). 9. Я приеду домой (in half an hour). 10. Мы будем
на Красной площади (at 3:45) 11. Было (5:00) когда мы
вошли в мавзолей Ленина. 12. Милиционер на углу (checked
the time) у себя на часах. 13. ("What time is it?"), спрашивает
милиционера крестьянин. 14. ("It is a quarter to four"), отвечает он. 15. Она купила (quarter of a pound) масла и (half a
pound) мяса. 16. Я ждал не только (half an hour), а (three
quarters of an hour).

VII. TRANSLATION INTO RUSSIAN

A

1. We had often seen Moscow, the Red Square, and the
tomb of Lenin (Ленина) in the movies. 2. But now we did not

know how to get (go) from our hotel to the square. 3. We had arrived in Moscow (Мы приéхали в Москву́) at quarter to eight this morning. 4. Our train had been a quarter of an hour late. 5. We went immediately to the hotel and took a room there. 6. We had breakfast, and at half past nine we went to see (sightsee) the city. 7. There, at the corner, was a policeman. 8. "Tell us please: where are the Kremlin and the Red Square?" 9. The policeman looked at us and asked: "Where are you from? Are you English (Englishmen)? How long have you been here (are you already here)?" 10. Then he told us: "The Kremlin and Red Square are right close by. Go straight ahead, then turn left and there will be the square." 11. We thanked the policeman and within five minutes we were on the square. 12. In front of Lenin's tomb was a big crowd. 13. When we got into line, the big clock on the tower of the Kremlin struck eleven. 14. I checked [my] watch, because it is always slow; it showed 10:45; I set it. 15. It was already 12 o'clock when we entered the mausoleum.

B

1. Yesterday we drove to the little old station of Blinsk to find out the train schedule and to buy tickets. 2. We wanted to take an express train; there was only one from (из) Blinsk to Leningrad, at 5:15 in the morning, and we decided to take it. 3. My brother wanted to buy first class tickets (tickets of first class), but that was impossible because we had only twelve rubles, and we needed three tickets. 4. We had to buy second class tickets, but it's all the same to me how I shall travel to Leningrad — first, second, or even third class (instr.). 5. Then we sent a telegram to notify our friend in Leningrad that we would (shall) arrive there on Friday at eleven o'clock in the morning. 6. Now everything is ready for our departure. 7. We have notified our landlord that we are leaving (driving away) at five o'clock on Friday morning, and that we do not need his two rooms any longer. 8. We have packed our last belongings (things) into very expensive, beautiful, and new suitcases and trunks. 9. The four suitcases we take with us into the train (train carriage), but the very large trunks we are sending by freight. 10. Last night I slept very badly. At midnight I asked my brother, "What time is it?" 11. For a long time he did not even answer, but finally he said: "Peter, what [is the matter] with you? It is still very early, by my watch only quarter past twelve! Sleep and don't talk!" 12. Finally,

at half past three we all got up, quickly dressed, drank a cup of coffee, and drove to the station. 13. I was, of course, afraid of being (to be) late for the train, but we were on time (во́ вре́мя), since (because) from our house to the station it is not far at all: one drives three minutes straight ahead along (по & dat.) Blinskaya Street, turns right into the fourth street, and there is (вот) the station. 14. When we arrived at the station, the large, old clock on the station building was just striking five o'clock. 15. At exactly 5:15 our train left Blinsk and at 11:00 we arrived at Leningrad and suddenly caught sight of the huge station. 16. At the station there was a large crowd of people. 17. In front of our car there were children with flowers in their hands, and groups of [factory] workers and peasants. 18. They were meeting a group of Englishmen; everybody was talking, laughing, and hurrying. 19. At last our friend Ivanov caught sight of us. He was very happy to see us and drove off with us in a taxi to his beautiful home. 20. Here we shall live almost two weeks, from this Friday until Tuesday of next week. 21. We shall sight-see the entire city, its famous boulevards and buildings, museums, and theaters, its remarkable bridges over the river Neva, its enormous squares and beautiful parks. 22. Yes, we shall not be bored in this city and our twelfth day will be as (та́кже) interesting as the first.

ADDITIONAL READING MATERIAL

Based on the vocabulary and grammar of the preceding lessons

М. П. АНДРЕЕВ

Семь месяцев тому назад Михаил Петрович Андреев получил работу на большом заводе недалеко от города Лос-Анжелеса в Калифорнии.

Андреев никогда не любил больших городов, но Лос-Анжелес ему очень понравился: много красивых домов, садов, больших парков. Есть также и интересные музеи и хорошие университеты. Конечно даже в несколько дней нельзя осмотреть всего города.

Андреев прекрасный механик. Он работает быстро и хорошо и на заводе все им довольны. Андреев тоже доволен своей работой. Он доволен и часами работы и своими новыми товарищами.

Андреев снял дом недалеко от завода и недалеко от своих новых товарищей. Обыкновенно, все рабочие этого завода живут там. Дома рабочих простые, но удобные: у всех домов есть гаражи, потому что у всех рабочих есть свои автомобили, — а перед домами — небольшие сады, где всегда много красивых цветов.

Андреев, его жена и их дети американские граждане. Для детей есть хорошая школа недалеко от дома; есть также городские парки, где ребята могут играть целый день.

Жена Андреева рада была узнать, что совсем рядом есть много хороших магазинов и ей не нужно будет далеко ездить за покупками. Кроме того ей очень нравятся их новые соседи. Они милые и приятные люди, — а так важно иметь хороших соседей, когда имеешь маленьких детей! Андреев же рад, что вечерами с соседями можно поиграть в карты или поговорить.

— Мы должны каждый день благодарить Бога за то, что мы так хорошо живём! — говорит жена Андреева мужу и детям. Никогда нельзя забывать, что не все так счастливы как мы! —

ДВАДЦАТЫЙ УРОК | TWENTIETH LESSON

*Declensional peculiarities of the neuter noun in the plural:
plurals in -a; in -и; genitive infix; plural of* **óзеро** — *Plural
of the possessive pronoun-adjective; pronoun adjectives*
такóй, какóй, котóрый, чей — *Date expressions*

I. COMMON EXPRESSIONS AND IDIOMS

В пéрвых чи́слах...	In the first days of ...
Продолжáть образовáние	To continue (one's) education
Поступи́ть в университéт	To enroll at a university
Поступи́ть на отделéние...	To enroll in the department of ...
Окóнчить медици́нский факультéт	To graduate from Medical School
Получи́ть дипло́м	To receive (earn) a diploma
На юриди́ческом факультéте	In the Law School (faculty of Law)
При университéте	At the university
Из рáзных стран	From various countries

«Учéние — свет, а неучéние — тьма!»

"Knowledge is light; ignorance is darkness!"

II. READING: НОВЫЙ УНИВЕРСИТЕТ

Осенью, **в пéрвых чи́слах сентября́,** в нáшем гóроде от-
крывáется нóвый университéт. Для населéния нáшего гóрода
э́то большóе собы́тие. С откры́тием университéта наш гóрод
займёт положéние одногó из культу́рных цéнтров страны́!

Вчерá на собрáнии в моéй шкóле я сдéлал доклáд: «Наш
университéт». Нá**шим** ребя́там óчень понрáвился мой доклáд.
В э́том доклáде я объясни́л мо**и́м** товáрищам, что учéние
óчень вáжное заня́тие.

Нам нужны́ учёные, инженéры, механики и докторá. Без
их знáний нáши рабóчие не смóгут рабóтать на нáших завóдах, а крестья́не — на свои́х поля́х.

181

Пото́м я рассказа́л им о но́вом университе́те, где я и мои́ това́рищи бу́дем **продолжа́ть на́ше образова́ние.**

В университе́те бу́дет пять и́ли шесть зда́ний. В но́вых зда́ниях бу́дут больши́е о́кна, бу́дет мно́го во́здуха и ме́ста для студе́нтов. Занима́ться в таки́х зда́ниях бу́дет о́чень прия́тно! **При университе́те** бу́дет своя́ библиоте́ка.

В университе́те бу́дет не́сколько отделе́ний. Каки́м предме́том студе́нты захотя́т занима́ться — **на то отделе́ние они́ и посту́пят.** Захо́чешь изуча́ть эконо́мику, — **посту́пишь на экономи́ческое отделе́ние;** бу́дущие доктора́ должны́ **око́нчить медици́нский факульте́т,** а юри́сты должны́ **получи́ть дипло́м на юриди́ческом факульте́те.**

Заня́тия в университе́те бу́дут **с пя́того сентября́ до деся́того ию́ня.** Бу́дет и ле́тний семе́стр **с пя́того ию́ля до шесто́го а́вгуста.** Бу́дут, коне́чно, и пра́здники. По́сле экза́менов, в конце́ ка́ждого семе́стра, студе́нтам даю́т не́сколько дней о́тдыха.

В университе́те бу́дут преподава́ть изве́стные учёные. Профессора́ прие́дут к нам **из ра́зных стран:** из Англии, из Фра́нции...

Учи́тель поблагодари́л меня́ за тако́й хоро́ший докла́д и попроси́л нас всегда́ по́мнить:

«Уче́нье — свет, а неуче́нье — тьма».

III. VOCABULARY

бу́дущий, -ая, -ее	future	**откры́тие**	discovery
		положе́ние	situation
ва́жный, -'ая, -'ое	important	**предме́т**	object, subject
		семе́стр	semester, term
дипло́м	diploma	**собы́тие**	event, occurrence
докла́д	report	**студе́нт**	student
зада́ча	problem, task	**уче́ние**	learning, study
заня́тие	classes, occupation	**учёный**	savant, scientist, scholar
зна́ние	knowledge	**центр**	center
культу́рный, -'ая, -'ое	cultural	**экза́мен**	examination
		эконо́мика	economics
населе́ние	population	**юри́ст**	lawyer, jurist
не́сколько	some, several, a few		

Verbs

Imperfective	Perfective	English
занима́ть (I)	заня́ть; займу́, займёшь, займу́т	to occupy
занима́ться (I)	заня́ться (заня́ть)	to study, be busy (with)
запомина́ть (I)	запо́мнить (II)	to remember, memorize
изуча́ть (I)	изучи́ть; изучу́, изу́чишь, изу́чат	I. to study, learn; P. to master
объясня́ть (I)	объясни́ть (II)	to explain
ока́нчивать (I)	око́нчить; око́нчу, око́нчишь, око́нчат	to finish
поступа́ть (I)	поступи́ть; поступлю́ посту́пишь, посту́пят	to enter, enroll, act
преподава́ть (дава́ть)	препода́ть (дать)	to teach, instruct
продолжа́ть (I)	продо́лжить; продо́лжу, продо́лжчшь, продо́лжат	to continue
расска́зывать (I)	рассказа́ть (сказа́ть)	to tell, narrate

Note: It is very important to know the cases which verbs of learning and studying take:

учи́ться "to study, learn" takes the dative case when referring to a field of study:

Я учу́сь ру́сскому языку́.   I study the Russian language.

When referring to a specific task, however, the accusative is used:

Я учу́ ру́сский уро́к.   I am studying the Russian lesson.

Also note:

Я учу́сь в университе́те.   I am studying at the university.

изуча́ть "to study, learn (thoroughly)" takes the *accusative* and is never used without a direct object:

Они́ изуча́ют ру́сский язы́к.   They are studying Russian.

занима́ться "to occupy oneself with, study" takes the *instrumental*. It may be used without an object expressed:

Он занима́ется. Он занима́ется   He is studying. He is studying
ру́сским языко́м.   the Russian language.

IV. GRAMMAR

A. Declensional peculiarities of the neuter noun in the plural[1]

1. Neuter nouns ending in -же, -че, -ше, -ще, -це change я of the endings to **a**:

со́лнце: со́лнца, солнц, со́лнцам, со́лнца, etc. "sun".

2. Neuter nouns the stem of which ends in two consecutive consonants usually insert **o** or **e** in the *genitive plural*:

Nom. Sing.	Gen. Pl.	
окно́	око́н	window
письмо́	пи́сем	letter
число́	чи́сел	number

The vowel to be inserted will be indicated in the vocabularies as follows: **окно́ (о); письмо́ (е); кре́сло (е).**

3. Neuter plurals in -и:

у́хо: у́ши, уше́й, уша́м, у́ши, уша́ми, уша́х "ear"

плечо́: пле́чи, плеч, плеча́м, пле́чи, плеча́ми, плеча́х "shoulder"

я́блоко: я́блоки, я́блок, я́блокам, я́блоки, я́блоками, я́блоках "apple"

4. Plural of **о́зеро: озёра, озёр, озёрам, озёра, озёрами, озёрах** "lake"

B. Pronoun-adjectives

1. *Declension of the possessive pronoun-adjective in the plural (for its declension in the singular see Lesson 14):*

---

[1] For a review of the regular declension of the neuter noun see Lesson 18, p. 161.

All Genders				
Nom.	мой	твой	свой	на́ши	ва́ши
Gen.	мои́х	твои́х	свои́х	на́ших	ва́ших
Dat.	мои́м	твои́м	свои́м	на́шим	ва́шим
Acc.	N. or G.	N. or G.	N. or G.	N. or G.	N. or G.
Instr.	мои́ми	твои́ми	свои́ми	на́шими	ва́шими
Prep.	мои́х	твои́х	свои́х	на́ших	ва́ших

Remember that the pronouns его́ "his, its," её "her, hers," их "their, theirs" used as possessives do not change in form.

2. *Demonstrative and interrogative pronoun-adjectives*:

a. The *demonstrative* pronoun-adjective тако́й, така́я, тако́е "such a, such a one" is declined like an adjective in -о́й : тако́й, тако́го etc.

Тако́й, -о́е is used in *emphatic* questions:

> Кто э́то тако́й? Who is that?
> Что э́то тако́е? What is that?

b. The interrogative pronoun-adjective како́й, кака́я, како́е is translated by "which, what kind of, what sort of":

> Каки́е часы́? What kind of watch?

It is declined like an adjective in -о́й.

The interrogative pronoun-adjective кото́рый, кото́рая, кото́рое is translated by "what, which, which one."

> Кото́рый час? What time? *Lit.*: Which hour?
> Кото́рое сего́дня число́ What date is today?

It is declined like an adjective in -ый.

c. The *interrogative possessive* pronoun-adjective чей, чья, чьё, чьи "whose" is declined like тре́тий: чей, чьего́, чьему́, etc.; чья, чьей etc.

> Чей э́тот журна́л? or Это чей журна́л? Whose magazine is it?
> Чья э́та кни́га? or Это чья кни́га? Whose book is it?
> Чьё э́то перо́? or Это чьё перо́? Whose pen is it?

Sometimes the possessives are used instead of forms of чей:

Это твой журна́л?	[Is] this (it) your magazine?
Это ва́ша кни́га?	[Is] this (it) your book?
Это их письмо́?	[Is] this (it) their letter?

C. Date expressions

Кото́рое сего́дня число́?	What is the date (today)?
Сего́дня второ́е апре́ля.	Today is the second of April
Кото́рое число́ бы́ло вчера́?	What date was yesterday?
Вчера́ бы́ло пе́рвое[1] апре́ля.	Yesterday was the first of April.
Кото́рое число́ бу́дет за́втра?	What date will tomorrow be?
За́втра бу́дет тре́тье апре́ля.	Tomorrow will be the third of April.

"On" is expressed by means of the *genitive* of the ordinal, thus:

Кото́рого числа́?	On what date?
Пя́того ма́я	On the fifth of May
Деся́того ию́ня	On the tenth of June

"From . . . to" is rendered by с . . . до, both prepositions being followed by the *genitive*:

С тре́тьего ию́ня до седьмо́го ию́ля	From the third of June to the seventh of July
С пе́рвого до пя́того ма́я	From the first to the fifth of May
С утра́ до ве́чера	From morning to evening

От . . . до is also used to express "from . . . to":

От второ́го до деся́того декабря́	From the second to the tenth of December

V. QUESTIONS

1. Когда́ открыва́ют но́вый университе́т? 2. Почему́ э́то тако́е большо́е собы́тие для населе́ния ва́шего го́рода? 3. Где вы сде́лали вчера́ докла́д? 4. О чём вы сде́лали докла́д? 5. Понра́вился ли ребя́там ваш докла́д? 6. Почему́ нам нужны́

---

[1] Notice that the *neuter* form of the *ordinal* numeral must be used, since число́, a neuter noun, is understood. Literally:
Сего́дня второ́е число́ апре́ля.   Today is the second (date) of April.

ученые, инженеры, доктора́ и меха́ники? 7. Где вы бу́дете продолжа́ть ва́ше образова́ние? 8. Ско́лько зда́ний бу́дет име́ть университе́т? 9. Почему́ бу́дет так прия́тно занима́ться в ва́шем университе́те? 10. Ско́лько бу́дет отделе́ний в универси́те́те? 11. Куда́ посту́пит студе́нт изуча́ть эконо́мику? 12. Кака́й факульте́т должны́ око́нчить бу́дущие доктора́? 13. Где должны́ получи́ть дипло́м юри́сты? 14. С кото́рого числа́ бу́дут заня́тия в университе́те? 15. Бу́дет ли ле́тний семе́стр? 16. Даю́т ли студе́нтам не́сколько дней о́тдыха по́сле экза́-менов? 17. Каки́е учёные и профессора́ бу́дут преподава́ть в университе́те? 18. Отку́да они́ прие́дут? 19. Был ли учи́тель дово́лен ва́шим докла́дом? 20. Что он попроси́л вас запо́м-нить?

VI. GRAMMAR EXERCISES

Exercises with Grammar A

a. Give the *plural* declension of the following nouns:

сообще́ние, воскресе́нье, нача́ло, университе́т, стена́, посте́ль, кусо́к, рубль, движе́ние, пла́тье.

b. Repeat the above exercise adding appropriate forms of the possessive, demonstrative, and interrogative adjectives, *e.g.*: како́е сообще́ние, э́то воскресе́нье, наш университе́т, etc.

c. From the Reading Exercise write out all *plural* nouns, along with their adjectives, and change them into the corresponding *singular* forms, *as follows*: **в пе́рвых чи́слах; в пе́рвом числе́.**

d. Give the correct *plural* forms of nouns in parentheses:

1. Ве́чером у нас бу́дут (собра́ние) в сосе́днем клу́бе. 2. В Нью Йо́рке о́чень высо́кие (зда́ние). 3. Около твое́й дере́вни краси́вые (о́зеро). 4. На на́ших (ме́сто) сиде́ли на́ши знако́мые. 5. Мы слу́шаем (у́хо). 6. Со́лнце сейча́с за (о́блако). 7. В ва́шей газе́те нет (объявле́ние). 8. Они́ пошли́ из (отделе́ние) в (отделе́ние). 9. Они́ живу́т в э́тих краси́вых (зда́ние). 10. У них но́вые (пальто́). 11. Я иду́ на по́чту за (письмо́). 12. Цветы́, пе́ред (окно́). 13. На столе́ — пять (я́блоко). 14. У его́ сестры́ краси́вые (плечо́). 15. Студе́нт ест э́ти (я́блоко) с хле́бом и сы́ром.

Exercises with Grammar B

a. Translate the possessive pronoun-adjectives in parentheses:

1. (My) часы́ пока́зывают че́тверть тре́тьего. 2. Кото́рый час на (yours)? 3. В (our) университе́тах занима́ться о́чень

прия́тно! 4. Учи́тель лю́бит говори́ть о (his own) зна́ниях.
5. Мне ну́жно мно́го занима́ться к (my) экза́менам. 6. Мы хо-
рошо́ зна́ем (their) дете́й. 7. К (our) студе́нтам приезжа́ет
но́вый профе́ссор. 8. Он бу́дет жить в (our) до́ме. 9. (Their)
прия́телям не понра́вился (his) но́вый автомоби́ль. 10. Нам
о́чень понра́вился (their) докла́д. 11. Я уложи́л ве́щи в (her)
чемода́ны. 12. Я зна́ю (his) дете́й. 13. Ты расска́жешь нам о
(your) экза́менах, а мы расска́жем тебе́ о (ours).

**b. Replace the English words in parentheses by proper forms
of** тако́й, како́й, кото́рый, чей:

1. Сего́дня (such a) хоро́шая пого́да. 2. В (such a) хоро́-
шую пого́ду нельзя́ сиде́ть до́ма. 3. Занима́ться в (such a) уни-
версите́те большо́е удово́льствие. 4. Для (such a) собы́тия я
куплю́ но́вое пла́тье. 5. (What) тепе́рь час на ва́ших часа́х?
6. (Whose) э́та кни́га и (whose) э́то перо́? 7. (What sort of)
пра́здник за́втра? 8. (What kind of) предме́том вы сейча́с зани-
ма́етесь? 9. (Whose) э́тот журна́л? 10. На (what sort of) кре́сле
вы сиди́те? 11. (What kind of) по́ездом вы е́дете? 12. (Which)
письмо́ вы получи́ли от бра́та? 13. О (what sort of) кни́ге они́
говори́ли вчера́? 14. (Which) уро́к они́ сего́дня у́чат? 15. (What
sort of) места́ у нас сего́дня в теа́тре?

Exercises with Grammar A and B

a. Change the following sentences to the *plural*:

1. Како́е интере́сное о́блако! 2. Где ва́ше письмо́? 3. Я не
могу́ жить в ко́мнате без окна́. 4. Пе́ред собра́нием мы всегда́
еди́м в рестора́не. 5. Я был гото́в к большо́му собы́тию. 6. Я
принима́ю ва́ше приглаше́ние. 7. Ве́чером я бу́ду в э́том боль-
шо́м зда́нии. 8. С его́ зна́нием, коне́чно, он мо́жет преподава́ть
в университе́те. 9. Мы мно́го смея́лись над твои́м письмо́м.
10. В теа́тре он лю́бит сиде́ть на хоро́шем ме́сте. 11. Профе́ссор
рассказа́л нам о собы́тии в Сиби́ри. 12. Учи́тель спроси́л меня́
о моём заня́тии. 13. Я забы́л об его́ письме́. 14. В кото́ром
зда́нии бу́дет собра́ние? 15. В тако́м прекра́сном по́ле, ко-
не́чно, мно́го цвето́в.

**b. Give the full declension (singular and plural) of the following
phrases:**

1. моё у́хо. 2. его́ но́вое откры́тие. 3. тако́е большо́е
о́зеро. 4. како́е но́вое заня́тие? 5. кото́рое число́?

Exercise with Grammar C

Translate the English expressions in parentheses, writing out all numbers in full:

1. (What) числа́ вы бу́дете на да́че? 2. Мне ка́жется, что в понеде́льник бы́ло (3rd of November). 3. Я бу́ду о́чень за́нят (on the 9th of August). 4. (From the 4th of July to the 8th of October) мы бы́ли в Росси́и, в Москве́ и в Ленингра́де. 5. Я получи́л письмо́ от бра́та (from the 8th of April). 6. (On what date) вас пригласи́ли в го́сти к до́ктору Че́хову? 7. Я бу́ду рабо́тать тут в ба́нке (from the 4th of July to the 9th of December). 8. Я бу́ду до́ма (on the 6th of January). 9. (From the 5th of April) мы бу́дем жить в дере́вне. 10. Он приезжа́ет в Москву́ (on the 10th of June). 11. (On what date) ты конча́ешь заня́тия в шко́ле? 12. (On the 7th of November) я купи́л по слу́чаю прекра́сную обстано́вку.

VII.   TRANSLATION INTO RUSSIAN
A

1. During the first days of October I have to give a report in my school. 2. I shall speak about New York. 3. In August and September I had been in New York and had seen (sight-seen) the city. 4. I had never seen such high buildings, such beautiful theaters, museums, and parks. 5. I shall also tell in my report about the great universities in New York. 6. We all know, how important it is to study. 7. Without good teachers, doctors, and engineers there can be no universities, no hospitals, no factories. 8. Next year I want to continue my education at a university in New York. 9. It will be interesting and pleasant to study with such famous professors, in such beautiful buildings. 10 I shall enroll in the department of economics. 11. I shall study a lot, but from the first of June to the tenth of September I shall always work in our kolhoz. 12. After three, four years I shall graduate from the department of economics and receive a diploma. 13. That will be a great event in my life.

B

1. Here is (вот) the first of June, the last day of my first semester at this university. 2. In the first days of September I had enrolled in the medical faculty. 3. That was a great day

in my life. On the first of September I had left (departed from) our little city of Blinsk, and on the fifth of that month I was a student at the famous cultural center of our country. 4. From the second to the fifth of September I had to take (держа́ть) many examinations. I had never seen such difficult questions. 5. I had never been at such a large university and at first I kept asking (asked): "Whose buildings are these and whose are those?" 6. My comrades laughed at me: "What a question!" they said, "of course all these (э́ти) buildings belong to (are of) the university!" 7. I had never seen such beautiful buildings, such interesting museums, and such huge libraries. 8. And how many professors are teaching, how many students from various countries are studying here! 9. Each professor teaches only two or three, sometimes only one, subject; the students are studying three or four. 10. At first my brother had enrolled in the faculties of economics and law, but now he is studying only economics. 11. I had promised my grandmother to come straight to her country house as soon as our vacations begin. 12. And so I am leaving by (with) an early train and shall be at Grandmother's tomorrow morning, at five or six o'clock. 13. I had never in my life worked so hard and now I am very glad that the vacations have started; every year we have summer vacations from the first of June to the ninth of September, three months and a week. 14. On the tenth of September classes will start again. 15. Tomorrow I shall be with dear old Grandmother. She had written me ten letters every month while I did not have time or energy to send her even one a month. 16. How I love the country life at Grandmother's! There I am a free person and can do what I please all day. 17. In good weather I shall often walk to the neighboring village where my friend, the blacksmith, lives. 18. It is far to the village; the road (way) there goes now uphill, now downhill, and across a little old bridge. 19. I love the view from the bridge: the blue river, the beautiful fields and woods, and far, far away the high, blue mountains. 20. In bad weather I shall help Grandmother around the house; I shall tell her about the noisy city life at the university, and explain my studies to her. 21. And in the evening I shall read aloud to her; she loves it and has often told me: "Kolya, when you read I can listen a whole day (even: хоть) and am never bored." 22. Yes, I do love my life at the university but I also love the summer days at Grandmother's.

ДВАДЦАТЬ ПЕРВЫЙ УРОК

TWENTY-FIRST LESSON

Plural of брат, стул, перо́, де́рево, лист, друг, сын, муж; плечо́,
де́ньги; *neuters in* -мя — *Pronoun-adjectives* э́тот, тот —
Verbs быть, быва́ть, станови́ться, стать (*with instrumental*)
— *Declension of* оди́н; *adjectives with cardinal numerals*

I. COMMON EXPRESSIONS AND IDIOMS

Всю про́шлую неде́лю	All last week
На про́шлой неде́ле	Last week
За э́тот год	In the course of this year
При э́том	Besides
Де́ло в том, что . . .	The reason is, the fact is, that . . .
Устро́ить пикни́к	To have (arrange) a picnic
Мне ста́ло лу́чше.	I am better, have improved.
Че́рез не́сколько лет	In a few years
Специали́ст по боле́зням	Specialist for ailments
Похо́жий на	Resembling, like
Кла́няйтесь! (with dative)	Remember me kindly to . . .
Всего́ хоро́шего!	Good-bye! farewell! *Lit.*: of everything good (жела́ть + gen. is understood.)

II. READING: ГОСТЬ ИЗ МОСКВЫ

9-го ию́ня

Дороги́е бра́тья, Михаи́л и Яков, —

Мы получи́ли ва́ше письмо́ **на про́шлой неде́ле**. Прости́те,
что не сра́зу вам отве́тили, но **де́ло в том, что** к нам прие́хал
на э́той неде́ле гость из Москвы́.

Вы, коне́чно, по́мните Шу́ру Петро́ва? Он **был больши́м**
прия́тел**ем** мои́х сын**ове́й** и ча́сто **быва́л у нас в** про́шлом году́.
Вы должны́ знать его́ бра́т**ьев**. Ста́рший брат **был** учи́тел**ем**
в на́шей шко́ле, а мла́дший неда́вно **стал** председа́тел**ем** на́-
шего колхо́за.

В э́том году́ Шу́ра жил **оди́н** в Москве́. Он поступи́л на
медици́нский факульте́т моско́вского университе́та. **Че́рез
не́сколько лет** он **бу́дет специали́стом по боле́зням** у́ха, го́рла
и но́са.

191

За э́тот год он измени́лся. Он стано́вится о́чень похо́жим на своего́ отца́. Нельзя́ не любова́ться его́ откры́тым лицо́м, краси́выми глаза́ми, высо́ким лбом . . .

Он прие́хал к нам в дере́вню «отдохну́ть», но вы зна́ете, како́й у молодёжи о́тдых! С утра́ до ве́чера в до́ме раздаю́тся молоды́е, весёлые голоса́, — шум, крик, визг . . . То молодёжь устро́ит пикни́к под дере́вьями в на́шем саду́, то взду́мают купа́ться и пое́дут на озёра в сосе́днюю дере́вню! А то быва́ет, сидя́т це́лый день до́ма со свои́ми друзья́ми!

Времена́ми мы уже́ не ра́ды, что пригласи́ли его́!

При э́том всю про́шлую неде́лю я была́ просту́жена: — у меня́ был на́сморк, боле́ли голова́, спина́ и пле́чи. В про́шлый понеде́льник я совсе́м не могла́ подня́ться с посте́ли! Тепе́рь мне ста́ло лу́чше.

Для тебя́, Михаи́л, у меня́ ещё две больши́х но́вости: — в бу́дущем ме́сяце това́рищ Си́доров уезжа́ет на рабо́ту на Кавка́з, а его́ жена́, Ма́ша, займёт его́ ме́сто на сосе́днем заво́де!

Вот и все на́ши собы́тия. Ребя́та вам кла́няются.

Кла́няйтесь на́шим друзья́м!

Всего́ хоро́шего!
Ве́ра.

III. VOCABULARY

бе́дный, -'ая, -'ое	poor	несча́стный, -'ая, -'ое	unhappy
бога́тый, -'ая, -'ое	rich	нос	nose
визг	squeal, shriek	откры́тый, -'ая, -'ое	open, honest
времена́ми	at times	писа́тель (m.)	writer, author
высо́кий, -'ая, -'ое	high	президе́нт	president
де́ньги	money	председа́тель (m.)	presiding officer, chairman
друго́й, -'ая, -'ое	other	просту́женный, -ая, -ое	affected by a cold
крик	shouting	светло́	light, bright
лицо́	face	ско́ро	soon, quickly
лоб (†о)	forehead	спина́	back
мла́дший, -'ая, -'ее	younger, youngest, junior	сра́зу	at once
		ста́рший, -'ая, -'ее	elder, eldest, senior
молодёжь	young people	темно́	dark
неда́вно	recently		

Verbs

Imperfective	Perfective	English
вздýмывать (I)	вздýмать (I)	to get the idea
изменя́ться (I)	измени́ться (II)	to change
кля́няться (I) (+Dat.)	поклони́ться; поклоню́сь, покло́нишься, покло́нятся	to greet, give regards to
купáться (I)	вы́купаться (I)	to bathe (swim)
любовáться; любýюсь, любýешься, любýются (+instrumental or на + Acc.)	полюбовáться (любовáться)	to admire (while looking at)
отдыхáть (I)	отдохнýть; отдохнý, отдохнёшь, отдохнýт	to rest
поднимáться (I)	подня́ться; поднимýсь, поднúмешься, поднúмутся	to arise, get up
раздавáться (давáть)	раздáться (дать)	to resound
становúться; становлю́сь, стано́вишься, стано́вятся	стать; стáну, стáнешь, стáнут	to become, grow, place oneself, begin

IV. GRAMMAR

A. Noun

1. *Plural declension of* брат; стул; перó; дéрево; лист:

Nom.	брáтья	стýлья
Gen.	брáтьев	стýльев
Dat.	брáтьям	стýльям
Acc.	брáтьев	стýлья
Instr.	брáтьями	стýльями
Prep.	брáтьях	стýльях

Like стул "chair" are declined перо "feather, pen," дéрево "tree," and лист "leaf (of a tree)." Лист in the meaning of "sheet, piece of paper" has a regular plural declension: листы́, листо́в, листа́м, листы́ etc. Note the special *plural* declension of муж "husband," друг "friend," and сын "son":

Nom.	мужья́	друзья́	сыновья́
Gen.	муже́й (!)	друзе́й (!)	сынове́й (!)
Dat.	мужья́м	друзья́м	сыновья́м
Acc.	муже́й (!)	друзе́й (!)	сынове́й (!)
Instr.	мужья́ми	друзья́ми	сыновья́ми
Prep.	мужья́х	друзья́х	сыновья́х

2. *Declension of* дéньги *"money"*:

Nom.	дéньги		Acc.	дéньги
Gen.	дéнег		Instr.	деньга́ми
Dat.	деньга́м		Prep.	дéньгах

3. *Plural declension of neuter nouns in* -мя: и́мя; вре́мя[1] (for the singular, see Lesson 17.):

Nom.	имена́	времена́
Gen.	имён	времён
Dat.	имена́м	времена́м
Acc.	имена́	времена́
Instr.	имена́ми	времена́ми
Prep.	имена́х	времена́х

B. Declension of the demonstrative pronoun-adjectives э́тот "this," тот "that"

Singular	Masc.	Neut.	Fem.	Plural All Genders
Nom.	э́тот	э́то	э́та	э́ти
Gen.	э́того	э́того	э́той	э́тих
Dat.	э́тому	э́тому	э́той	э́тим
Acc.	N. or G.	э́то	э́ту	N. or G.
Instr.	э́тим	э́тим	э́той (ою)	э́тими
Prep.	э́том	э́том	э́той	э́тих

---

[1] Other neuters in -мя are given here for reference only: зна́мя "flag, standard"; пла́мя "flame"; пле́мя "tribe"; бре́мя "burden"; се́мя "seed"; стре́мя "stirrup"; те́мя "crown (of the head)"; вы́мя "udder."

Singular	Masc.	Neut.	Fem.	Plural All Genders
Nom.	тот	то	та	те
Gen.	того	того	той	тех
Dat.	тому	тому	той	тем
Acc.	N. or G.	то	ту	N. or G.
Instr.	тем	тем	той (тою)	теми
Prep.	том	том	той	тех

Note that the two declensions are identical except for the substitution of **e** for **и** in the endings of the instrumental singular masculine and neuter and of the entire plural of тот. Also note the difference in stress position.

C. The verbs быть, бывать (I), становиться, стать

1. **Бывать** means "to be occasionally" or "habitually" and with **у** and the genitive stands for "to visit":

Он часто **бывает** у нас.   He frequently visits us.

It also renders "to happen, to take place":

Это часто **бывает**.   That often happens.

2. **Становиться** (imperfective), **стать** (perfective) mean:

a. "to place oneself, take up one's position":

Он **становится** в очередь.   He takes his place in line (gets into line).

b. "to become, get, grow":

Становится холодно, жарко, темно, светло.   It is becoming cold, hot, dark, light, etc.
Мне **стало** очень весело.   I became (grew) very merry.

c. **Стать** means "to begin" when used with an infinitive:

Он скоро **станет** говорить по-русски.   He will soon begin to speak Russian.

3. When a noun or adjective is used as a predicate of быть,[1] становиться, стать, it usually appears in the *instrumental* case instead of the nominative:

Он был (будет) инженером.[1]   He was (will be) an engineer.
Он стал (станет) солдатом.   He became (will become) a soldier.

---

[1] With быть this rule applies only in the *past* and *future* (i. e. when быть is actually *expressed*) and only when a *change* is implied: Теперь он учитель, а скоро будет профессором.

D. Numerals

1. *Full declension of* одѝн, однá, однó *"one"*:

		Singular		*Plural*
	Masc.	*Neut.*	*Fem.*	*All Genders*
Nom.	одѝн	однó	однá	однѝ
Gen.	одногó	одногó	однóй	однѝх
Dat.	одномý	одномý	однóй	однѝм
Acc.	like N. or G.	однó	однý	like N. or G.
Instr.	однѝм	однѝм	однóй	однѝми
Prep.	однóм	однóм	однóй	однѝх

Одѝн, однá, однó, однѝ is also used in the meaning of "alone, only":

Он одѝн.	He is alone.	Он одѝн э́то знáет.	Only he knows it.
Мы однѝ.	We are alone.	Мы однѝ э́то знáем.	Only we know it.

Однѝ is also used in the meaning of "some": Однѝ кнѝги на столé, а другѝе на полý. *Some* books are on the table and others are on the floor.

2. Adjectives after all cardinal numerals (except одѝн) are in the genitive plural.[1]

два больши́х столá	two big tables
четы́ре интерéсных кнѝги	four interesting books

V. QUESTIONS

1. Когдá вы получѝли письмó от брáтьев? 2. Кем был Шýра Петрóв? 3. Когдá он чáсто бывáл у вас? 4. Кем был его стáрший брат? 5. Кем недáвно стал его млáдший брат? 6. Где жил Шýра в э́том годý? 7. Кудá он поступѝл? 8. Кем он стáнет чéрез нéсколько лет? 9. Изменѝлся ли Шýра за э́тот год? 10. На когó он станóвится похóж? 11. Почемý он приéхал к нам в дерéвню? 12. Что раздаётся в дóме с утрá до вéчера? 13. Что дéлает молодёжь? 14. Сидя́т ли онѝ иногдá дóма со свойми друзья́ми? 15. Когдá вы бы́ли простýжены? 16. Чем вы бы́ли больны́? 17. Стáло ли вам тепéрь лýчше? 18. Для когó у вас две больши́х нóвости? 19. Когдá уезжáет

---

[1] This rule applies only when the numeral is in the nominative, genitive, or accusative.

товарищ Сидоров? 20. Куда он уезжает? 21. Кто занимает его место на заводе? 22. Кто кланяется Михайлу и Якову? 23. Кому вы кланяетесь?

VI. GRAMMAR EXERCISES

Exercise with Grammar A

Give the correct *plural* forms of the nouns in parentheses:

1. Мои (сын) вам кланяются. 2. В Москве я жил один и очень скучал без моих (друг). 3. Я рад, что я понравился вашим милым (друг). 4. В этом году у моих (брат) много работы. 5. Я хочу поехать в деревню с твоими (брат). 6. Почему моя книга и мой журнал под этими (стул)? 7. На этих (стул) удобно сидеть. 8. Я недавно любовался этими прекрасными (озеро). 9. В этих (озеро) приятно купаться. 10. У нас столько новых знакомых, что мы не помним их (имя). 11. Мы вздумали устроить пикник под (дерево) нашего сада. 12. В нашем саду мало (дерево). 13. Наша дача около тех высоких (дерево). 14. Ты не знал (имя) наших новых профессоров? 15. Мы слушаем (ухо). 16. Моя подруга вздумала купить шляпу с большими чёрными (перо). 17. Мои старшие (брат) продолжают своё образование в Московском университете. 18. Дети играли в парке между (дерево). 19. Мы часто вспоминаем о тех прекрасных (время). 20. (Время) теперь стали другими. 21. (Время) мы уже не рады, что его пригласили. 22. Он помнит (имя) всех своих учеников.

Exercises with Grammar A and B

a. Translate the pronoun adjectives in parentheses:

1. (This) **стул будет** в твоей комнате, а (that) **кресло** в моей. 2. У (this) **студента** нет **пера**. 3. Около (that) **дерева** мы можем отдохнуть. 4. Он много занимался перед (this) **экзаменом**. 5. В (this) **университете** нет библиотеки, а в (that) есть. 6. Мы всегда ездим за покупками в (this) **город**. 7. Мы берём (this) **журнал** домой. 8. В (that) **колхозе** новый председатель. 9. **Я спешу** к (this) **поезду**.

b. In the above exercise place all words which are in parentheses and all boldface words into the *plural*.

c. Give the full declension (sing. & plur.) of the following:

на́ша пе́рвая кни́га, э́тот большо́й го́род, како́й краси́вый
го́лос, тот ста́рый англича́нин, кото́рое число́, тако́е си́нее
о́зеро, то знамени́тое и́мя, дорого́й друг, оди́н бе́лый лист,
на́ши де́ньги.

Exercises with Grammar C

a. Change the following sentences into the past tense:

1. Мой ста́рший брат ча́сто быва́ет в го́роде. 2. Тут ча́сто
быва́ют дожди́. 3. На вокза́лах всегда́ быва́ет толпа́ люде́й.
4. В э́том го́роде быва́ет мно́го тури́стов. 5. В на́шем кли́мате
иногда́ быва́ет ра́нняя весна́. 6. Вы ча́сто быва́ете в кино́? 7. Он
ка́ждое воскресе́нье быва́ет у нас. 8. Э́то иногда́ быва́ет со
мной.

b. Change the following into the *perfective* aspect past and future:

1. О́сенью в дере́вне стано́вится ску́чно. 2. Мне стано́вится
хо́лодно. 3. Она́ стано́вится в о́чередь за ма́слом. 4. Они́ те-
пе́рь ско́ро стано́вятся профессора́ми. 5. Ты стано́вишься
о́чень похо́ж на своего́ отца́. 6. Он стано́вится умне́е (more clever). 7. Станови́лось темно́. 8. Станови́лось хо́лодно.

c. Supply the endings:

1. Он стал изве́стн— учён—. 2. Он был прост—' солда́т—.
3. Весно́й он ста́нет инжене́р—. 4. Он бу́дет председа́тел— на́-
шего клу́ба. 5. Они́ всегда́ бы́ли хоро́ш— прия́тел—. 6. Он
стал специали́ст— по боле́зням у́ха, го́рла и но́са. 7. Он стал
о́чень бога́т— челове́к—. 8. Зна́ете к— (кто) она́ ста́ла?
Знамени́т— певи́ц—.

Exercises with Grammar D

a. Translate the words in parentheses:

1. В ко́мнате (one) стул и (one) кре́сло. 2. Здесь есть
ме́сто для (one) челове́ка. 3. Мы пригласи́ли на да́чу (one)
го́стя. 4. Мы сиди́м за (one) столо́м. 5. К (one) мое́й подру́ге
прие́хали бра́тья из Сиби́ри. 6. Гру́ппа крестья́н е́дет в (one)
ваго́не. 7. Я зна́ю то́лько (one) о́перу. 8. Мы бы́ли (alone) в
ко́мнате. 9. Я взду́мал купа́ться в о́зере (alone). 10. У нас (one)

голова́, (one) нос, (one) лоб, (one) рот, (one) спина́ и (one) лицо́.

b. Translate the expressions in parentheses:

1. В на́шем го́роде (five big buildings). 2. (nine little children) игра́ли в па́рке. 3. Моя́ сосе́дка купи́ла (three dresses). 4. Я сейча́с получи́л (one interesting periodical). 5. В э́том ме́сяце бы́ло то́лько (six rainy days). 6. В ку́хне (five red chairs). 7. Вчера́ я получи́л (seven important letters). 8. В моём саду́ (two high trees). 9. У неё (twelve new pens). 10. Он купи́л (ten big apples). 11. У мое́й сосе́дки (two beautiful violins). 12. Сего́дня (first summer day). 13. В про́шлом ме́сяце бы́ло то́лько (three good summer days). 14. Ему́ тру́дно написа́ть э́ти (two long letters).

General Review of Verbs[1]

a. Give the *past* tense and English meaning of the following verbs:

1. сказа́ть 2. отве́тить 3. есть 4. класть 5. мочь 6. дава́ть 7. идти́ 8. поправля́ться 9. прочте́сть 10. одева́ться.

b. Give the *imperative* forms and English meaning of the following verbs:

1. гото́вить 2. е́хать 3. быть 4. есть 5. писа́ть 6. смея́ться 7. ждать 8. брать 9. занима́ться 10. пить.

c. Give the four key forms in the *imperfective* and the *perfective* aspects, as well as the English meaning of the following verbs:

1. дава́ть 2. входи́ть 3. одева́ться 4. приглаша́ть 5. принима́ть 6. брать 7. отвеча́ть 8. снима́ть 9. объясня́ть 10. станови́ться.

VII. TRANSLATION INTO RUSSIAN

A

1. All last week I was with my friends in the country. 2. They have a large country home in a very beautiful spot.

---

[1] This type of Review Exercise should be repeated with the verbs of every five lessons.

3. I came here to rest. 4. Last week [it] was very cold, and it rained all the time. 5. But this week there is much sun; it has turned (become) warm, even hot. 6. On Monday of this week we had a picnic under the trees in my friend's beautiful garden. 7. On Wednesday or Thursday, we shall drive for a swim (to bathe) to the lake at the neighboring village. 8. I have improved (in the course of) this week. 9. I had been very sick all last year and at times could not even get up. 10. Besides, I was all alone in the house. 11. My sons were working in a plant at Leningrad and my daughter was at the Moscow University. 12. Our doctor, an ear-nose-and-throat specialist, visited me four or five times last year. 13. He told me that I must go to the country to rest and improve [my health]. 14. The doctor was right; I needed rest and fresh air. 15. Here in the country I have grown healthy again.

B

1. Dear Paul,

I am writing to you from the country home of my brother's friend, the writer Ivanov. 2. Do you remember, I told you that we would (will) go to Paris[1] and would live almost two weeks with Mr. Ivanov? 3. And here I am! All last week, for seven wonderful days, we saw (sight-saw) the great city of Paris. I shall always remember those famous buildings and huge squares, the long streets, and remarkable bridges. 4. After we had seen the entire city, on the eighth day, last Saturday, we drove with Mr. Ivanov in his beautiful new car to his country house. 5. He owns not only one, but two, enormous country homes, one on (at) the River Seine[2], and another in the mountains. 6. And he has not only one car but three big new ones; one is always in the city, the others, the "country" cars, are always in the country. 7. Mr. Ivanov is not poor; he obviously has a great deal of (very much) money! 8. Besides us (кроме нас) there are at his country place five other good friends of Mr. Ivanov; they frequently visit him there. 9. I do not remember their names now, but I do know that one of them is a singer from (of) the Paris[3] opera, another is a very serious and very boring engineer from America; there are also two skinny, old Englishmen, and a nice, jolly lady teacher resembling my mother. 10. Mr. Ivanov has a very large family and had invited his father and mother and his brothers and sisters for this week to his country house, where they can rest and have a good time. 11. But two [of his] famous brothers,

---

1 Париж
2 на реке Сене
3 парижской

also writers, were too busy in the city, and his father and mother had colds (were affected by a cold). 12. And so only his youngest brother Sasha and his beautiful elder sister could come (приехать). 13. Sasha is a student at the Paris University in the medical faculty, and in a year or two he will become a nose-throat-and-ear specialist. 14. The young people have, of course, arranged picnics; they go swimming, and play golf or tennis. 15. Do you know Paul, how many lakes there are here? Three beautiful little lakes—and through them there flows (течёт) a little river. 16. And the mountains are not at all far from here; yesterday we drove there in one of Ivanov's "country" cars. 17. I have never lived such an interesting, free life; everyone here can do what he wants; some play cards or read or look at television programs all day long; others walk in the fields or go swimming in the beautiful lakes or drive to (into) the mountains. 18. But now it is turning (becoming) rainy and cold and tomorrow Mr. Ivanov and his friends will drive to Paris and we shall have to drive back to our little old town of Domrémy.[1] 19. I shall always think about the twelve wonderful Paris days. 20. Remember me kindly to our friends in Domrémy and tell them that within three days I shall be home again.

Good bye!
Your Peter.

ADDITIONAL READING MATERIAL

Based on vocabulary and grammar of preceding lessons, with special emphasis on Lessons 13, 14, 19, 20, and 21

МОЯ ЖИЗНЬ ПО РАСПИСАНИЮ.

Говорят, что у меня скучная жизнь. Но пусть говорят, что хотят. Я занятой человек и у меня нет времени думать о том, что говорят люди.

Летом, зимой, весной и осенью, с понедельника до субботы я всегда на службе. Конечно, летом, в августе, в первых числах августа, мы с женой всегда уезжаем из города на две-три недели в горы или к морю. На работу мне надо ехать поездом полчаса. За это время я прочитываю газету, думаю о работе и не замечаю как проходит время. Поезд приходит на вокзал ровно в четверть девятого и через несколько минут я уже сижу за столом своей конторы.

---

[1] Домреми

В по́лдень я ухожу́ из конто́ры на три че́тверти ча́са на обе́д. По понеде́льникам и среда́м я ем в небольшо́м рестора́не за угло́м от конто́ры, а по вто́рникам, четверга́м и пя́тницам я, обыкнове́нно, хожу́ в ру́сский рестора́н, че́рез у́лицу от конто́ры.

Как то́лько часы́ пока́зывают без че́тверти пять, пора́[1] собира́ться е́хать домо́й. Мое́й жене́ никогда́ не на́до спра́шивать: — В кото́ром часу́ ты бу́дешь сего́дня до́ма? — К у́жину я никогда́ не опа́здываю!

Че́рез час я уже́ до́ма. Обыкнове́нно, у жены́ у́жин гото́в во́-время, но иногда́ она́ опа́здывает с у́жином и тогда́ у меня́ есть вре́мя проче́сть вече́рнюю газе́ту. Жена́ говори́т, что я всегда́ чита́ю и́ли журна́л, и́ли газе́ту, и́ли кни́гу. «Му́жу всё равно́ есть ли у нас обе́д. Но е́сли нет газе́ты, журна́ла и́ли книг, тогда́ он несча́стный челове́к», ча́сто говори́т она́.

Два ра́за в неде́лю, в понеде́льник и в сре́ду ве́чером я е́зжу на час-два в клуб.

В январе́ про́шлого го́да я стал председа́телем о́бщества писа́телей и два ра́за в ме́сяц до́лжен устра́ивать собра́ния, а раз в год в ма́рте ме́сяце, я до́лжен сам де́лать докла́д о рабо́те на́шего о́бщества.

В четве́рг ве́чером у меня́ уро́к ру́сского языка́. Я занима́юсь ру́сским языко́м ка́ждый день, час в день. В пя́тницу ве́чером к нам прихо́дят сосе́ди на два-три часа́ игра́ть в ка́рты. «Когда́ рабо́таешь всю неде́лю, в пя́тницу пора́ поду́мать об о́тдыхе», говори́т жена́. В суббо́ту у́тром я помога́ю жене́ по хозя́йству, е́зжу с ней в го́род за поку́пками, рабо́таю по до́му и́ли в саду́. Воскресе́нье — день о́тдыха. Мы за́втракаем по́здно, идём в це́рковь, обе́даем, а по́сле обе́да я коне́чно за́нят газе́той ча́са два. Вот и коне́ц неде́ли! Мне не на́до ду́мать, что я бу́ду де́лать на бу́дущей неде́ле, в бу́дущем ме́сяце и в бу́дущем году́, — у меня́ уже́ гото́во расписа́ние на мно́го лет!

---

[1] пора́ (adverb) "it is time," but is also used in poetic or archaic language as a noun in the meaning of "time": ле́тняя пора́ summertime; вре́мя unit of time, duration; раз once, one time, times; number of occurrences, performances.

ДВАДЦАТЬ ВТОРОЙ УРОК

TWENTY-SECOND LESSON

*Masculine nouns ending in -a or -я — The reflexive
pronoun себя and the emphatic сам — Translation of
"let me, us, him, them"; Use of the infinitive in the
imperative mood; Infinitive with the dative
rendering "have to," "am to"*
[*Review of the feminine noun declension in the plural*]

I. COMMON EXPRESSIONS AND IDIOMS

Одна шестая часть	One-sixth part
Вся обитаемая суша	The entire habitable land
Условия жизни	Conditions of life
Собирать урожай	To bring in the harvest
Животный и растительный мир	Fauna and flora
Лёсо-степь	Forest-steppe
Плодородная почва	Fertile soil
Плантация сахарной свёклы	Sugar beet plantation
Фруктовый сад	Orchard. *Lit.*: fruit garden
Природные богатства	Natural resources; raw material wealth
Район добычи и обработки	The region of extraction and processing
Сахарный тростник	Sugar cane

II. READING: УРОК ГЕОГРАФИИ

Давайте посмотрим на карту Советской России или
С.С.С.Р. Эта страна занимает одну шестую часть всей обита-
емой суши. От западных границ С.С.С.Р. до восточных семь
тысяч миль, а от северных границ до южных почти четыре
тысячи миль.

Конечно, на такой большой территории встречаются
разнообразные климаты и условия жизни. Представьте се-
бе, что в тот же самый день, когда на севере России идёт
снег, на юге собирают урожай!

Животный и растительный мир северных областей очень
беден. К югу начинается зона лесов, за зоной лесов зона
лёсо-степи, а затем начинается великая русская равнина.

203

Зо́на равни́н занима́ет большу́ю пло́щадь. **Плодоро́дная по́чва** э́той зо́ны даёт прекра́сные урожа́и.

У ю́жных грани́ц вели́кой ру́сской равни́ны нахо́дятся **планта́ции са́харной свёклы** и **фрукто́вые сады́**. На ю́ге, за зо́ной равни́н идёт зо́на пусты́нь.

За высо́кими гора́ми Сре́дней Азии и Кавка́за лежи́т субтропи́ческая зо́на. Тут о́чень тёплый и прия́тный кли́мат. В не́которых места́х э́той зо́ны расту́т апельси́ны, лимо́ны, а в други́х расту́т хло́пок, **са́харный тростни́к** и каучуконо́сы.

В Росси́и мно́го больши́х рек. Посмо́трим на ка́рту азиа́тской ча́сти С.С.С.Р. Тут вы уви́дите мно́го дли́нных и широ́ких рек. В европе́йской ча́сти страны́ та́кже нахо́дятся больши́е и дли́нные ре́ки: Во́лга, Днепр, Дон.

Приро́дные бога́тства Росси́и разнообра́зны. Гла́вный **райо́н добы́чи и обрабо́тки** не́фти нахо́дится на Кавка́зе, о́коло го́рода Баку́. Гла́вные райо́ны добы́чи и обрабо́тки мета́ллов нахо́дятся на ю́ге, в райо́не Донба́сса, а та́кже в восто́чном райо́не Ура́ла и Кузба́сса.

Террито́рию С.С.С.Р. населя́ет сто во́семьдесят (180) наро́дов. Они́ представля́ют **собо́ю** смесь ра́зных национа́льностей. **Пусть пое́дет** тури́ст из европе́йской ча́сти страны́ в азиа́тскую. Тут он **сам** уви́дит ско́лько ра́зных наро́дов живёт в С.С.С.Р. Ка́ждый наро́д име́ет свой национа́льный язы́к, свою́ национа́льную исто́рию и свою́ национа́льную культу́ру.

III. VOCABULARY

1. *General*

апельси́н	orange (fruit)	**не́которые**	some
вели́кий,	great, mighty	**нефть**	oil (crude)
-́ая, -́ое		**о́бласть**	region
грани́ца	border	**пое́здка**	trip
зате́м	after that	**почти́**	almost
зелёный,	green,	**пусты́ня**	desert
-́ая, -́ое	verdant	**равни́на**	plain
зо́на	zone	**разнообра́зный,**	various,
ка́рта	map	-́ая, -́ое	variegated
каучуконо́с	rubber tree	**смесь**	mixture
культу́ра	culture	**террито́рия**	territory
лимо́н	lemon	**ты́сяча**	thousand
мета́лл	metal	**хло́пок**	cotton
ми́ля	mile	**широ́кий,**	broad, wide
национа́льный,	national	-́ая, -́ое	
-́ая, -́ое			

Verbs

Imperfective	Perfective	English
населя́ть (I)	насели́ть (II)	to populate, settle
находи́ться (ходи́ть)	найти́сь (идти́)	to be located, found
начина́ться (I)	нача́ться; начну́сь, начнёшься, начну́тся	to begin
отделя́ть (I)	отдели́ть (II)	to separate
расти́; расту́, растёшь, расту́т	вы́расти (расти́)	to grow, grow up

2. *Points of the Compass:*

восто́к:	восто́чный, -́ая, -́ое	East, eastern
за́пад:	за́падный, -ая, -ое	West, western
се́вер:	се́верный, -ая, -ое	North, northern
юг:	ю́жный, -́ая, -́ое	South, southern

3. *Proper Names:*

Азия: азиа́тский, -́ая, -́ое	Asia, Asiatic
Сре́дняя Азия	Central Asia
Евро́па: европе́йский, -́ая, -́ое	Europe, European
Баку́ Baku; Во́лга Volga; Днепр Dnepr; Дон Don	
Донба́сс: доне́цкий у́гольный бассе́йн	The Donets coal-field
Кузба́сс: кузне́цкий у́гольный бассе́йн	The Kuznets coal-field

Кавка́з Caucasus; Ура́л Ural (Mountains)

Сове́тская Росси́я С.С.С.Р. Сою́з Сове́тских Социалисти́ческих Респу́блик Union of Soviet Socialist Republics (U.S.S.R.)

IV. GRAMMAR

A. Masculine nouns ending in a or я

These nouns are declined like *feminine*[1] nouns, thus:
Мужчи́на "man" is declined like же́нщина "woman":

Sing.: мужчи́на, мужчи́ны, мужчи́не, мужчи́ну, мужчи́ной, мужчи́не

---

[1] For the plural declension of the feminine noun, see Lesson 18.

Plur.: мужчи́ны, мужчи́н, мужчи́нам, мужчи́н, мужчи́нами, мужчи́нах

Like мужчи́на are declined де́душка "grandfather."[1]

Дя́дя "uncle" is declined like неде́ля (except in the genitive and accusative plural):

Sing.: дя́дя; дя́ди, дя́де, дя́дю, дя́дей, дя́де
Plur.: дя́ди, дя́дей, дя́дям, дя́дей, дя́дями, дя́дях

Adjectives modifying these nouns, as well as pronouns used for these nouns, are masculine, agreeing with the natural gender (masculine) of such nouns and not with their feminine endings:

Это мой ста́рый дя́дя.	This is my old uncle.
Он живёт с на́ми уже́ четы́ре го́да.	He has been living with us four years already.

B. The reflexive pronoun себя́ "self" and the emphatic сам "self"

1. The *reflexive pronoun* себя́ "-self" is used of all persons, singular and plural. It has *no nominative,* since it can never be the subject of a sentence:

Nom.		Acc.	себя́
Gen.	себя́	Instr.	собо́й (о́ю)
Dat.	себе́	Prep.	себе́

От себя́ не уйдёшь!	You cannot escape yourself!
Он э́то себе́ купи́л.	He bought it for himself.
Приди́ в себя́!	Come to your senses! (Come into yourself!)
Я э́то беру́ с собо́й.	I am taking this with me.
Она́ мно́го говори́т о себе́.	She speaks much about herself.

2. The *emphatic definite pronoun* сам "-self" is used chiefly for emphasis of identity with nouns or personal pronouns and agrees with these in number, gender, and case:

Ма́льчик сам э́то сде́лал.	The boy has done it himself.
Я ви́дел самого́ президе́нта.	I saw the President himself.

It is very often used with the reflexive pronoun себя́:

Пода́рок самому́ себе́	A present to himself
Он сам с собо́й говори́т.	He speaks to himself.

---

[1] Taking proper account of Vowel Mutation Rule B and infix **e** and **o** respectively in genitive plural.

Full declension of the emphatic definite pronoun **сам**:

	Masc.	*Neut.*	*Fem.*	*Pl. All Genders*
Nom.	сам	само́	сама́	са́ми
Gen.	самого́	самого́	само́й	сами́х
Dat.	самому́	самому́	само́й	сами́м
Acc.¹	самого́	само́	самоё	сами́х
Instr.	сами́м	сами́м	само́й (ою)	сами́ми
Prep.	само́м	само́м	само́й	сами́х

C. Verb

1. *Translation of "let me, him, her, it, us, them"*:

дай², да́йте³ $\left\{ \begin{array}{l} \text{я ко́нчу} \\ \text{мне ко́нчить} \end{array} \right\}$ Let me finish

This pattern applies to all persons (except second):

or: дай, да́йте он (она́, оно́) ко́нчит, мы ко́нчим, etc.
дай, да́йте ему́, ей, нам, им ко́нчить.

(Note: Second type of construction uses the *dative* of the pronoun with the *infinitive* of either aspect of the verb.)

2. *Imperative including the speaker, i. e., "let us"*:

Let us: Дава́й²
Дава́йте³   with the imperfective infinitive:

Дава́й есть.	Let us eat.
Дава́йте чита́ть.	Let us read.
Дава́йте говори́ть по-ру́сски.	Let us speak Russian.

or: simply the first person plural (usually of the perfective verb):

Поговори́м по-ру́сски.	Let's speak Russian.
Пойдёмте.³	Let us go.
Пойдёмте гуля́ть	Let us go for a walk.

---

¹ Note that this pronoun has only an animate form in the accusative masculine singular and plural, which, of course, is like the genitive. It is not used with reference to inanimate objects; with reference to these a form of **са́мый** must be used.

² When addressing a single person familiarly.

³ When addressing a number of persons, or one person politely.

Often used in combination with **давай**:

давай поработаем, давайте поговорим, etc.

Let him:　Пускай or Пусть with the third person *singular*
　　　　　(Either aspect can be used; the personal pronoun
　　　　　is sometimes omitted):

Пускай
Пусть　}купит эту книгу. Let him buy this book.

Пускай (пусть) играет.　　Let him play.

Let them:　Пускай or Пусть with the third person *plural*:

Пускай
Пусть　}купят эту книгу. Let them buy this book.

Пускай (пусть) играют.　　Let them play.

Пусть, Пускай usually have an *exhortative* force.

3. *Use of the infinitive in the imperative mood*:

Emphatic command: **Молчать!** Silence! **Работать!** *Work!*

4. *Infinitive* with the *dative* rendering "have to," "am to":

Что **нам** делать?　　　　What are we to do?
Кому идти?　　　　　　　Who is to go?
Вам идти!　　　　　　　　You are to go!

V.　QUESTIONS

1. Какую площадь занимает С.С.С.Р.? 2. Сколько миль отделяет западные границы Советского Союза от восточных и северные от южных? 3. Почему условия жизни в С.С.С.Р. такие разнообразные? 4. Какие зоны находятся в северных областях Советского Союза? 5. Какие зоны находятся в южных областях? 6. В какой зоне почва очень плодородная? 7. Где находятся плантации сахарной свёклы и сахарного тростника? 8. Где начинается зона пустынь? 9. Где находится субтропическая зона? 10. Какой климат в субтропической зоне? 11. Что тут растёт? 12. В какой части страны находятся большие реки? 13. Как велики природные богатства Советского Союза? 14. Где находится главный район добычи нефти? 15. Где находятся главные районы добычи и обработки металлов? 16. Какие народы населяют С.С.С.Р.? 17. Имеют ли они свою национальную культуру? 18. Есть у каждого из этих народов свой национальный язык и своя национальная история?

VI. GRAMMAR EXERCISES

Exercises with Grammar A

a. Give the plural declension of the following nouns:
вещь, хозя́йка, шко́ла, телегра́мма, ми́ля, дверь, мавзоле́й, приём, сло́во, рот

b. Repeat above exercise adding forms of э́тот, тот, кото́рый, како́й, тако́й, and appropriate adjectives.

c. From the Reading Exercise write out all *feminine* nouns giving their *case, number,* and *English meaning,* thus:

на ка́рту	Acc. Sing.	"at the map"
за́падных грани́ц	Gen. Pl.	"of the western borders"

d. In the following sentences change the boldface words into the *plural*:

1. Вот **моя́ кни́га,** а тут **твоя́ газе́та.** 2. На столе́ **но́вая ска́терть.** 3. Без **ка́рты** мы не зна́ем как е́хать в **дере́вню.** 4. В э́том ста́ром до́ме нет ни окна́ ни **две́ри.** 5. У мое́й подру́ги бога́тый брат. 6. Ваш друг хорошо́ зна́ет **э́ту планта́цию.** 7. Около **той грани́цы** нахо́дится **равни́на.** 8. К её **сосе́дке** прие́хал гость с Кавка́за. 9. В **дере́вне** стро́ят **но́вую шко́лу.** 10. Кто пое́хал в **зо́ну пусты́ни?** 11. На **э́той террито́рии** нет **планта́ции** каучу́ка. 12. Я не встре́тился с **э́той гражда́нкой** ле́том. 13. Я не бу́ду спо́рить **о цене́** с **продавщи́цей.** 14. Мы не знако́мы с **культу́рой** э́того наро́да. 15. Я посмотрю́, нет ли **газе́ты** под **две́рью.**

e. Change the boldface words into the *singular*:

1. Рабо́та на **поля́х** вела́сь **мужчи́нами.** 2. Де́ти лю́бят **свои́х де́душек.** 3. В колхо́зах **мужчи́нам** даю́т тяжёлую рабо́ту. 4. Сего́дня мы получи́ли пи́сьма от **де́душек.** 5. **Эти дома́ стро́ят ва́ши дя́ди.** 6. Для **си́льных мужчи́н** э́то лёгкая рабо́та. 7. Они́ говори́ли о **свои́х бога́тых дя́дях.** 8. Вы не должны́ говори́ть с **э́тими мужчи́нами.**

Exercises with Grammar B

a. Supply the correct forms of the reflexive pronoun **себя́:**

1. У ..... в до́ме я могу́ говори́ть, что хочу́. 2. Вчера́ я пригласи́л для ..... но́вого учи́теля му́зыки. 3. За грани́цей я купи́л ..... краси́вое пальто́. 4. Моя́ сестра́ пригласи́ла к ..... госте́й. 5. Я спеши́л к ..... в конто́ру. 6. Моя́ жена́

никогда́ не ду́мала о ..... 7. Мне ка́жется, он лю́бит то́лько
..... 8. Я е́ду в дере́вню и беру́ с ..... то́лько оди́н чемода́н.
9. Он сам смея́лся над ..... 10. Она́ всегда́ дово́льна .....

b. Give the correct form of the pronouns in parentheses:

1. Я (сам) уложи́ла э́ти ве́щи в чемода́ны. 2. Для нас (сам)
э́то бы́ло большо́й но́востью. 3. У него́ (сам) нет кварти́ры.
4. Вы (сам) должны́ э́то сде́лать. 5. За́втра мой автомоби́ль
мне (сам) бу́дет ну́жен. 6. Да́йте мне (сама́) прочéсть письмо́.
7. Я прочёл все рома́ны э́того писа́теля, но его́ (сам) я никогда́
не ви́дел. 8. Мой де́душка получи́л кни́гу от (сам) Толсто́го.
9. Я знако́м с его́ сестро́й, а с ним (сам) я не знако́м. 10. О нас
(сам) вы и не спра́шивайте!

Exercise with Grammar C

Translate the expressions in parentheses:

1. (Let me) ко́нчить писа́ть письмо́ мое́й подру́ге. 2. (Let
me) поговори́ть с ней. 3. (Let us) сего́дня купа́ться в э́том
о́зере. 4. (Let us drive) за́втра в дере́вню. 5. (Let) я погляжу́
на твоего́ ребёнка. 6. (Let) я приглашу́ твоего́ дя́дю к нам в
го́сти. 7. (Let me) поблагодари́ть хозя́йку. 8. (Let us go) сейча́с
домо́й. 9. (Let us rest) под э́тими дере́вьями. 10. (Let her)
игра́ет на скри́пке. 11. (Let him) сиди́т до́ма, когда́ он просту́-
жен. 12 (Let them) расска́жут тебе́ о жи́зни в дере́вне. 13. (Let
them) вы́йдут из ко́мнаты. 14. (Learn!) «Уче́нье свет, а не-
уче́нье тьма». 15. Това́рищи, (work!)! Мы должны́ ко́нчить
на́шу рабо́ту до ве́чера! 16. (Who is to know), како́й он чело-
ве́к! 17. (What am I to read) сего́дня на уро́ке? 18. (What are
we to do) тепе́рь? 19. (She is to go) в го́род за поку́пками, а
(you are to drive) на рабо́ту. 20. (The secretary is to work) в
конто́ре, а (a worker is to work) на заво́де.

VII.   TRANSLATION INTO RUSSIAN

A

1. Tonight my brother Sasha came to us and had his photographs of Russia along (with himself). 2. He had been there,
and had himself seen the Russian cities, the broad rivers, the
mighty plains and forests, the high mountains of the Caucasus,
and the Ural. 3. After supper he said: "Now let us look at my
photos of Russia and let me explain each one." 4. "Yes," said
my sister, "let Sasha tell us all about his trip to Russia. I have

seen many parts of that huge country myself, but I always love to hear Sasha tell about it. Now, good friends, listen!" 5. Sasha began (speaking): "Dear friends, do not think that I shall speak about myself. You will not be bored. 6. I shall speak only of Russia, its geography, its fauna and flora, its national culture." 7. Sasha took the first photo: "You can see [for] yourself, what a wide river this is.   It is the Volga, 'Matushka Volga' herself. 8. I myself have stood here, at this very spot, and have crossed (переплы́л) this very river in a small steamer." 9. "Was your sister with you?" asked Peter. "Let her tell about her trip to Russia." 10. "Yes, of course, we were together in Russia," answered my brother quickly, "but that isn't news; you all know that already. 11. It is very late already; we have very little time, and I want to show you all these photos and tell you all about my life in Russia." 12. Yes, I thought, my brother does love to talk about himself. 13. But let him talk, it is sometimes interesting and often very funny. 14. Of course, he does not know how funny his stories often are (быва́ют). 15. "Let us look now at this second picture!" I heard ("caught the sound" plus acc.) the voice of my brother again. 16. "Do you see this enormous lake? Let me tell you a remarkable story (исто́рию) about it. I myself bathed in it; I almost swam across (переплы́л) it . . . ." 17. Keep on talking, dear brother; you cannot escape yourself! You will always think and talk only about yourself! 18. But I am a busy man (person) and must now write my report on the Soviet Union.

B

1. Yesterday at a meeting in our club my friend John gave (made) a very interesting report on (about) the geography of Soviet Russia or the U.S.S.R. 2. He had been there last summer and had seen the country from west to east and from north to south. 3. He had taken a map along (with himself) to the meeting. 4. On it he showed us that Soviet Russia occupies one-sixth of the entire habitable land. 5. He told us that from the western to the eastern borders of this great country [it was] seven thousand miles. 6. I asked him how many miles [it was] from the northern to the southern borders of the U.S.S.R. 7. He did not remember. 8. "I do not remember," he said, "but certainly it must be almost five thousand miles." 9. And [then] he quickly said: "Let us look at the map of Soviet Russia. 10. In the North you see a blue zone. 11. Here the flora is very sparse (poor).   12. In the center of the map you see a large green

zone. 13. Here are the great forests and, to the south, the region of the forest-steppes and the mighty Russian plains. 14. Here the soil is very fertile. 15. The Russian peasants can sometimes bring in two harvests a year. 16. The red part of the map indicates (shows) the subtropical zone and the desert. 17. To the north of the zone of the desert are very high mountains. 18. In the subtropical zone there are enormous plantations of sugar cane and rubber trees and also beautiful orchards of oranges and lemons." 19. Yes, my friend's report was very interesting! 20. Tomorrow I shall go to the library and shall read some books about Soviet Russia and look at photographs of Russian cities, rivers, and mountains. 21. Perhaps I shall also be able to find pictures of the main regions of the extraction and processing of Russia's oil and metals.

ДВАДЦАТЬ ТРЕТИЙ УРОК

TWENTY-THIRD LESSON

Genitive plural infix **о** *or* **е** *in feminine nouns; declension of* **мать** *and* **дочь** *— Adjectives used as nouns — Comparison of adjectives and adverbs: comparative*

I. COMMON EXPRESSIONS AND IDIOMS

На Рождество́	At (for) Christmas
На Па́сху	At (for) Easter
Глава́ семьи́	Head of the family
За́мужем за (instr.)	Married (this form used only of women)
Жена́т на (prep.)	Married (this form used only of men)
Жени́ться на (prep.)	To marry (form used of. men)
Выходи́ть, вы́йти за́муж за (acc.)	To marry (form used of women)
Накрыва́ть на стол	To set the table
Во главе́ стола́	At the head of the table
За ва́ше здоро́вье!	To your health! (toast)
Сла́ва Бо́гу!	Thank God! *Lit.*: Glory to God.
Споко́йной но́чи!	Good night! *Lit.*: Of a restful night
«В тесноте́, да не в оби́де»	"Crowded close (together) but not at variance"

II. READING: В ДЕНЬ ПРАЗДНИКА

Чем ста́рше я становлю́сь, **тем ча́ще** ду́маю о своём де́тстве. В де́тстве, для нас не́ было **бо́лее счастли́вого** вре́мени, **чем** пра́здники. **На Рождество́** и на **Па́сху** в на́шем до́ме собира́лась вся семья́.

Главо́й на́шей **семьи́** была́ ба́бушка. Я никогда́ не встреча́ла же́нщины **умне́е** и **интере́снее** её. У неё бы́ло пять **дочере́й** и два сы́на. Я была́ её восьмо́й вну́чкой. Все до́чери бы́ли **за́мужем,** сыновья́ бы́ли **жена́ты.** Она́ **вы́глядела моло́же** свои́х лет и всегда́ была́ весела́ и полна́ эне́ргии.

213

В день праздника, мы всегда просили разбудить нас **пораньше**. Мы **поскорее** одевались и шли в гостиную. А в **столовой**, бабушка уже **накрывала на стол**. Она брала скатерть **покрасивее**, посуду **получше**, серебряные **ложки, вилки, ножи**. Раздвигали **пошире** стол, — и к обеду **за столом** собиралась вся семья!

«В тесноте, да не в обиде» — говорила бабушка. А уж еды, **слава Богу**, было достаточно!

Начинали с закусок и водки. — **За ваше здоровье**, дорогие дети — говорила бабушка. После закуски, давали суп, пироги, потом жаркое, а потом сладкое.

Бабушка сидела **во главе стола**. Она всегда помнила, кто **из детей** любит пирог с мясом **больше, чем** пирог с капустой, кому дать кусок мяса **потоньше**, а кому **потолще**, кому дать **поменьше** супа, а кому **побольше** сладкого. Ей не надо было спрашивать: — Ты хочешь **чай с лимоном** или **с молоком?** — Она знала, кому надо дать **жидкий чай**, а кому дать **чай покрепче**, кто любит чай **послаще**, а кто пьёт его совсем без сахара!

После обеда все шли в **гостиную**. Тут каждый делал, что хотел. Кому приятно было играть в карты, тот играл в карты, а кто хотел **играть в шахматы**, — играл в шахматы. Женщинам же всегда было о чём поговорить!

В семье любили музыку. У моей **матери** был очень хороший голос. Её всегда просили петь и она особенно хорошо пела русские песни.

Когда закрывали в передней дверь за последним гостем, было уже темно. — **Спокойной ночи!** — говорила бабушка и мы усталые, но счастливые шли спать.

III. VOCABULARY

вилка (о)	fork	**особенно**	especially
водка (о)	vodka	**папироса**	cigarette
внучка (е)	granddaughter	**пирог**	pie, cake
детство	childhood	**посуда**	dishes
достаточно	enough	**рюмка (о)**	wine glass
еда	food	**семья**	family
жаркое	roast meat	**серебряный,**	silver
жёлтый,	yellow	**-ая, -ое**	
-'ая, -'ое		**сигара**	cigar
закуска (о)	hors d'oeuvre	**сладкое**	dessert
здоровье	health	**умный,**	clever
капуста	cabbage	**-'ая, -'ое**	
ложка (е)	spoon	**частый,**	frequent
нож	knife	**-'ая, -'ое**	
овощи (pl.)	vegetables		

Verbs

Imperfective	Perfective	English
буди́ть; бужу́, бу́дишь, бу́дят	разбуди́ть (буди́ть)	to awaken, rouse
вы́глядеть; вы́гляжу, вы́глядишь, вы́глядят	None	to appear, seem
выходи́ть за́муж (ходи́ть)	вы́йти за́муж (идти́)	to marry (fem.)
жени́ться; женю́сь, же́нишься, же́нятся (Imperf. and Perf.)		to marry (masc.)[1]
раздвига́ть (I)	раздви́нуть; раздви́ну раздви́нешь, раздви́нут	to extend, push apart, open
собира́ться (I)	собра́ться; соберу́сь, соберёшься, соберу́тся	to gather, meet
спать; сплю, спишь, спят	поспа́ть (спать)	to sleep

IV. GRAMMAR

A. Peculiarities in the feminine noun declension

1. Feminine nouns the stem of which ends in a double consonant usually insert the vowel "o" or "e" in the *genitive plural*: ло́жка, ло́жек "spoon"; ви́лка, ви́лок "fork." The vowel to be inserted will be indicated in the lesson vocabularies and in the index as follows: ло́жка (e); ви́лка (o). Feminine nouns of this type, the singular of which has been introduced in preceding lessons, are: гражда́нка (o); ку́хня (o); слу́жба (e); пе́сня (e); скри́пка (o); сосе́дка (o); обстано́вка (o); дере́вня (e) Note the -ь in the genitive plural of: ку́хонь, дереве́нь — but пе́сен, etc.

2. *Declension of* мать *"mother" and* дочь *"daughter"*:

	Singular	Plural
Nom.	мать	ма́тери
Gen.	ма́тери	матере́й
Dat.	ма́тери	матеря́м
Acc.	мать	матере́й
Instr.	ма́терью	матеря́ми
Prep.	ма́тери	матеря́х

---

[1] This form is also used when referring to a married couple.

Like мать is declined дочь "daughter," except in the instrumental plural, where дочь has the form дочерьми́.

B.   Adjectives used as nouns

Пере́дняя "entrance hall, lobby, vestibule," столо́вая "dining room," гости́ная "living room, drawing room, parlor," учёный "scholar," рабо́чий "worker"; are adjectives used as nouns. They are declined like adjectives: пере́дняя, пере́дней, пере́днюю, пере́дней, пере́дней etc.

C.   Comparison of adjectives and adverbs

In Russian, as in English, there are three degrees of comparison: the positive, the comparative, and the superlative. The comparative and the superlative degrees each have two forms: the *compound* and the *simple*.

1. *Compound comparative*:

a. To form the compound comparative of adjectives,[1] predicate adjectives, or adverbs, place the unchanging form ме́нее "less," бо́лее "more" before them, thus:

Э́то ме́нее (бо́лее) изве́стный го́род.	This is a less (more) famous city.
Здесь ме́нее (бо́лее) тепло́, чем там.	It is less (more) warm here than there.
Он чита́ет ме́нее (бо́лее) бы́стро, чем я.	He reads less (more) quickly than I.

b. To form the comparative of nouns and verbs, ме́ньше and бо́льше are usually used, thus:

У меня́ ме́ньше (бо́льше) де́нег (Gen.!), чем у него́.
I have less (more) money than he.

Я ме́ньше (бо́льше) чита́ю, чем он.
I read less (more) than he.

With the *compound* form of the comparative the conjunction "than" is *always* translated by чем:

Э́то бо́лее высо́кий дом, чем наш.	This is a higher house than ours.

---

[1] When the comparative form of the adjective stands before the noun and is declined, i.e., when it is used *attributively*, this *compound* form *must* be used:

Я хочу́ жить в бо́лее краси́вом до́ме.	I want to live in a more beautiful house.

2. *Simple comparative in* -ee (-ей):

To obtain the *simple* form of the *comparative* degree, change the endings of the positive degree of the adjective (-ый, -ой, -ий) or of the adverb (-о) to -ee (or -ей):[1]

Positive	Comparative			English
но́вый	нове́е	or	нове́й	newer
по́здний	поздне́е	or	поздне́й	later
бы́стро	быстре́е	or	быстре́й	more quickly

3. *Simple comparative in* -e:

Following is a list of such adjectives learned up to now.

Positive	Comparative	English
бли́зкий	бли́же	nearer
бога́тый	бога́че	richer
большо́й	бо́льше	bigger, more
высо́кий	вы́ше	higher
дешёвый	деше́вле	cheaper
дорого́й	доро́же	dearer, more expensive
жа́ркий	жа́рче	hotter
жи́дкий	жи́же	thinner, more diluted
лёгкий	ле́гче	lighter, easier
ма́ленький	ме́ньше	smaller, less
молодо́й	моло́же, мла́дше	younger
плохо́й	ху́же	worse
ра́нний	ра́ньше	earlier
ста́рый	ста́рше	older, elder
сла́дкий	сла́ще	sweeter
ти́хий	ти́ше	quieter
то́лстый	то́лще	thicker
то́нкий	то́ньше	thinner
у́зкий,	у́же	narrower
хоро́ший	лу́чше	better
ча́стый	ча́ще	more frequent(ly)
широ́кий	ши́ре	broader
до́лго	до́льше, до́лее	longer (of time)
ма́ло	ме́ньше, ме́нее	less
мно́го	бо́льше, бо́лее	more

[1] Position of stress: Forms in -ee of not more than three syllables carry the stress on the first e of the ending: нове́е, быстре́е. Those of more than three have the stress usually on the same syllable as in the positive degree: интере́сный, интере́снее; ме́дленный, ме́дленнее.

Simple comparative forms are indeclinable and never change:

Этот дом новее; эта скатерть новее; эти книги новее.

With the *simple* comparative, "than" can be rendered by placing the noun or pronoun into the *Genitive* and omitting чем, thus: Он старше моего брата; он старше меня.

But чем must be used in a comparison of *adverbs* or *verbs*: Тут холоднее, чем там. Он лучше пишет, чем говорит.

And with the pronouns его, её, их to avoid ambiguity:

Моя работа лучше чем их.   My work is better than theirs.
«Моя работа лучше их» would mean "My work is better than they are."

4. Placing the prefix по before a *simple comparative* lends it the meaning "somewhat more":

поскорее somewhat more quickly	погорячее somewhat hotter
получше somewhat better	побольше somewhat more

5. The *emphatic* comparative is rendered by гораздо with the *simple comparative form:*

Он гораздо умнее меня.   He is much cleverer than I am.

6. "The . . . the" is rendered by чем . . . , тем:

Чем больше ты говоришь, тем меньше я слушаю.

The more you speak, the less I listen.

"As . . . as" is rendered так же . . . . , как (и):

Он так же любит говорить по-русски, как (и) я.
He likes to speak Russian as much as I do.

In the *negative* the же and и are never used:

Он не так силён, как я.   He is not as strong as I am.

Note that также written in one word means "too, also, likewise":

Я также знаю это.   I too know this.

V. QUESTIONS

1. Почему́ вы тепе́рь ча́ще ду́маете о своём де́тстве? 2. Когда́ собира́лась вся семья́ в ва́шем до́ме? 3. Кто был главо́й ва́шей семьи́? 4. Встреча́ли ли вы же́нщину умне́е и интере́снее, чем ба́бушка? 5. Ско́лько у неё бы́ло дочере́й и сынове́й? 6. Бы́ли ли до́чери за́мужем? 7. Бы́ли ли сыновья́ жена́ты? 8. Вы́глядела ли она́ ста́рше свои́х лет? 9. Когда́ вы проси́ли вас разбуди́ть в день пра́здника? 10. Что де́лала ба́бушка в столо́вой? 11. Каку́ю она́ брала́ ска́терть? 12. Каку́ю она́ брала́ посу́ду? 13. Каки́е ви́лки, ло́жки и ножи́ брала́ она́? 14. Почему́ раздвига́ли стол поши́ре? 15. Что говори́ла ба́бушка? 16. Доста́точно ли бы́ло еды́? 17. С чего́ вы начина́ли обе́д? 18. Что говори́ла ба́бушка, когда́ все пи́ли? 19. Что дава́ли по́сле заку́ски? 20. Где сиде́ла ба́бушка? 21. Что она́ всегда́ по́мнила? 22. Куда́ все шли по́сле обе́да? 23. Что все де́лали в гости́ной? 24. Люби́ли ли в семье́ му́зыку? 25. Был ли у ма́тери хоро́ший го́лос? 26. Что она́ осо́бенно хорошо́ пе́ла? 27. Когда́ закрыва́ли дверь в пере́дней за после́дним го́стем? 28. Что говори́ла ба́бушка, когда́ вы шли спать?

VI. GRAMMAR EXERCISES

Exercise with Grammar A

Give the correct case form of the nouns in parentheses:

1. У мои́х (сосе́дки) за́втра большо́й приём. 2. В столо́вой, на столе́, нет (ло́жки) для су́па. 3. Вы зна́ете э́тих (гражда́нка). 4. Я всегда́ кладу́ ножи́ о́коло (ви́лка). 5. Моя́ мать по́мнит мно́го ру́сских (пе́сня). 6. Сего́дня в на́шем клу́бе бу́дет докла́д для (мать). 7. Я ся́ду тут, о́коло ва́шей (дочь). 8. У э́той молодо́й (мать) замеча́тельные де́ти. 9. К её (дочь) прие́хал муж. 10. У тебя́ нет дру́га лу́чше (мать). 11. Мы лю́бим на́ших (мать). 12. С (мать) нельзя́ спо́рить. 13. Она́ уже́ два ме́сяца ничего́ не зна́ет о свои́х (дочь). 14. Он ча́сто говори́т о свое́й (мать).

Exercise with Grammar B

Give the correct case form of the nouns in parentheses:

1. В их кварти́ре нет (пере́дняя). 2. Из (столо́вая) мы пошли́ в (гости́ная). 3. Я о́чень дово́лен на́шей (гости́ная). 4. Моя́ ко́мната ме́жду (столо́вая) и (гости́ная). 5. Мы купи́ли

новую обстановку для своей (гостиная). 6. Где вы обедаете, в (столовая)? 7. В этих квартирах для (рабочие) в (передняя) нет окон. 8. В детстве, я помню, я не любил нашей (гостиная). 9. В доме (учёный) была большая (гостиная). 10. В день праздника вся семья собиралась в (столовая), а потом в (гостиная). 11. Вы не знаете этого знаменитого (учёный)? 12. У этого (рабочий) большая семья. 13. (Рабочий) иногда работают восемь или девять часов в день. 14. Знаменитые (учёный) будут преподавать в нашем университете.

Exercises with Grammar C

a. From the Reading Exercise write out all *comparative* forms and give their English meaning (18 forms in all).

b. Give the compound comparative form of the adjectives in parentheses:

1. Он живёт в (красивый) доме, чем я. 2. Ты читаешь (интересная) книгу. 3. Она (умная) женщина, чем я думал. 4. Мы всегда пьём (сладкий) чай. 5. В Московском университете (известный) профессора, чем в нашем университете. 6. Я не помню (счастливый) дня. 7. Доктор Петров очень скучный человек; знал ли ты (скучный) человека? 8. Я никогда не встречал (умная) и (интересная) женщины. 9. Их дом стоит на (широкая) улице, чем наш. 10. Есть ли (лёгкая) задача, чем эта? 11. Та (белая) бумага, чем эта. 12. Видели вы (чёрная) сигару, чем эту?

c. In the above sentences, whenever the context permits, use **менее** to form the comparative.

d. Supply the correct endings of the comparative:

1. Мне приятн— ехать трамваем, чем метро. 2. Я не встречал женщины интересн— моей матери. 3. Этот человек читает быст—' меня. 4. Вам весел—' в гостях, чем дома? 5. Нет более скучн— занятия, чем играть в карты. 6. В горах воздух свеж—', чем здесь в деревне. 7. Вечером холодн—' чем днём. 8. Кто сильн—': твой брат или ты? 9. Что важн—': учиться или работать в колхозе? 10. Это кресло удобн— вашего дивана.

e. Give the *simple* comparative forms of the adjectives and adverbs in parentheses:

1. Теперь я живу (близко) к школе. 2. Я курю (много) папирос, чем мои товарищи. 3. Моя мать была (молодая) моего отца. 4. Чем (высоко) мы поднимались в горы, тем красивее был вид. 5. Сегодня я хочу (рано) уехать домой. 6. Дайте мне, пожалуйста, (мало) мяса. 7. Ваша скатерть (белая) моей. 8. Этот рабочий (богатый) того учителя. 9. Эта книга (тон-

кая), чем э́тот журна́л. 10. Крестья́нам не (легко́) жить. 11. Чем (высоко́) идёт э́та доро́га, тем она́ (широ́кая). 12. Чем (ста́рая) она́ стано́вится, тем (мно́го) она́ похо́жа на свою́ мать. 13. Мой брат учи́лся (пло́хо) меня́. 14. В его́ саду́ дере́вья (молоды́е) и (то́нкие) чем в на́шем. 15. Он говори́т по-ру́сски (хорошо́), чем я. 16. Ва́ши чемода́ны (ма́ленькие) и в них (легко́) уложи́ть ве́щи. 17. Чем (ча́сто) я быва́ю на конце́ртах, тем (мно́го) я люблю́ ру́сскую му́зыку. 18. Её де́ти (то́лстые), чем ва́ши. 19. Вчера́ я пил ча́й ещё (сла́дкий), чем сего́дня. 20. Она́ была́ просту́жена три дня, но тепе́рь ей (хорошо́).

f. Translate the expressions in parentheses:

1. Иди́те (somewhat faster) домо́й. 2. Раздви́ньте стол (somewhat wider). 3. Я люблю́ чай (somewhat sweeter). 4. Пиши́те мне (a bit more frequently). 5. Ты лу́чше (somewhat less) говори́, а (somewhat more) слу́шай! 6. (The) бо́льше он чита́л, (the) бо́льше он знал. 7. Он знал (as) мно́го (as) она́. 8. Он знал бо́льше (than I). 9. Он говори́л ме́ньше, (than) ду́мал. 10. Он умне́е и сильне́е (than you). 11. Она́ не чита́ла (as) мно́го (as) её оте́ц. 12. Он был счастли́вее (than his brother). 13. Быва́ли вы в теа́тре (as) ча́сто (as) он? 14. В го́роде ле́том жа́рче, (than) в дере́вне. 15. (The) вы́ше в го́ру, (the) ме́дленнее шёл по́езд.

VII. TRANSLATION INTO RUSSIAN

A

1. Our Russian friends always invited us for Easter. 2. It was a large family, larger than ours. 3. The sons and daughters were married and had children. 4. At Christmas and Easter they all gathered in the house of their grandfather. 5. I have never met a more interesting and clever man. 6. He was the head of the family. 7. At dinner and supper he always sat at the head of the table. 8. The dining room was small. 9. There was not enough room at the table for the large family and the guests. 10. But grandfather laughed and said: "Crowded together but not at variance." 11. "God be thanked, there is food enough! Eat, drink and be merry, children! Here's to your health." 12. We started with hors d'oeuvres and (with) fine Russian vodka. 13. Then they gave us soup and pies, the meat course, and the dessert. 14. After dinner we all went into the living room. 15. I always played cards with the older children. 16. One of the older daughters had a beautiful voice and sang Russian songs or arias from Russian operas. 17. Easter at our Russian friends was always a great event in our life. 18. The older I grow the more frequently I think of those happy days.

B

1. Two weeks ago my younger sister Vera married our good friend Semyonov. 2. Semyonov is much older than my sister. 3. He had been married and is the head of a very large family. 4. He has five daughters and three sons. 5. But his first wife died (умерла́) three years ago and all his sons and daughters are now married. 6. Semyonov is very wealthy, much richer than our father; he even has more money than our rich Uncle Vanya. 7. He lived in a larger and more beautiful house than ours. 8. But now he and Vera live in the country; their country house is much smaller but more comfortable and cozier than their city house. 9. Everything in the new house is smaller: the entrance hall is narrower, and the living room is not so long and wide; there is no dining room; one eats in the comfortable kitchen. 10. A few days ago Vera wrote us that she likes her life in the country much better than life in the city. 11. She has much more energy, gets up earlier, works more, takes more frequent walks (walks more frequently), eats less and feels much better. 12. "Country life is less noisy and much healthier," she writes. "In the summer it is not so hot and the air here is always much fresher. 13. And the sky seems (appears) bluer, the trees taller and greener; nature seems so much more beautiful here than in our city parks. 14. And life is also cheaper: meat, milk, and vegetables are all cheaper; only dresses, hats, shoes, and such things are a little more expensive. 15. The longer I live here, the better (more) I like it (here). This little old village, our little house, everything grows (becomes) more dear to me with every day. 16. Here I do not need to hurry, for everything is so much nearer: it is nearer from our house to the department store; from the store to the bank and the post office; from the post office to the movie house and the very fine restaurant. 17. We also live nearer to the church than we lived in the city. Yes, life here is much simpler, easier, cheaper, more comfortable! 18. In the evening (of evenings) I am not tired at all and can read and think and write much more than I could in the city; in the mornings—when I want to (get the desire) — I can sleep much longer and get up later, for it is not so noisy here." 19. We are all very happy that Vera is so satisfied with her new life in the country. 20. Our father often says: "Thank God, Vera lives in the country. There she will be (become) happier, healthier, wealthier. Ти́ше е́дешь, да́льше бу́дешь!' "—and our father is always right!

ДВАДЦАТЬ ЧЕТВЕРТЫЙ УРОК

TWENTY-FOURTH LESSON

Comparison of adjectives and adverbs: superlative — Pronoun-adjective весь *— Cardinals and ordinals 13 - 40; summary of case requirements after cardinals*

I. COMMON EXPRESSIONS AND IDIOMS

Игра́ть роль	To play a role
Торго́вый путь	Trade route
Вверх по Во́лге	Up the Volga; towards its source
Ни́же по тече́нию	Lower down the stream, downstream
Вы́ше по тече́нию	Higher up the stream, upstream
Со всех концо́в...	From all corners (parts)
Благодаря́ (+dat.)	Thanks to (because of)
Исто́чник электри́ческой эне́ргии	The source of electric power

II. READING: ВОЛГА

Во́лга — **одна́ из са́мых краси́вых** рек в ми́ре. Она́ **длинне́е всех** рек Евро́пы. Она́, коне́чно, **са́мая изве́стная** река́ в Росси́и. В исто́рии Росси́и она́ **игра́ла важне́йшую роль**. О Во́лге **ча́ще всего́** пою́т пе́сни.

В **са́мом ра́ннем** перио́де ру́сской исто́рии Во́лга была́ **са́мым гла́вным торго́вым путём** с за́пада на восто́к. Уже́ в восьмо́м ве́ке на берега́х Во́лги, у Каспи́йского Мо́ря,[1] встреча́лись наро́ды из ра́зных стран.

Поздне́е Ни́жний Но́вгород,[2] — **вы́ше по тече́нию** Во́лги — стал гла́вным **це́нтром торго́вли**. Ка́ждый год на Во́лгу в Ни́жний Но́вгород приезжа́ли продавцы́ **со всех концо́в** Росси́и и из други́х стран.

---

[1] Каспи́йское Мо́ре "Caspian Sea."
[2] Ни́жний Но́вгород "Nizhnii Novgorod" (*Lit.*: the lower new city, now Го́ркий in honor of the Soviet writer Maxim Го́ркий).

223

Здесь мо́жно бы́ло уви́деть меха́ с се́вера, чай и шёлк с восто́ка, шерсть и полотно́ с за́пада, из Евро́пы, ви́на, ковры́ — с ю́га, с Кавка́за.

В Сове́тской Росси́и Во́лга занима́ет ещё бо́лее ва́жное ме́сто в наро́дном хозя́йстве страны́. **За после́дние четы́рнад-цать лет** река́ о́чень измени́лась. Ра́ньше Во́лга была́ у́же и ме́нее глубока́ на се́вере и то́лько **ни́же по тече́нию** она́ станови́лась широ́кой реко́й. Тепе́рь же, **благодаря́ замеча́тельней-шей** систе́ме кана́лов и плоти́н, Во́лга ста́ла **глу́бже** и **ши́ре** всех други́х рек Евро́пы.

Из Каспи́йского Мо́ря, **вверх по Во́лге,** плыву́т парохо́ды и ло́дки до го́рода Москвы́! Ра́ньше Москва́ была́ порто́м трёх море́й (Балти́йского, Бе́лого, Каспи́йского),[1] а тепе́рь, когда́ око́нчили стро́ить кана́л Во́лга-Дон, она́ ста́ла порто́м пяти́ море́й.[2]

Во́лга не ме́нее важна́, как **исто́чник электри́ческой эне́р-гии.** Этот вид эне́ргии **деше́вле всех** други́х. На берега́х Во́лги стоя́т огро́мные электроста́нции и гидроста́нции. Сове́тское прави́тельство хо́чет сде́лать Во́лгу «электри́ческим се́рдцем» э́того кра́я.

III. VOCABULARY

бе́рег	shore, bank	**ни́зкий,**	low
больни́ца	hospital	-′ая, -′ое	
век	century, age	**пери́од**	period
вино́	wine	**плоти́на**	dam
гидроста́нция	water power station	**полотно́**	linen
		порт	port, harbor
глу́бже	deeper	**прави́тельство**	government
глубо́кий,	deep	**продаве́ц** (†е)	salesman, tradesman
-′ая, -′ое			
кана́л	canal, channel	**се́рдце** (е)	heart
край	border, country, region	**систе́ма**	system
		торго́вля	trade
ло́дка (о)	boat	**шёлк**	silk
мех	fur, pelt	**электри́ческий,**	electric
мо́ре	sea	-ая, -ое	
ни́же	lower	**электроста́нция**	power station

---

[1] **Балти́йского** "of the Baltic Sea"; **Бе́лого** "of the White Sea," **Каспи́йского** "of the Caspian Sea."

[2] **Чёрного, Азо́вского** in addition to the above three. **Чёрного** "of the Black Sea"; **Азо́вского** "of the Azov Sea."

Verbs

Imperfective	Perfective	English
догоня́ть (I)	догна́ть, догоню́, догóнишь, догóнят	to catch up with
плыть; плыву́ плывёшь, плыву́т	поплы́ть (плыть)	to set sail, swim, float
стоя́ть; стою́ стои́шь, стоя́т	постоя́ть (стоя́ть)	to stand
стрóить (II)	постро́ить (II)	to build

IV. GRAMMAR

A. Comparison of adjectives and adverbs (continued)

1. *The compound superlative with* **са́мый**:

To obtain this form of the superlative degree, use the *positive* degree of the adjective together with **са́мый, -'ая, -'ое,** "the most":

Это **са́мый дорогóй** чай.	This is the most expensive tea.
Это **са́мая у́мная** же́нщина.	This is the cleverest woman.
Это **са́мое большóе** зда́ние.	This is the biggest building.
Мы в **са́мой большóй** кóмнате.	We are in the biggest room.
Они́ чита́ют **са́мые интере́сные** кни́ги.	They read the most interesting books.

a. Са́мый is declined like an adjective in -ый and must agree in number, gender, and case with the adjective it modifies.

b. This form can be used only *attributively* or *predicatively, never adverbially*:

Attributively	Это **са́мая у́мная** же́нщина.	This is the cleverest woman.
Predicatively	Эта же́нщина **са́мая у́мная.**	This woman is the cleverest (one)

2. *The simple superlative ending in* -ейший *or in* -а́йший:[1]

To obtain this form, drop the endings (-ый, - óй, -ий, etc.)

---

[1] The superlative can also be formed with certain adjectives by prefixing the syllables пре- and наи-: пребольшóй "very big"; наилу́чший "very best"; наиху́дший "the very worst." These forms need be known only for recognition.

of the adjective and add to the stem the ending **-ейший, -ейшая, -ейшее:**

у́мн (ый): умн + ейший = умне́йший most clever

If the stem of an adjective ends in a sibilant sound (**ж, ч, ш, щ, ц**) or in a guttural (**г, к, х**), add the ending **-айший** etc., and change the stem consonant (usual changes: зк to ж; к to ч):

бли́зк(ий): ближ + а́йший = ближа́йший   nearest
вели́к(ий): велич + а́йший = велича́йший   greatest

    a. This superlative form must agree in number, gender, and case with the noun it modifies. Its declension is that of an adjective the stem of which ends in a sibilant sound (e.g. **хоро́ший**):

умне́йший студе́нт; умне́йшего студе́нта; умне́йшему студе́нту etc.

умне́йшая же́нщина; умне́йшей же́нщины; умне́йшей же́нщине etc..

This simple or "absolute" superlative is used most frequently when no object of comparison is mentioned; it is expressive of a high degree of some quality. It is less common than the superlative in **са́мый.**

    b. The forms **вы́сший** "highest," **лу́чший** "best," **ху́дший** "worst," **ме́ньший** "smallest," **мла́дший** "youngest," **ста́рший** "eldest," "senior" have a comparative as well as a superlative meaning.

    3. The superlative degree may also be expressed by a phrase consisting of a comparative (e. g. **бо́льше**) and **всего́** (than anything) or **всех** (than anyone):

Я **бо́льше всего́** люблю игра́ть в те́ннис.	Best of all I like to play tennis.
Я **бо́льше всех** люблю игра́ть в те́ннис.	I like to play tennis more than any one else (likes to).
Я **лу́чше всего́** игра́ю в ша́хматы.	I play chess better than any other game.
Я **лу́чше всех** игра́ю в ша́хматы.	I play chess better than anyone else (plays it).

Generally, **всего́** should be used when referring to *actions* and **всех** when referring to *persons* and *objects*. This form of the superlative can only be used *adverbially* or *predicatively, never attributively:*

Он **лу́чше всех** игра́ет в те́ннис; он **умне́е всех.**

B. Declension of the pronoun-adjective весь, всё, вся "all, whole, entire"

	Masc.	*Neut.*	*Fem.*	*Pl. All Genders*
Nom.	весь	всё	вся	все
Gen.	всего́	всего́	всей	всех
Dat.	всему́	всему́	всей	всем
Acc.	N. or G.	всё	всю	N. or G.
Instr.	всем	всем	всей (ею)	все́ми
Prep.	всём	всём	всей	всех

C. Numerals

	Cardinals	*Ordinals*		
13	трина́дцать	трина́дцатый,	- ая, - ое	13th
14	четы́рнадцать	четы́рнадцатый,	- ая, - ое	14th
15	пятна́дцать	пятна́дцатый,	- ая, - ое	15th
16	шестна́дцать	шестна́дцатый,	- ая, - ое	16th
17	семна́дцать	семна́дцатый,	- ая, - ое	17th
18	восемна́дцать	восемна́дцатый,	- ая, - ое	18th
19	девятна́дцать	девятна́дцатый,	- ая, - ое	19th
20	два́дцать	двадца́тый,	-′ая, -′ое	20th
21	два́дцать оди́н	два́дцать пе́рвый,	-′ая, -′ое	21th
22	два́дцать два	два́дцать второ́й,	- а́я, - о́е	22th
23	два́дцать три	два́дцать тре́тий,	-′ья, -′ье	23rd
30	три́дцать	тридца́тый,	-′ая, -′ое	30th
40	со́рок	сороково́й,	- а́я, - о́е	40th

1. *Remarks on ordinals*:

a. Ordinals 9th to 20th, and 30th, are formed by dropping the ending -ь of the respective cardinal and adding the endings -ый, -ая, -ое, the position of stress remaining the same as on the cardinal, except with 20.

b. In compound ordinals only the last component part has the ordinal form, the others being cardinals: два́дцать пе́рвый, три́дцать второ́й, etc.[1]

---

[1] For declension of ordinals see Lesson 19.

2. *Summary of case requirements after cardinal numerals*:[1]

a. After one (1) and all its compounds (except 11) both the *noun* and the *adjective* are in the *nominative singular*:

двáдцать **одúн** хорóший ученúк

21 good students

b. After all compounds of 2, 3, 4 (except 12, 13, 14) the *noun* is in the *genitive singular* and the *adjective* in the *genitive plural*:

трúдцать **два (три, четы́ре)** хорóших ученикá

32 (33, 34) good students

c. After the numerals 5-20, 25-30, 35-40, etc., both the *noun* and the *adjective* are in the *genitive plural*:

сóрок **пять (шесть, семь** etc.**)** хорóших ученикóв

45 (46, 47, etc.) good students

VOCABULARY BUILDING — TABLE OF ADJECTIVES

Review and Supplement

Antonyms

большóй	: мáленький	big	: small
ширóкий	: ýзкий	broad	: narrow
высóкий	: нúзкий	high	: low
длúнный	: корóткий	long	: short
тóлстый	: тóнкий	thick	: thin
тяжёлый	: лёгкий	heavy	: light
блúзкий	: далёкий	near	: far
крéпкий	: жúдкий	strong	: weak (tea)
горя́чий горячий жáркий	: холóдный	hot	: cold
скýчный	: весёлый	boring	: merry
простóй	: слóжный	simple	: complex
похóжий	: разлúчный	like	: different
бéдный нúщий	: богáтый	poor beggarly	: rich
шýмный	: тúхий	noisy	: quiet

---

[1] These rules hold only when the numerals are in the nominative case or a case like the nominative, i.e., the accusative. For a final summary of rules, see Grammar C, 2 of Lesson 26.

открытый	: закрытый	open	: closed
дорогой	: дешёвый	expensive	: cheap
занятой	: свободный	busy	: free
больной	: здоровый	sick	: healthy
мёртвый	: живой	dead	: (a)live
новый молодой	: старый	new young	: old
младший	: старший	youngest	: oldest
будущий	: прошлый	future	: past
первый	: последний	first	: last
частый	: редкий	frequent	: rare
ранний	: поздний	early	: late
осенний	: весенний	fall	: spring
зимний	: летний	winter	: summer

Colors: белый white; синий blue; чёрный black; красный red; жёлтый yellow; зелёный green

---

Synonyms

(Related but *not* identical in meaning)

хороший — прекрасный		fine — excellent
известный — знаменитый		well-known — famous
дорогой	{ милый любимый	dear — beloved
счастливый радостный }	довольный	happy — joyous — content
большой	{ великий огромный	great — mighty — huge
замечательный — интересный		remarkable — interesting

V. QUESTIONS

1. Какая река одна из самых красивых в мире? 2. Какая река длиннее всех рек Европы? 3. Какая река самая известная в России? 4. Какую роль играла Волга в истории России? 5. Почему была важна Волга в самом раннем периоде русской

истории? Где в восьмо́м ве́ке встреча́лись наро́ды из ра́зных
стран? 7. Поздне́е како́й го́род стал гла́вным це́нтром тор-
го́вли? 8. Кто приезжа́л ка́ждый год на Во́лгу в Ни́жний
Но́вгород? 9. Что мо́жно бы́ло уви́деть в то вре́мя в Ни́жнем
Но́вгороде? 10. Како́е ме́сто занима́ет Во́лга в наро́дном хо-
зя́йстве Сове́тской Росси́и? 11. Благодаря́ чему́ Во́лга ста́ла
ши́ре всех други́х рек Евро́пы? 12. Куда́ плыву́т парохо́ды и
ло́дки из Каспи́йского Мо́ря? 13. Порто́м ско́льких море́й была́
ра́ньше Москва́? 14. Порто́м каки́х море́й ра́ньше был э́тот
го́род? 15. Когда́ Москва́ ста́ла порто́м пяти́ море́й? 16. Каки́х
пяти́ море́й? 17. Чем ещё важна́ река́ Во́лга? 18. Како́й са́мый
дешёвый вид эне́ргии? 19. Что стои́т на берега́х Во́лги? 20. Чем
хо́чет Сове́тское прави́тельство сде́лать Во́лгу?

VI. GRAMMAR EXERCISES

Exercises with Grammar A

a. Give the comparative forms of the adjectives in parentheses
and fill in the space with the *compound superlative* form of the same
adjective:

1. В э́том универса́льном магази́не вы мо́жете купи́ть
ра́дио (дешёвый), чем в том универса́льном магази́не, но
.... ра́дио я купи́л в Москве́. 2. Река́ Москва́ тепе́рь
(широ́кий), чем ра́ньше, но .... река́ в европе́йской
Росси́и, э́то Во́лга. 3. На́ша да́ча стои́т на бо́лее ни́зком ме́сте,
чем ва́ша; дом моего́ бра́та стои́т ещё (ни́зкий), чем наш, но
.... ме́сто здесь о́коло о́зера. 4. На́ши бульва́ры (у́зкий)
моско́вских, но .... бульва́ры я ви́дел в Ни́жнем
Но́вгороде. 5. Михаи́л, коне́чно, (у́мный) своего́ бра́та, но
.... у них в семье́ э́то Ива́н. 6. Э́то ле́то (дождли́вый),
чем про́шлое, но .... ле́то бы́ло три го́да тому́ наза́д.
7. В ва́шем го́роде орке́стр (хоро́ший), чем в на́шем, но .....
.... орке́стры в Москве́. 8. Я тут ви́дел краси́вые ковры́,
(краси́вые), чем у нас в Сиби́ри, а вот .... ковры́ на
Кавка́зе. 9. Она́ интере́сная же́нщина, (интере́сная) свое́й
ма́тери, но, коне́чно, ... же́нщина здесь э́то певи́ца
Ба́рсова. 10. Мне (удо́бный) сиде́ть на дива́не, чем на сту́ле,
но .... ме́сто в гости́ной э́то то кре́сло у окна́.

b. Give the *simple superlative* form of the adjectives in parentheses:

1. В де́тстве он был (ми́лый) ребёнком. 2. Вы бу́дете
о́коло (бли́зкая) по́чты че́рез де́сять мину́т. 3. Из окна́ мое́й

комнаты (прекрасный) вид. 4. Он (умный) человек. 5. Вот (новая) больница. 6. Это (длинная) история. 7. В наш университет пригласили (известный) учёных. 8. Я сижу в гостиной в (удобное) кресле. 9. В истории России Волга играла (важная) роль. 10. Слушать радио для меня (приятное) занятие. 11. Вчера вечером шёл (сильный) дождь. 12. На Волге (замечательные) гидростанции. 13. Сегодня я (счастливый) человек. 14. Моя бабушка была моим (близкий) другом.

Exercise with Grammar B

Give the correct case forms of the pronouns in parentheses:

1. Приезд Михаила был новостью для (вся) семьи. 2. Открытие университета было большим событием для (весь) города. 3. Мы осмотрели (вся) больницу. 4. Я спрашивал о цене этой шляпы у (все) продавщиц. 5. Мать дала яблоки (все) детям. 6. Я выучил (весь) урок. 7. Я прощался со (все) учителями. 8. В Москве я был во (все) театрах. 9. О (вся) этой истории (affair) я узнал только вчера вечером. 10. Я познакомился со (вся) его семьёй на даче.

Exercise with Grammar A and B

Translate the expressions in parentheses:

1. Мой брат читает (better than anyone else). 2. У моей дочери прекрасный голос, (best of all) она поёт русские песни. 3. Волга (wider than any) рек Европы. 4. Продолжать образование для тебя сейчас (most important of all). 5. В семье я был (older than anyone else). 6. Для каждой матери её дети ей (dearer than anyone else) в мире. 7. Шёлк и полотно можно купить (cheapest of all) на распродаже. 8. Я помню, что это вино было (strongest of all). 9. Я знаю русский язык (least [worst] of all). 10. Это озеро (deeper than any) других озёр в стране.

Exercise with Grammar C

Write out the numerals in Russian and supply the adjective and noun endings:

1. На берегу реки (12) нов— здан—. 2. В моём вагоне (18) удобн— мест—. 3. У нас в больнице (14) русск— док-

тор—′. 4. На заво́де (35) ру́сск— рабо́ч—. 5. К нам прие́хали (19) америка́нск— учён—. 6. В конто́ре (11) ма́леньк— паке́т—. 7. В университе́те (47) плох—′ студе́нт—. 8. Вот уже́ (15th) день, как идёт дождь. 9. Исто́рия Росси́и мой (2nd) экза́мен. 10. Я живу́ на (19th) этаж—′.

VII. TRANSLATION INTO RUSSIAN

A

1. On the thirteenth of June a new school was opened (they opened) in our city. 2. It is one of the largest and most beautiful schools in the whole city. 3. It is also the highest; the building has eight floors (эта́ж), and on each floor are 25 large classrooms. 4. My class is the largest; in it there are 41 students—28 boys and 13 girls. 5. My older brother is first in his class; he is one of the very best students in the whole school. 6. I am only 15th, but my teacher told me that I read better than anyone else in the class. 7. I like reading (to read) best of all, better than playing tennis or even chess. 8. There are 35 teachers in the school—18 men teachers and 17 lady teachers. My teacher is the youngest of them all. 9. The school has an excellent library. I do not know how many books there are in it, but I do know that there are 34 different periodicals—14 American, 10 English, 7 French, and 3 Russian. 10. The only library bigger than ours is in the center of the city. It is the biggest library not only in our city but in the whole state. 11. That library plays a most important role in my life. 12. Four years ago my older brother showed it to me, and now we drive there once or even twice a week, more frequently than all other students in our school. 13. I am very interested in the geography of Russia and like best of all to read books about Russia's most famous rivers, mountains, mighty plains, and about its oldest as well as its most modern (newest) cities. 14. Yesterday I read in a most interesting book that Soviet Russia now occupies one-sixth of the entire habitable landmass. 15. It has the most varied climates, living conditions (conditions of life), and natural resources. 16. I think it is the largest country in the whole world, even larger than the United States. 17. From its western to its eastern borders it is 7,000 miles, and from its southern to its northern borders it is almost 4,000 miles. 18. Within a week I have to give a report in our school about the Volga river and about her role in the economic and cultural life of Soviet

Russia. 19. Now I only know that the Volga is the longest and broadest river in European Russia. 20. But in a whole week I can read many books about this most famous river, and shall know much more about it on the day of my report.

B

1. The Volga is the longest river in Europe. 2. It is one of the longest and most famous rivers in the world. 3. The Russian people love this river more than any other river in the world. 4. They sing very beautiful songs about it. 5. One of the most beautiful songs about the Volga is the song "Во́лга, Во́лга."[1] 6. In Soviet Russia this very beautiful river occupies a most important place. 7. It was one of the chief trade routes in the country. 8. Along the Volga, thanks to the splendid system of canals, ships can now sail directly from the Caspian Sea to Moscow and even further to the north. 9. The river is also the "electric heart" of Russia, an important source of electrical energy. 10. The Soviet government has built on the Volga huge electric power stations. 11. The Volga river has also played a very great role in Russian history. 12. As early as (already in) the eighth century this river was the most important trade route in the country. 13. On its banks, in the city (of) Nizhnii Novgorod, tradesmen gathered from all corners of Russia, from north and south, east and west. 14. Here it was possible to buy furs, rugs, silk, linen, wool, and wine. 15. Even from the countries of the West tradesmen came to this famous Russian trade center. 16. One can truly say (i.e., it is possible to say) that here on the banks of this river met the peoples from all the countries in the world (i.e., of the whole world).

ADDITIONAL READING MATERIAL

Review of the declension and comparison of adjectives, also of short forms. Some adjectives are taken from following lessons and should be looked up in the Russian-English Vocabulary at the end of the text.

МОЯ ЛУЧШАЯ ПОДРУГА, МАРИЯ ПЕТРОВНА

Сего́дня ве́чером, когда́ я укла́дывала свои́ **ста́рые** кни́ги и бума́ги в сунду́к, я заме́тила ме́жду бума́гами **ста́рую, жёлтую** фотогра́фию. Это была́ фотогра́фия Мари́и Петро́вны Па́вловой.

---

[1] It is from the old folk song "Сте́нька Ра́зин" and runs: Во́лга, Во́лга, мать родна́я, Во́лга ру́сская река́ . . . . .

Мно́го лет тому́ наза́д она́ была́ мое́й **са́мой бли́зкой**
подру́гой. Это́ бы́ло, как говоря́т, «в **до́брое, ста́рое** вре́мя».
Мы бы́ли тогда́ **молоды́, веселы́, дово́льны** са́ми собо́й и свое́й
жи́знью и жда́ли, что в **бу́дущем** всё бу́дет ещё **лу́чше,** ещё
прия́тнее .....

Мари́я Петро́вна была́ о́чень **краси́ва, умна́,** держа́лась
про́сто и **свобо́дно.** Она́ мно́го занима́лась спо́ртом. **Бо́льше**
всего́ она́ люби́ла игра́ть в те́ннис. **Прия́тно** бы́ло смотре́ть на
её **лёгкие, бы́стрые** движе́ния. **Живо́е, откры́тое** лицо́, **весёлые,**
чёрные глаза́, **прекра́сный** цвет лица́, — всё в ней нра́вилось
лю́дям.

О Мари́и Петро́вне говори́ли, что она́ одева́ется **лу́чше**
всех же́нщин в го́роде. И, коне́чно, они́ бы́ли **пра́вы!** Когда́
Мари́я Петро́вна одева́ла **си́нее** пла́тье, то у неё бы́ли, коне́чно,
и **си́няя** шля́па и **си́ние** ту́фли, а когда́ пла́тье бы́ло **кра́сным**
и́ли чёрным и́ли бе́лым, у неё бы́ло и **кра́сное** пальто́, и **бе́лое,**
и **чёрное,** и шля́пы и ту́фли тако́го же цве́та!

Мари́я Петро́вна была́ **за́мужем** за **изве́стным, моско́в-**
ским юри́стом. Это́ был **умне́йший, миле́йший** и **добре́йший**
челове́к!

Па́вловы жи́ли в **большо́м, ста́ром** до́ме, в **са́мом большо́м**
и **са́мом краси́вом** до́ме в **лу́чшей** ча́сти го́рода. Это́ был
необыкнове́нный по ви́ду (in appearance) дом с **высо́кими,**
у́зкими о́кнами, **огро́мными** ко́мнатами. Обстано́вка в э́тих
ко́мнатах была́ **проста́, удо́бна** и **краси́ва: ни́зкие, дли́нные**
дива́ны, **глубо́кие** кре́сла, на стена́х мно́го **стари́нных** карти́н.

Мари́я Петро́вна и её муж люби́ли о́бщество и не́ было
бо́лее интере́сных, бо́лее весёлых приёмов, чем приёмы в до́ме
Па́вловых. На **больши́х** приёмах у них собира́лись **са́мые**
ра́зные лю́ди; го́сти приезжа́ли к ним со всех концо́в Росси́и,
из **ра́зных** стран ми́ра. Тут мо́жно бы́ло встре́титься и поговори́ть со **ста́рыми** друзья́ми, и познако́миться с **знамени́тым**
учёным из Англии, с **ва́жным** специали́стом в о́бласти медици́-
ны из Фра́нции; тут мо́жно бы́ло услы́шать **са́мые после́дние**
полити́ческие но́вости, поспо́рить о **серьёзных,** филосо́фских
вопро́сах, посмея́ться над расска́зами **до́брого, то́лстого**
до́ктора Че́хова о · его́ **больны́х** и **здоро́вых** пацие́нтах. Тут
та́кже **ча́ще** всего́ мо́жно бы́ло встре́тить **изве́стнейших** поэ́тов,
послу́шать пе́ние **лу́чших** певцо́в и певи́ц.

— Мне всё равно́, — говори́ла Мари́я Петро́вна, — кто
кого́ **умне́е,** кто **бога́че,** а кто **бедне́е.** То́лько **ску́чных** люде́й
я к себе́ никогда́ не приглаша́ю. —

А каки́е **замеча́тельные** обе́ды устра́ивала она́! Како́е

подава́ли к обе́ду разнообра́зие **холо́дных** и **горя́чих** заку́сок! И коне́чно, то́лько **са́мые лу́чшие, са́мые дороги́е** ви́на!

Да, всё э́то бы́ло в **далёком** про́шлом. Что ста́ло с Мари́ей Петро́вной? Где она́ тепе́рь? Жива́ ли? В **после́дний** раз я ви́дела её на **моско́вском** вокза́ле, когда́ мы уезжа́ли из Росси́и.

ДВАДЦАТЬ ПЯТЫЙ УРОК

TWENTY-FIFTH LESSON

*Double imperfective verbs: indeterminate, determinate —
Reciprocal pronoun друг дру́га — Expressions of
age — Cardinals and ordinals 50-100*

I. COMMON EXPRESSIONS AND IDIOMS

Поступи́ть на вое́нную слу́жбу	To join the army, enlist
Был при́нят как ра́вный	Was received as an equal
Е́здить за грани́цу	To go (travel) abroad
За грани́цей	Abroad
Из за грани́цы	From abroad
По прие́зде	Upon arrival
Вести́ бесе́ды с and instr.	To converse with, carry on conversations
Всё бо́льше и бо́льше	More and more
Чи́сто литерату́рная де́ятельность прекраща́ется.	Purely literary activity comes to an end.
Руби́ть дрова́	To chop, prepare firewood

II. READING: ЛЕВ НИКОЛАЕВИЧ ТОЛСТОЙ

Имя Льва́ Никола́евича Толсто́го изве́стно всему́ ми́ру. Ру́сские лю́ди его́ рома́нов бли́зки и до́роги всему́ челове́честву. Толсто́й знамени́т и как велича́йший писа́тель и как фило́соф.

Толсто́й роди́лся в «Ясной Поля́не» — стари́нном име́нии о́коло го́рода Ту́лы[1]. «Ясная Поля́на» так же изве́стна ми́ру, как и и́мя самого́ Толсто́го. Сюда́ **приходи́ли** все, кого́ занима́ли вопро́сы рели́гии, мора́ли и наро́дного образова́ния и кто иска́л отве́та на э́ти вопро́сы у Толсто́го. Тепе́рь «Ясная Поля́на» — музе́й, куда́ попре́жнему приезжа́ют лю́ди со всех концо́в Росси́и, из всех стран ми́ра.

Мать Толсто́го умерла́, когда́ **ма́льчику бы́ло то́лько два го́да,** а оте́ц — когда́ **ему́ бы́ло во́семь лет.** Де́ти учи́лись до́ма,

---

[1] **Ту́ла,** a city due south of Moscow.

а когда́ Толсто́му бы́ло шестна́дцать лет, он поступи́л в Каза́нский[1] университе́т.

Толсто́й не ко́нчил университе́та, и поступи́л на вое́нную слу́жбу. Он пое́хал на Кавка́з и тут начала́сь его́ литерату́рная де́ятельность.

Когда́ Толсто́му бы́ло два́дцать семь лет, он прие́хал в Петербу́рг[2] и был при́нят как ра́вный таки́ми изве́стными ру́сскими писа́телями как Турге́нев[3] и Некра́сов.[4]

Толсто́й два ра́за е́здил за грани́цу. По прие́зде в Росси́ю он заня́лся хозя́йством у себя́ в име́нии. Толсто́й понима́л, как тяжело́ бы́ло в то вре́мя положе́ние крестья́н. Он ввёл но́вые ме́тоды полевы́х рабо́т, откры́л шко́лу для дете́й, вёл дли́нные бесе́ды с крестья́нами из сосе́дних дереве́нь. Когда́ Толсто́му бы́ло три́дцать четы́ре го́да, он жени́лся.

Во второ́й полови́не свое́й жи́зни Толсто́й всё бо́льше начина́ет интересова́ться вопро́сами рели́гии и мора́ли. Его́ чи́сто литерату́рная де́ятельность почти́ прекраща́ется. Толсто́й отдаёт всё бо́льше и бо́льше вре́мени и эне́ргии рабо́те вме́сте с крестья́нами. Он выходи́л на полевы́е рабо́ты, сам вози́л се́но, носи́л во́ду, руби́л дрова́...

В конце́ свое́й жи́зни он ушёл из «Я́сной Поля́ны» и у́мер в до́ме нача́льника ста́нции Аста́пово седьмо́го ноября́ 1910 (ты́сяча девятьсо́т деся́того) го́да.

III. VOCABULARY

изба́	hut	почти́	almost
име́ние	estate	рели́гия	religion
ло́шадь	horse	рома́н	novel
ма́льчик	boy	се́но	hay
ме́тод	method	ста́нция	station
мир	world, peace	стари́нный, -′ая, -′ое	ancient, old
мора́ль	morals, ethics		
мужи́к	peasant	тяжёлый, -′ая, -′ое	heavy, burdensome
наро́дный, -′ая, -′ое	folk, national		
		фило́соф	philosopher
нача́льник	chief, head	хозя́йство	household, economy
образова́ние	education		
попре́жнему	as before, formerly	челове́чество	humanity

---

[1] Каза́нский, -′ая, -′ое "of Kazan," a city on the left bank of the upper Volga.

[2] Петербу́рг, Петрогра́д St. Petersburg, now Leningrad.

[3] Ива́н Серге́евич Турге́нев (1818 - 1883) one of the greatest Russian novelists.

[4] Никола́й Некра́сов (1821 - 1878) a well-known lyric poet.

Verbs

Imperfective	Perfective	English
вводи́ть (води́ть)	ввести́ (вести́)	to introduce
вноси́ть (носи́ть)	внести́ (нести́) внёс, внесла́, внесли́	to bring in, carry in
вывози́ть (вози́ть)	вы́везти (везти́)	to export
интересова́ться; интересу́юсь, интересу́ешься, интересу́ются	поинтересова́ться (интересова́ться)	to interest oneself in
иска́ть; ищу́, и́щешь, и́щут	поиска́ть (иска́ть)	to search for, look for
конча́ть (I)	ко́нчить (II)	to finish, end
отдава́ть (дава́ть)	отда́ть (дать)	to give away
понима́ть (I)	поня́ть, пойму́, поймёшь, пойму́т	to understand
попада́ть (I)	попа́сть; попаду́ попадёшь, попаду́т	to get to, catch
приходи́ть, (ходи́ть)	прийти́ (идти́)	to arrive
рожда́ться (I)	роди́ться; рожу́сь, роди́шься, родя́тся	to be born
умира́ть (I)	умере́ть; умру́, умрёшь, умру́т у́мер, умерла́, у́мерли	to die died

IV. GRAMMAR

A. Indeterminate and determinate aspect verbs

1. Certain Russian verbs signifying locomotion have two forms of the *imperfective* aspect: *indeterminate* and *determinate*. The *determinate* aspect verb denotes unity, integrality, indivisibility of an action, whereas the *indeter-*

minate verb does not imply any such quality of the action; the *determinate* verb denotes an action carried out at one time and in one direction[1]; the *indeterminate* verb does not imply any such quality of the action. Two of these verbs we already know: the indeterminate verbs ходи́ть and е́здить with their respective determinate forms идти́ and е́хать. Other important verbs of this type are:

Indeterminate	Determinate	English
бе́гать (I)	бежа́ть; бегу́, бежи́шь, бегу́т	to run
води́ть; вожу́, во́дишь, во́дят	вести́; веду́, ведёшь, веду́т вёл, вела́, вели́	to lead lead
вози́ть; вожу́, во́зишь, во́зят	везти́; везу́, везёшь, везу́т вёз, везла́, везли́	to transport conveyed
лета́ть (I)	лете́ть; лечу́, лети́шь, летя́т	to fly
носи́ть; ношу́, но́сишь, но́сят	нести́; несу́, несёшь, несу́т нёс, несла́, несли́	to carry carried
пла́вать (I)	плыть; плыву́, плывёшь, плыву́т	to swim

2. *Use of this type of verb*

a. When expressing the *general* action indicated by the verb, use the *indeterminate* form:

Ребёнок хо́дит.	The child walks.
Ма́льчик хо́дит в шко́лу.	The boy goes to (attends) school.
Ма́льчик бе́гает.	The boy runs.

b. When expressing an action carried out *in a specific direction and at one specific time* (i. e. non-repetitive, non-habitual action), use the *determinate* form:

Сего́дня он лети́т в Ленингра́д (на самолёте)	Today he is flying to Leningrad (by plane).
Я несу́ э́ту кни́гу в библиоте́ку.	I am carrying (bringing) this book to the library.

---

[1] Ср. Ooshakov, Толковый Словарь, vol. I, p. 99, col. 1 «в оди́н приём и в одно́ направле́ние.»

c. If, however, the action, *though in one specific direction* is *repeated* or *habitual,* use the *indeterminate* form:

Мы **всегда́ е́здим** в Сталин-град парохо́дом.	We always go (travel) to Stalingrad by steamer.
В воскресе́нье мы **всегда́ хо́дим** в це́рковь.	Sundays we always go to church.

d. Note that some idiomatic expressions have only the *determinate* form:

Здесь ча́сто **идёт** дождь.	It frequently rains here.
Там никогда́ не **идёт** снег.	It never snows there.

3a. It is important to note that the perfective aspect to *both* these forms is formed by prefixing **по-** to the *determinate* form:

идти́ + по ⟶ пойти́ (perfective of ходи́ть and идти́)

(Compare Lesson 16, Part B, Sect. C.)

b. When the prefix **по-** is added to the *indeterminate* form of "going" verbs (**ходи́ть, пла́вать, води́ть,** etc.) the sense of brevity, informality, lack of strain or intensity is imparted to the action:

похо́ди́ть   to walk a little; take a stroll
попла́вать   to swim a little; take a dip

(Compare Lesson 16, Part A, Sect. D.)

4. When these forms are compounded with any other prefix, the *same* prefix is added to both forms: the indeterminate form *remains imperfective,* whereas the determinate form becomes *perfective.* The distinction between indeterminate and determinate does not exist in these new pairs:

ходи́ть + при ⟶ приходи́ть (imperfective) to come, arrive
идти́   + при ⟶ притти́   (perfective)   to come, arrive

(Compare Lesson 16, Part B, Sect. C.)
For further examples see Appendix pp. 352 and 353.

5. The verb **носи́ть** has no *determinate* form when used in the meaning of "to wear":

Зимо́й я **ношу́** тёплое пальто́.   In winter I wear a warm coat.

To "wear" can also be rendered as follows:

На ней но́вая шля́па.	*Lit.*: On her is a new hat.
На нём бы́ло ста́рое пальто́.	*Lit.*: On him was an old coat.

B. The reciprocal pronoun: друг дру́га "one another"

Gen. and Acc.	друг дру́га	of one another, one another
Dat.	{ друг дру́гу { друг к дру́гу	} to one another
Instr.	друг с дру́гом	with one another
Prep.	друг о дру́ге	about one another

C. Expressions of age

In expressing age use the *dative* case:

Мне два́дцать оди́н год.	I am twenty one. *Lit.*: To me is twenty-one year.
Ско́лько **ей** лет?	How old is she? *Lit.*: How many to her of summers?
Ей два́дцать два (три, четы́ре) го́да.	She is 22 (23, 24) years old.
Ему́ бы́ло два́дцать пять (шесть, семь) лет.	He was 25 (26, 27) years old.

Note that **год** is used with **оди́н** (1) and its compounds (except 11); **го́да** with 2, 3, 4 and their compounds (except 12, 13, 14); **лет** with 5-20, 25-30, etc., and with **ско́лько** "how many."

D. Numerals 50-100

Cardinals		Ordinals		
50	пятьдеся́т	пятидеся́тый,	-'ая, -'ое	50th
60	шестьдеся́т	шестидеся́тый,	-'ая, -'ое	60th
70	се́мьдесят	семидеся́тый,	-'ая, -'ое	70th
80	во́семьдесят	восьмидеся́тый,	-'ая, -'ое	80th
90	девяно́сто	девяно́стый,	-'ая, -'ое	90th
100	сто	со́тый,	-'ая, -'ое	100th

Note the position of the **ь** at the end of the first component part of the *cardinal* numbers 50-80 (inclusive). Note also the -и ending on the first component part of the *ordinals* 50-80 inclusive.

V. QUESTIONS

1. Изве́стно ли и́мя Льва́ Никола́евича Толсто́го всему́ ми́ру? 2. Кому́ бли́зки и до́роги ру́сские лю́ди его́ рома́нов? 3. Где роди́лся Толсто́й? 4. Изве́стна ли «Ясная Поля́на» все-

му́ ми́ру? 5. Что тепе́рь в «Ясной Поля́не»? 6. Отку́да приезжа́ют лю́ди в «Ясную Поля́ну»? 7. Когда́ умерла́ мать Толсто́го? 8. Когда́ у́мер его́ оте́ц? 9. Когда́ Толсто́й поступи́л в Каза́нский университе́т? 10. Почему́ Толсто́й не ко́нчил университе́та? 11. Где начала́сь литерату́рная де́ятельность Толсто́го? 12. Когда́ прие́хал Толсто́й в Петербу́рг? 13. Как он был при́нят знамени́тыми ру́сскими писа́телями? 14. Ездил ли Толсто́й за грани́цу? 15. Чем занялся́ Толсто́й по прие́зде в Росси́ю? 16. Что он сде́лал для крестья́н? 17. Когда́ Толсто́й жени́лся? 18. Чем начина́ет интересова́ться Толсто́й во второ́й полови́не свое́й жи́зни? 19. Чему́ отдаёт Толсто́й всё бо́льше вре́мени и эне́ргии? 20. Каку́ю рабо́ту он де́лал? 21. Когда́ ушёл Толсто́й из «Ясной Поля́ны»? 22. Где у́мер Толсто́й?

VI. GRAMMAR EXERCISES

Exercises with Grammar A

a. Give the correct forms of the verbs in parentheses and indicate their type (i. e. whether they are *indeterminate* or *determinate*), for example:

Я сего́дня (éхать) в го́род: éду   *Determinate*

1. В дере́вне мы ча́сто (ходи́ть) купа́ться на о́зеро. 2. Мой това́рищ (éхать) на вокза́л со свои́ми чемода́нами и сундука́ми. 3. На пра́здники он всегда́ (лета́ть) в Ленингра́д. 4. Ма́льчик (бе́гать) ка́ждый день в сосе́дний колхо́з. 5. Я сам (нести́) э́тот тяжёлый чемода́н. 6. Носи́льщик то́же (нести́) два чемода́на. 7. Он всегда́ сам (носи́ть) свои́ чемода́ны. 8. Мы ча́сто (пла́вать) в э́том о́зере. 9. Мужи́к (вести́) вчера́ свою́ ло́шадь в по́ле. 10. Мать (води́ть) свои́х дете́й в парк. 11. Крестья́не (вози́ть) се́но с по́ля. 12. На да́чу мы всегда́ (éздить) на автомоби́ле.

b. Underline the verb which correctly completes the sentence, for example:

Сего́дня у́тром он идёт/хо́дит в шко́лу в во́семь часо́в.

1. Мой сын на́чал пла́вать/плыть, когда́ ему́ бы́ло три го́да. 2. Зимо́й ча́сто ходи́л/шёл снег. 3. За́втра мне ну́жно éхать/éздить в го́род за поку́пками. 4. Лете́ть/лета́ть большо́е удово́льствие. 5. Сего́дня у́тром на́ша дочь идёт/хо́дит пе́рвый раз в шко́лу. 6. Когда́ мы их встре́тили они́ ходи́ли/ шли в кино́. 7. Она́ но́сит/несёт э́то кра́сное пла́тье ка́ждый день. 8. Я ношу́/несу́ из библиоте́ки о́чень интере́сную кни́гу. 9. Он во́зит/везёт всю семью́ за-грани́цу. 10. Я бу́ду éхать/

е́здить сюда́ ка́ждое ле́то. 11. На Рождество́ к нам всегда́ приду́т/прихо́дят го́сти. 12. Я вожу́/везу́ с собо́й то́лько одно́ пальто́. 13. Профе́ссор за́втра придёт/прихо́дит в университе́т ро́вно в два часа́. 14. Он всегда́ прие́дет/приезжа́ет ра́но у́тром. 15. В бу́дущем ме́сяце к нам приезжа́ет/прие́дет знамени́тый писа́тель. 16. Учи́тель ввёл/вводи́л меня́ в ко́мнату и показа́л мне ру́сские кни́ги.

c. From the Reading Exercise write out all "indeterminate" and "determinate" verbs as well as their derivatives, indicating the type and English meaning of the basic infinitive, for example:

приходи́ли, derived from **ходи́ть** Indeterminate "go, walk"
ввёл,   derived from **вести́**   Determinate "lead"

Exercise with Grammar B

Supply the correct forms of the reciprocal pronoun друг дру́га:

1. Они́ прекра́сно понима́ли .... 2. Они́ всё гото́вы сде́лать ..... для ..... 3. Мы собира́лись в го́сти ..... к ..... 4. На вокза́ле мы до́лго иска́ли .... 5. Ма́льчики очеви́дно понра́вились .... 6. Эти знамени́тые филосо́фы всегда́ спо́рят ..... с ..... 7. После́дние два ме́сяца мы ничего́ не зна́ем ..... о ..... 8. «Де́ти, люби́те .... ,» так учи́ла нас мать в де́тстве. 9. Мы ча́сто быва́ли ..... у ..... 10. Они́ не́ были знако́мы, но мно́го слы́шали ..... о ..... от до́ктора Че́хова.

Exercises with Grammar C and D

a. Read and/or write in Russian the following numerals:

3, 8, 13, 21, 37, 46, 52, 60, 69, 71, 84, 93, 59, 19, 90, 100, 17, 70, 33, 53, 66, 44, 51, 14, 94, 40, 15, 50, 85, 99, 27, 11, 12, 18, 80, 10, 29, 34, 20, 98.

b. Change the above cardinal numerals into their respective ordinals.

c. Translate the expressions in parentheses:

1. На рождество́ (my father will be 70 years old). 2. Ско́лько, вы ду́маете, ему́ лет, (55 or 60 [year])? 3. Я прие́хал в «Ясную Поля́ну», когда́ (I was 31 years old). 4. Зна́ете вы (how old he is)? 5. (He was 45 years old), когда́ он жени́лся. 6. Она́ не сказа́ла, что (she is 25 years old). 7. Че́рез ме́сяц (I will be 45). 8. Моя́ ба́бушка умерла́, когда́ (she was 92 years old). 9. Толсто́й поступи́л в университе́т, когда́ (he was 16 years old). 10. В бу́дущем году́ (my daughter will be 23 years old).

VII. TRANSLATION INTO RUSSIAN

A

1. Léo Nikoláyevich Tolstóï was born at "Yásnaya Polyána." 2. "Yásnaya Polyána" is a very old estate near the city
of Toóla. 3. It is now a famous museum. 4. To it (hither) come
people from all the corners of Russia to see the home of one of
[out of] the greatest Russian writers. 5. Tolstoï has written
many very famous books. 6. His most famous novels are "War
and Peace" («Войнá и Мир») and "Anna Karénina." 7. Tolstóï's childhood was not a very happy one. 8. When he was
only two years old, his mother died, and when he was eight,
his father. 9. Tolstoï entered the University of Kazan when he
was sixteen. 10. But he soon joined the army and never finished
the university. 11. When Tolstóï was twenty-seven, he took a
trip (drove) to St. Pétersburg, where he was received as an
equal by Turgyényev and Nyekrásov. 12. Twice Tolstóï went
abroad. 13. At home on his estate, he introduced new methods
of working the fields. 14. He opened a school and himself taught
the children of his and neighboring villages. 15. He knew his
peasants well and liked to carry on long conversations with
them. 16. He went with them into the fields and himself carted
off hay, chopped and carried wood. 17. Finally he left his
estate and died in the house of the station-master of Astapovo
station.

B

Every Easter my friends and I meet (each other) in the
largest and most famous restaurant of our city, the "Zhar
Ptitsa" (Firebird). 2. Some (нéкоторые) of my friends do not
live in our city and have to come (arrive by vehicle) 50, 100,
or even more miles, and some even fly in (arrive by plane).
3. Last year I, too, had to fly in and almost came too late to
our meeting at the restaurant. 4. The restaurant "Zhar Ptitsa"
is not only very famous but also very old; it is 85 years old.
5. Everybody knows it and everybody tells one another about
its wonderful hors d'oeuvres, roast meats and wines. 6. I was
thirteen when my father first took me to that restaurant.
7. Now I always go there when I want to eat especially well.
8. Of course, it is very expensive to eat there. 9. On Sundays
a dinner costs 50 rubles and on holidays it may even cost 60 or
70 rubles. 10. On holidays, and at Easter, the rooms of the
restaurant are especially splendid. 11. Red, yellow, blue, and
white flowers are on the tables; silver spoons, forks, and knives,

and a whole forest of wine glasses! Even the tablecloths seem whiter than usual. 12. The ladies wear their most beautiful gowns (dresses) and everyone is especially happy and talks gayly with one another. 13. The proprietor knows us well; he meets us at the door. "Welcome (in)!" he says and leads us to our table. 14. Our table is huge, but there are 30 of us today and we do not have too much room. 15. The proprietor sees it, smiles (улыбáется), and says: " Crowded close, but congenial (not at variance)!" 16. And he is so right! Today we are (make) merry together and love one another like brothers. 17. We begin our dinner with the wonderful hors d'oeuvres and many glasses (рюмок) of vodka, and with each glass we say to one another: "To your health, dear friends!" 18. After the hors d'oeuvres one brings [us] soup, meat pies, roast meats, and finally, the dessert. 19. After the dinner we smoke splendid cigars or Russian cigarettes and tell funny stories about one another or interesting events in our lives. 20. And there is so much to tell and time flies so fast! It is two o'clock in the morning when we finally say goodbye, wish one another a "Happy journey!" and promise each other to write often.

VOCABULARY BUILDING

Verbs of *motion* with their characteristic prefixes. Remember that the distinction between *indeterminate* and *determinate* verbs is lost through prefixion. See Grammar A, 3 and 4 of the preceding lesson.

Imperfective	Perfective	English
	В = movement in; into:	
входи́ть	войти́	to go, come in
въезжа́ть	въе́хать	to ride, drive in
влета́ть	влете́ть	to fly in
	ВЫ = movement out of:	
выходи́ть	вы́йти	to go, come out
выезжа́ть	вы́ехать	to ride, drive out
вылета́ть	вы́лететь	to fly out

ДО = movement up to:

доходи́ть	дойти́	to go, come up to, reach
доезжа́ть	дое́хать	to ride, drive up to, reach
долета́ть	долете́ть	to fly up to, reach

ОБ; ОБО = movement around, encircling:

обходи́ть	обойти́	to go around, avoid, circle
объезжа́ть	объе́хать	to ride, drive around, avoid
облета́ть	облете́ть	to fly around, avoid

ОТ = movement away from:

отходи́ть	отойти́	to go, step away from
отъезжа́ть	отъе́хать	to drive off, ride away, leave
отлета́ть	отлете́ть	to fly away (depart by plane)

ПЕРЕ = movement over, across:

переходи́ть	перейти́	to go, come over, across
переезжа́ть	перее́хать	to drive, ride over, across
перелета́ть	перелете́ть	to fly over, across

ПРИ = movement to, toward (arrival):

приезжа́ть	прие́хать	to come, arrive (by vehicle)
прилета́ть	прилете́ть	to come, arrive (by plane)
приходи́ть	притти́	to come, arrive

ПРО = movement through, past:

проходи́ть	пройти́	to go through, pass
проезжа́ть	прое́хать	to ride, drive through
пролета́ть	пролете́ть	to fly through

РАЗ = movement apart (scatter):

разходи́ться	разойти́сь	to separate, come apart, undone
разъезжа́ться	разъе́хаться	to drive in all direction, often
разлета́ться	разлете́ться	to fly apart, explode

У = movement away from (departure, removal):

уходи́ть	уйти́	to go, come away, leave
уезжа́ть	уе́хать	to drive, ride away, depart
улета́ть	улете́ть	to fly away (depart by plane)

Prefixing is, of course, not limited to verbs of *motion*, as can be observed in the following *additional reading unit*.

ADDITIONAL READING MATERIAL

With emphasis on verb-PREFIXES. The change in the basic meaning of the verb produced by such prefixion is indicated by means of the parenthesized literal translations. Notice the use of prepositions in addition to the prefix whenever the literal, rather than the derived meaning of an action is conveyed. Notice also that the prefix and the preposition used are often identical (дописать . . . до) but even when different in form they emphasize and supplement the meaning of the prefix (выйти . . . из).

ПИСЬМО БОРИСУ

Сегодня вечером я наконец **за**кончил (finished completely) письмо Борису. Письмо **вы**шло (came out) длинным. Я **ис**писал (wrote out, i. e. used up writing) шесть листов бумаги.

Как быстро **про**летело (flew through, away) время! Борис и я учились вместе в университете. Мы сразу-же **со**шлись (came together) характерами и стали друзьями. Когда мы **о**кончили (finished completely) университет, все наши товарищи **разъ**ехались (drove apart) **по** разным городам; я сам **пере**ехал (drove over) **из** Чикаго **в** Нью-Йорк, а Борис **у**ехал (drove away) **за** границу.

Некоторое время мы с ним **пере**писывались (wrote back and forth), а потом, сам не знаю как это **произо**шло (went through/out: happened), переписка наша кончилась. Это конечно можно было **пред**сказать (tell before; predict): молодёжь всегда быстро **с**ходится (comes together), но также быстро и **рас**ходится (goes apart).

Прошло (went through: passed) много лет. Но вот, на прошлой неделе я **про**сматривал (looked through) журнал «Американский Инженер» и увидел там фотографию Бориса. Мне **за**хотелось (began to want: got the urge) **на**писать (completion stressed) ему и **на**помнить (call to/on [на] his memory) весёлые дни нашей молодости. Я писал это письмо почти целую неделю; несколько раз его **пере**писывал (wrote over), долго не мог **до**писать (write to/up to) **до** конца и только сегодня, наконец, я **при**писал (wrote in addition) ещё несколько слов, **под**писал (wrote under: signed) и сейчас готов был пойти на почту **от**править (direct away: send off) письмо.

Почта не очень далеко от моего дома. Когда **вы**йдешь (go out) **из** дома, надо сразу же **пере**йти (go across) **через** мост, **про**йти (go through) несколько улиц, повернуть направо, **до**йти (go up to) **до** небольшой площади, **обо**йти (go around, circle it) её, **вы́**йти (go out) **на** бульва́р, **про**йти́ (go through) **по** бульва́ру **до** но́вого городско́го го́спиталя, **зайти́** (go behind) **за** у́гол э́того зда́ния и че́рез не́сколько мину́т вы уже́ **под**ходи́ли (walk under!/up to) **к** зда́нию по́чты!

Коне́чно тепе́рь ма́ло кто лю́бит ходи́ть пешко́м. Для меня́ э́то большо́е удово́льствие, а все смею́тся надо мно́й, что я челове́к 18-ого ве́ка и не **до**ро́с (grow [up] to) ещё **до** 20-ого ве́ка! — Сме́йтесь, сме́йтесь, — отвеча́ю я им всегда́. — «Хорошо́ смеётся тот, кто смеётся после́дний!» Посмо́трим кто из нас **до**живёт (lives up to) **до** 21-ого ве́ка, вы и́ли я! —

ДВАДЦАТЬ ШЕСТОЙ УРОК | TWENTY-SIXTH LESSON

Declension and use of **óба, óбе** *"both" — Cardinals and ordinals, 100-1 million; declension of cardinals; approximation; addition, subtraction, multiplication, division; collective numerals — Prepositions: review and supplement*

I. COMMON EXPRESSIONS AND IDIOMS

На я́коре	At anchor
Взду́мали пла́вать на перегонки́	Took it into their heads to swim a race
Не выдава́й!	Don't give up!
Понату́жься!	Pull yourself together; try hard!
Бле́дный как полотно́	As white as a sheet (*Lit.*: pale as linen cloth)
Сорва́ться с ме́ста	To dash off (*Lit.*: to tear oneself from the spot)
Понесли́сь, что бы́ло си́лы	Raced off at top speed
Оди́н из них огляну́лся.	One of them looked back.
Как бу́дто	As if
Ско́лько нас ни́ было	As many as there were of us, i. e. all of us
За́мерли от стра́ха.	We were stunned with fear.
Разда́лся вы́стрел.	A shot resounded, was heard.
Что сде́лалось с...	What happened to...

II. READING: АКУЛА

Adapted from Tolstói's short story "The Shark"

Наш кора́бль стоя́л **на я́коре у бе́рега** Африки. День был прекра́сный; **с мо́ря** дул све́жий ве́тер, но **к ве́черу** пого́да измени́лась (changed), ста́ло ду́шно.

Пе́ред зака́том со́лнца капита́н вы́шел **на па́лубу,** крикнул: «Купа́ться!», и **в одну́ мину́ту** матро́сы попры́гали **в во́ду,** спусти́ли в во́ду па́рус и **в па́русе** устро́или купа́льню.

На корабле́ с на́ми бы́ли два ма́льчика. Ма́льчики пе́рвые попры́гали **в во́ду,** но им те́сно бы́ло **в па́русе,** и они́ взду́мали **пла́вать на перегонки́ в откры́том мо́ре.**

Оди́н ма́льчик снача́ла перегна́л това́рища, но пото́м стал отстава́ть. Оте́ц ма́льчика, ста́рый артиллери́ст, стоя́л **на па́лубе** и любова́лся **на своего́ сы́на.** Когда́ сын стал отстава́ть, оте́ц кри́кнул ему́: **«Не выдава́й! Понату́жься!»**

Вдруг **с па́лубы** кри́кнули: «Аку́ла!» — и все мы уви́дели **в воде́** спи́ну морско́го чудо́вища[1].

Аку́ла плыла́ пря́мо **на ма́льчиков**[2].

«Наза́д! Наза́д! Аку́ла!» — закрича́л артиллери́ст. Но ребя́та не слы́шали его́, плы́ли да́льше, смея́лись и крича́ли ещё веселе́е и гро́мче пре́жнего.

Артиллери́ст, **бле́дный как полотно́,** смотре́л **на дете́й.**

Матро́сы спусти́ли ло́дку, бро́сились **в неё и понесли́сь, что бы́ло си́лы,** к ма́льчикам; но они́ бы́ли ещё далеко́ **от них,** когда́ аку́ла была́ не да́льше **двадцати́ шаго́в.**

Ма́льчики снача́ла не слы́шали того́, что им крича́ли, и не ви́дели аку́лы; но пото́м **оди́н из них огляну́лся,** и мы все услы́шали пронзи́тельный визг, и ма́льчики поплы́ли **в ра́зные сто́роны.**

Визг э́тот **как бу́дто** разбуди́л артиллери́ста. Он **сорва́лся с ме́ста** и побежа́л **к пу́шкам.**

Мы все, **ско́лько нас ни́ было** на корабле́, **за́мерли от стра́ха** и жда́ли, что бу́дет.

Разда́лся вы́стрел и мы уви́дели, что артиллери́ст упа́л по́дле пу́шки и закры́л лицо́ рука́ми. **Что сде́лалось с аку́лой и с ма́льчиками,** мы не ви́дели, потому́ что **на мину́ту** дым застла́л нам глаза́.[3] Но когда́ дым разошёлся **над водо́й, со всех сторо́н** разда́лся гро́мкий, ра́достный крик. Ста́рый артиллери́ст откры́л лицо́, подня́лся и посмотре́л **на́ море.**

По волна́м колыха́лось жёлтое брю́хо[4] мёртвой аку́лы. **В не́сколько мину́т** ло́дка подплыла́[5] **к ма́льчикам** и привезла́ их **на кора́бль.**

---

[1] Морско́го чудо́вища genitive singular of морско́е чудо́вище "sea monster."

[2] Пря́мо на ма́льчиков. "Straight toward the boys."

[3] Дым застла́л нам глаза́. "The smoke obstructed our vision."

[4] "The yellow belly (of the dead shark) was floating (bobbing) (on the waves)": колыха́лось "was floating, bobbing"; брю́хо "belly."

[5] Подплыла́. "Swam up to, reached."

III. VOCABULARY

акула	shark	назад	back
артиллерист	artillery man	палуба	deck
ветер (ǂе)	wind	парус	sail
волна	wave	пронзительный,	piercing
громкий,	loud	-ая, -ое	
-'ая, -'ое		пушка (е)	gun, cannon
громче	louder	радостный,	happy, joyous
душно (adv.)	stifling	-ая, -ое	
душный	stifling	сторона	side
-'ая, -'ое		сутки (о) (pl.)	24 hours,
закат (солнца)	sunset		night and day
капитан	captain	тесно	confining, close,
корабль (m.)	ship		crowded
купальня (е)	swimming pool	шаг	step, pace
матрос	sailor		

Verbs

Imperfective	Perfective	English
бросаться (I)	броситься; брошусь, бросишься, бросятся	to dash, rush, throw oneself
дуть; дую, дуешь, дуют	подуть (дуть)	to blow
кричать; кричу, кричишь, кричат	закричать (кричать) *or* крикнуть (I)	I. to shout P. to cry out
отставать; отстаю, отстаёшь, отстают	отстать; отстану, отстанешь, отстанут	to fall (lag) behind
падать (I)	упасть; упаду, упадёшь, упадут упал, упала, упали	to fall (down)
подходить (ходить)	подойти (идти)	to approach, come up
прекращаться (I)	прекратиться; прекращусь, прекратишься, прекратятся	to stop, end

Imperfective	Perfective	English
привозить (возить)	привезти (везти)	to bring (by vehicle), import
прыгать (I)	попрыгать (I) прыгнуть (I)	to jump, dive
расходиться (ходить)	разойтись (идти)	to part, go apart, scatter
спускать	спустить; спущу, спустишь, спустят	to lower, let down
устраивать (I)	устроить (II)	to make, construct

IV. GRAMMAR

A. Full declension and use of óба, óбе "both"

	Masc. and Neut.	Fem.
Nom.	óба	óбе
Gen.	обóих	обéих
Dat.	обóим	обéим
Acc.	N. or G.	N. or G.
Instr.	обóими	обéими
Prep.	обóих	обéих

Óба is used with *masculine* and *neuter* nouns; óбе with *feminine* nouns.

Óба and óбе are followed by the *genitive singular* of the *noun* and by the *nominative* (or genitive) *plural* of the *adjective:*

| Óба нóвые (or нóвых) столá | Both new tables |
| Óбе молодые (молодых) жéнщины | Both young women |

In oblique cases (i.e. cases other than the nominative) both the noun and adjective agree in case with óба and óбе: Обóих нóвых столóв; обéих молодых жéнщин; etc.

B. Numerals

1. *Declension of cardinal numerals*:[1]

a. Declension of два, две; три; четы́ре:

Nom.	два, две	три	четы́ре
Gen.	двух	трёх	четырёх
Dat.	двум	трём	четырём
Acc.	N. or G.	N. or G.	N. or G.
Instr.	двумя́	тремя́	четырьмя́
Prep.	двух	трёх	четырёх

b. Declension of the numerals 5 - 19, 20 and 30:

Nom.	пять	во́семь
Gen.	пяти́	восьми́
Dat.	пяти́	восьми́
Acc.	пять	во́семь
Instr.	пятью́	восьмью́
Prep.	пяти́	восьми́

Like пять (5) are declined 6 - 19, 20 and 30. However, in the declension of numerals 11 - 19 inclusive, the stress remains on the same syllable as in the nominative, while with the other numbers (6 - 10, 20, 30) the stress moves to the endings. Note that пять is declined exactly like дверь.

c. In all compound *cardinal* numerals (21, 22, 33, 34, etc.) each of the numerals is declined:

Nom.	два́дцать три	три́дцать шесть
Gen.	двадцати́ трёх	тридцати́ шести́
Dat.	двадцати́ трём	тридцати́ шести́
Acc.	два́дцать три	три́дцать шесть
Instr.	двадцатью́ тремя́	тридцатью́ шестью́
Prep.	двадцати́ трёх	тридцати́ шести́

d. Declension of the numerals 50, 60, 70, 80:

Nom.	пятьдеся́т	
Gen.	пяти́десяти	60, 70, 80 are declined
Dat.	пяти́десяти	
Acc.	пятьдеся́т	exactly like 50
Instr.	пятью́десятью	
Prep.	пяти́десяти[2]	

---

[1] For a complete listing of cardinal and ordinal numerals see Appendix II, Table 6.

[2] Note that both component parts of the number (пять and де́сять) are declined like пять, with the accent shifting to the inflectional endings of the first component.

e. Declension of 40, 90, 100:

Nom.	со́рок	девяно́сто	сто
Gen.	сорока́	девяно́ста	ста
Dat.	сорока́	девяно́ста	ста
Acc.	со́рок	девяно́сто	сто
Instr.	сорока́	девяно́ста	ста
Prep.	сорока́	девяно́ста	ста

f. Declension of multiples of a hundred (200, 300, etc.):[1]

две́сти, двухсо́т, двумста́м, две́сти, двумяста́ми, двухста́х

пятьсо́т, пятисо́т, пятиста́м, пятьсо́т, пятьюста́ми, пятиста́х

g. **Ты́сяча** (1000) and **миллио́н** (1,000,000) are declined like regular nouns, **ты́сяча** like **ко́мната**,[2] and **миллио́н** like **стол**.

2. *Rule of case requirement after the cardinal numerals when declined*:[3]

When a cardinal numeral appears in any but the nominative case (or the accusative when that case is like the nominative), then the following *adjectives* and *nouns* appear in the same case as the numeral, but *always* in the *plural*.

Из оди́ннадцати интере́сных книг, я купи́л одну́.
Out of eleven interesting books, I bought one.

Я дал э́ти кни́ги мои́м двум бе́дным друзья́м.
I gave these books to my two poor friends.

3. *Addition, subtraction, multiplication, division*:[4]

$5+6=11$	Пять **плюс** шесть **равня́ется** (равно́) оди́ннадцати (dative)!
$10-8=2$	Де́сять **ми́нус** во́семь **равня́ется** (равно́) двум.
$7 \times 3 = 21$	Семь **помно́женное на** три **равня́ется** двадцати́ одному́.
$10 \div 2 = 5$	Де́сять **разделённое на** два **равня́ется** пяти́.

---

[1] In the declension of multiples of a hundred, the nominative and accusative are alike; in the other cases the two component parts are declined according to their respective declensions, сто being declined in the *plural*.

[2] Taking proper account of vowel-mutation rules.

[3] For a summary of these rules, see Appendix II, Table 7.

[4] *Approximation is expressed*:
a. By placing the number after the noun:
　　Ему́ лет два́дцать.　　　　He is about 20 years old.
b. By the preposition о́коло (+ Gen.):
　　О́коло восьми́ часо́в.　　　It is about 8 o'clock.

4. *Collective numerals*:[1]

2 (*Lit.*: twosome)	**двóе**	4	**чéтверо**	6	**шéстеро**
3 (*Lit.*: threesome)	**трóе**	5	**пя́теро**	100	**сóтня**

Двóе, трóе follow the *plural* declension of the *soft* adjective; **чéтверо, пя́теро, шéстеро,** the *plural* of the *hard* adjective; **сóтня,** the singular and plural of feminine nouns in **-я**.

C. Prepositions (review and supplement)

1. По with the *dative* expresses:

Motion "on" "along"	Он шёл **по** у́лице.	He went along the street.
Time of recurrent action	Он рабóтал **по** вечерáм.	He worked evenings.
Distribution	Он дал кáждому **по** кни́ге.	He gave each one a book.

2. Пóдле with the *genitive* expresses "near, alongside":

Артиллери́ст упáл **пóдле** пу́шки.	The gunner fell alongside the gun.

3. При with the *prepositional* expresses "in the presence of, at": Он **при** мне э́то сдéлал.   He did it in my presence.

4. Из with the *genitive* expresses origin:

Лóжка **из** серебрá, из дéрева	A spoon (made) of silver, of wood
Он **из** крестья́н.	He has peasant ancestry.

5. К (ко) with the *dative* renders "toward" in time expressions: К утру́ "toward morning," к вéчеру "toward evening."

6. От with the *genitive* expresses:

Place:	Мы далекó **от** Москвы́.	We are far from Moscow.
Time:	**От** ию́ня до ию́ля	From June to July.
Cause:	Он страдáл **от** головнóй бóли.	He suffered from headache.

---

[1] These collective numerals are used mainly in reference to animate nouns and nouns that have only a plural form (**часы́** "clock," **су́тки** "24 hours"):

Двóе детéй Two children	**Трóе** часóв Three clocks
Нас бы́ло **чéтверо.**	There were four of us.
Их бы́ло **сóтня.**	There were a hundred of them.

Note that these numbers call for the *genitive plural* of the noun or pronoun.

V. QUESTIONS

1. Где стоя́л наш кора́бль? 2. Како́й был день? 3. Изме-
ни́лась ли пого́да к ве́черу? 4. Что кри́кнул капита́н, когда́ он
вы́шел на па́лубу? 5. Что спусти́ли матро́сы в во́ду? 6. Что
они́ устро́или в па́русе? 7. Кто был с на́ми на корабле́? 8. По-
чему́ ма́льчикам не понра́вилось пла́вать в купа́льне? 9. Что
они́ взду́мали де́лать? 10. Кто был оте́ц одного́ из ма́льчи-
ков? 11. Что кри́кнул ему́ оте́ц, когда́ ма́льчик стал отста-
ва́ть? 12. Что кри́кнули с па́лубы? 13. Что мы все уви́дели в
воде́? 14. Что закрича́л ма́льчикам ста́рый артиллери́ст?
15. Слы́шали ли его́ ребя́та? 16. Что они́ де́лали? 17. Что сде́-
лали матро́сы? 18. Кто был бли́же к ма́льчикам, аку́ла и́ли
матро́сы? 19. Как далеко́ была́ аку́ла от ма́льчиков? 20. Ви́де-
ли ли ма́льчики аку́лу? 21. Кто огляну́лся? 22. Что сде́лали
ма́льчики? 23. Разбуди́л э́тот визг артиллери́ста? 24. Куда́
он побежа́л? 25. Что мы уви́дели, когда́ разда́лся вы́стрел?
26. Почему́ мы не ви́дели, что сде́лалось с аку́лой, ...с ма́ль-
чиками? 27. Когда́ разда́лся со всех сторо́н гро́мкий, ра́дост-
ный крик? 28. Почему́ разда́лся ра́достный крик? 29. Бы́стро
ли подплыла́ ло́дка к ма́льчикам? 30. Куда́ она́ их привезла́?

VI. GRAMMAR EXERCISES

Exercise with Grammar A

Supply correct forms of the pronouns **о́ба, о́бе**:

1. Я зна́ю ..... языка́: англи́йский и ру́сский. 2. Гро́мкий
крик разбуди́л их ..... 3. Капита́н кри́кнул им ....., «Не
отстава́йте!» 4. Мать была́ дово́льна ..... дочерьми́. 5. Я
бу́ду у́жинать за́втра с ..... бра́тьями. 6. В ..... кварти́рах
нет хоро́шей обстано́вки. 7. ..... но́вых журна́ла у меня́.
8. Мне нра́вятся ..... жёлтые ска́терти. 9. Мы зна́ем об .....
стари́нных музе́ях в ва́шем го́роде. 10. К ..... на́шим сосе́д-
кам прие́хали го́сти.

Exercises with Grammar B

a. Read and/or write the following numerals:

1,356; 1,401; 2,578; 3,784; 4,963; 5,555; 6,765; 10,000; 125,000;
    500,000; 1,200,345; 3,094,912; 5,750,420; 8,900,002.

b. Supply the correct case forms of the numerals in parentheses:

Мы устро́или (2) купа́льни на на́шем о́зере. 2. Ему́ ещё
нет (4) лет. 3. Я бу́ду до́ма к (8) часа́м. 4. На Кра́сной пло́-
щади я встре́тил (2) англича́н. 5 Я уви́жу вас за́втра у́тром
ме́жду (7) и (8) часа́ми. 6. Пе́ред (15) уста́лыми матро́сами
стоя́л капита́н. 7. Профе́ссор занима́ется с (20) студе́нтами.

8. В э́той дере́вне о́коло (23) изб. 9. Тут на заво́де от (200) до (300) рабо́чих. 10. Из (100) крестья́н то́лько (60) име́ли свои́х лошаде́й. 11. Моя́ ко́мната в гости́нице на (19) этаже́. 12. В рестора́не, где я всегда́ обе́даю, быва́ет (200) челове́к в день. 13. В на́шем университе́те есть ме́сто для (1,000) студе́нтов. 14. В библиоте́ке бо́льше (1,000,000) ста́рых книг.

c. Supply the correct collective numerals:

1. У него́ (3) дете́й. 2. Я пригласи́л (4) това́рищей. 3. Она́ купи́ла (100) я́блок. 4. Нас бы́ло (5) в ко́мнате. 5. У меня́ (2) но́вых часо́в и все они́ отстаю́т.

d. Read and/or write the following in Russian:

1. $92 + 33 = 125$
3. $168 - 50 = 118$
5. $150 \div 2 = 75$
2. $144 + 1,220 = 1,364$
4. $10,000 - 600 = 9,400$
6. $5 \times 5 = 25$

Exercises with Grammar C

a. From the Reading Exercise write out all prepositional phrases, giving their case and English meaning (41 forms in all).

b. Supply the prepositions из, от, по́дле, с, у according to the meaning of the sentence, and supply endings wherever necessary:

1. Наш дире́ктор привёз прекра́сный ковёр ..... Кавка́з—. 2. Утром дул све́жий ве́тер ..... восто́к—. 3. Ребёнок закрича́л и бро́сился бежа́ть ..... милиционе́р—. 4. Вчера́ мы привезли́ све́жие цветы́ ..... дере́вн—. 5. Она́ сняла́ бе́лую ска́терть ..... стол—'. 6. На про́шлой неде́ле мы получи́ли письмо́ ..... дя́д—. 7. Я встре́чу вас за́втра ..... на́шего дру́г—. 8. Артиллери́ст упа́л ..... пу́шки. 9. Он закрича́л ..... бо́ли. 10. Мы все за́мерли .... стра́ха.

c. Translate the prepositions or phrases in parentheses:

1. Дождь начался́ то́лько (toward) ве́черу. 2. (Two hours before) его́ отъе́зда он уложи́л ве́щи и пое́хал (to) вокза́л. 3. Наш дом стоя́л (on) берегу́ реки́. 4. Он просто́й челове́к, (from among) крестья́н. 5. Капита́н ходи́л (along) па́лубе. 6. Мы быва́ем в библиоте́ке (on) понеде́льникам. 7. Мы хо́дим туда́ (for) кни́гами. 8. (In his presence) он всегда́ снима́ет шля́пу. 9. Возьми́те кни́гу (from) стола́! 10. Это да́же (for) нас но́вость. 11. (Besides) меня́ на корабле́ был ещё оди́н ма́льчик мои́х лет. 12. (Within) год вы хорошо́ бу́дете говори́ть по-ру́сски. 13. Я сиде́л (near) э́того окна́. 14. (Behind) на́шей шко́лой краси́вое де́рево, а (under) де́ревом стол и удо́бные сту́лья.

VII.   TRANSLATION INTO RUSSIAN

A

Adapted from Tolstói's short story "The Shark"

1. It was a stifling evening. 2. The sailors on our ship had lowered a sail into the water and had constructed a swimming pool. 3. We jumped into the water and swam in this pool. 4. But two boys took it into their heads to swim in the open sea. 5. For both it was confining in the sail. 6. Suddenly they shouted from the deck, "A shark! Turn back! Come back!" 7. But the boys did not hear the shouting. 8. The shark swam straight for the boys. 9. The father of one of the boys, an old artillery officer, was watching them. 10. He was stunned with fear and white as a sheet. 11. The shark was no further than fifty paces from the boys. 12. It was twenty-five paces from them when they finally saw it. 13. We heard a piercing shriek. 14. The shriek seemed to awaken the artillery officer. 15. He dashed to the cannon. 16. A shot resounded. 17. When the smoke over the water had scattered, we saw the dead shark on the waves. 18. From all sides resounded loud, happy shouts. 19. In a few minutes a boat had brought the boys to the ship.

B

1. The name of the author of the little story about the shark is known in America just as well as it is in Russia; in both countries everyone reads his famous novels, especially *Anna Karénina* and *War and Peace*. 2. Léo Nikoláevich Tolstói was born in Russia at the ancient estate of Yásnaya Polyána near the famous city [of] Toóla. 3. His family was wealthy, but Tolstói's life was not an easy one. 4. His father and mother both died when the boy was still very young—his mother in his second, his father in his eighth year. 5. At 16 (in his 16th year) Tolstói enrolled in the Kazán University and then enlisted in the army. 6. Soon the social and economic questions began to interest him more and more. 7. He saw the difficult situation of the peasants so clearly that it could seem [that] he himself was of peasant stock (had peasant ancestry). 8. He loved his peasants, often met with them under a big tree in his garden, and there carried on long conversations with them. 9. In his presence the peasants were not afraid to tell all about their difficult life. 10. Tolstói introduced new methods of tilling the soil (of field-work) and himself went with the peasants into the forests and fields. 11. He helped his peasants bring in

(collect) the [grain] harvest, to cart in the hay, and to chop the wood. 12. He opened a school not only for the children of his own peasants but also for the children from neighboring villages. 13. He taught them himself, told them such little stories as the one (that) about the shark. 14. Sometimes he asked (put: задава́л) such an easy question as: "How far is it from Yásnaya Polyána to the city [of] Toóla?" or even such a simple one as: "Is this table of gold, silver or wood?" 15. But sometimes he also asked more difficult questions: "How much is four plus seven?" or "How much is thirteen minus five?" or even "How much is fifteen multiplied by eight?" and "eighteen divided by six?" 16. The cleverest of the boys were very happy when they could answer: "Fifteen multiplied by eight equals 120" and "eighteen divided by six equals three". 17. But Tolstói did not only teach the boys in his little school. 18. From [all] the four corners (ends) of the world, from east and west, from north and south, people came to talk with Tolstói about problems of religion, ethics, and education. 19. Because Tolstói was not only one of the greatest writers, but also a great philosopher and a deeply religious (религио́зный) man.

ДВАДЦАТЬ СЕДЬМОЙ УРОК

TWENTY-SEVENTH LESSON

Suffixes -то, -нибудь; *prefix* ни — *Subjunctive*: *unreal condition; tense sequence* — *Date expressions*

I. COMMON EXPRESSIONS AND IDIOMS

Повисли над городом	Hovered (*Lit.*: hung) over the city
На самом деле	Really, as a matter of fact
Именно...	Just, the very
Всё таки	Nevertheless, yet
Всё обстоит благополучно	All is well
Стоит только выполнить	It's merely a matter of carrying out, fulfilling
Успех несомненно обеспечен	Success is unquestionably assured.
Чтобы понять	In order to understand
Тыловые части	Rear units
Бремя это непосильно.	That (is) an excessive burden, assignment.

II. READING: СТАЛИНГРАДСКОЕ СРАЖЕНИЕ
Adapted from K. Símonov's *Days and Nights*

В душный августовский день, бомбардировщики воздушной эскадры Рихтгофена[1] с утра **повисли над городом.** **Никто** не знал, сколько их было **на самом деле,** но за день наблюдатели насчитали над городом две тысячи самолётов.

Город горел. Он горел ночь, весь следующий день и всю следующую ночь. В первый день пожара бой шли ещё около шестидесяти километров от города, но **именно** с этого пожара началось большое Сталинградское сражение.

На третий день, пожар в Сталиграде начал стихать, но город был так огромен, что **где-нибудь** всё равно всегда **что-то** горело.

---

[1] Richthofen's flying squadron. Richthofen, a flying ace (German) of the first World War.

На деся́тые су́тки, по́сле нача́ла пожа́ра не́мцы подошли́ так бли́зко, что их снаря́ды и ми́ны ста́ли всё ча́ще разрыва́ться не то́лько на окра́инах, но и в це́нтре го́рода.

На два́дцать пе́рвые су́тки канона́да начала́сь в семь утра́ и не прекраща́лась до зака́та.

Е́сли кто́-нибудь попа́л бы в штаб а́рмии в э́ти дни, **то** ему́ **бы показа́лось,** что **всё обстои́т благополу́чно. Е́сли** он **посмотре́л бы** на шта́бную ка́рту го́рода, **то** он **уви́дел бы** на ней большо́е коли́чество диви́зий и брига́д. Он **мог бы** услы́шать приказа́ния, кото́рые отдава́ли **по телефо́ну** команди́ры э́тих диви́зий и брига́д. Ему́ **могло́ бы** показа́ться, что **сто́ит то́лько вы́полнить** э́ти приказа́ния и **успе́х несомне́нно обеспе́чен.**

Но **что́бы** действи́тельно **поня́ть**, что происходи́ло, ну́жно **бы́ло бы добра́ться** до са́мых диви́зий.

В после́дние дни в шта́бах а́рмии и **тыловы́х частя́х** взя́ли всех, кто не был там действи́тельно необходи́м.

Телефони́сты, повара́, хи́мики ста́ли пехо́той. Когда́ нача́льник шта́ба а́рмии смотре́л на шта́бную ка́рту, он коне́чно знал, что не́которые его́ диви́зии уже́ не диви́зии. Но он попре́жнему тре́бовал, чтобы на их пле́чи па́дала и́менно та вое́нная зада́ча, кото́рая должна́ па́дать на пле́чи диви́зии.

Все нача́льники от са́мых больши́х до са́мых ма́лых[1] зна́ли, что **бре́мя э́то непоси́льно,** и **всё-таки** они́ кла́ли э́то непоси́льное бре́мя на пле́чи свои́х подчинённых. **Друго́го вы́хода не́ было,** а воева́ть попре́жнему бы́ло необходи́мо.

III. VOCABULARY

а́вгустовский, -ая, -ое	August (adj.)	**киломе́тр**	kilometer
а́рмия	army	**коли́чество**	quantity, number
бой	battle	**команди́р**	commander
бомбардиро́вщик	{gunner / bombing plane	**ми́на**	mine, mortar shell
брига́да	brigade	**наблюда́тель** (m.)	observer
вое́нный, -'ая, -'ое	military	**не́мец (†е)**	German
вы́ход	way out, exit	**необходи́мый, -'ая, -'ое; -о**	necessary, indispensable
действи́тельно	really	**окра́ина**	outskirts
диви́зия	division	**пехо́та**	infantry
канона́да	cannonading	**по́вар**	cook

---

[1] **Ма́лых** genitive plural of **ма́лый**: **ма́ленький** "small." Here "of low rank."

подчинённый, -'ая, -'ое	subordinate	следующий, -ая, -ее	following
пожáр	conflagration, fire	снарядд	shell
		сражéние	battle
попрéжнему	as before	хи́мик	chemist
приказáние	order, command	штаб	staff, head-quarters
		штáбный, -'ая, -'ое (adj.)	
самолёт	airplane		

Verbs

Imperfective	Perfective	English
воевáть; воюю, воюешь, воюют	повоевáть (воевáть)	to fight, wage war
выполнять (I)	вы́полнить; вы́полню, вы́полнишь; вы́полнят	to fulfill, carry out
горéть; горю́ гори́шь, горя́т	сгорéть (горéть)	I. to burn; P. burn up
добирáться (I)	добрáться; доберу́сь, доберёшься, доберу́тся	to reach, get to
насчи́тывать (I)	насчитáть (I)	to count
происходи́ть (ходи́ть)	произойти́ (уйти́)	to happen, take place
разрывáться (I)	разорвáться; разорву́сь, разорвёшься, разорву́тся	to burst, tear, explode
стихáть (I)	сти́хнуть; сти́хну, сти́хнешь, сти́хнут	to abate, quiet down, subside
трéбовать; трéбую, трéбуешь, трéбуют	потрéбовать (трéбовать)	to demand

IV. GRAMMAR

A. Pronouns

1. The *indefinite* pronoun is obtained by attaching the endings -то or -нибудь to кто and что (and to their declensional forms):[1]

---

[1] There are other methods, but their discussion would exceed a basic course such as this.

кто́-то	someone	кто́-нибудь	anyone
что́-то	something	что́-нибудь	anything
кого́-то	of someone	кого́-нибудь	of anyone
чего́-то	of something	чего́-нибудь	of anything, etc.

Of the two endings, -то conveys a greater degree of *certainty* and *definitiveness* and is therefore best rendered by *some*one, *some*thing. -нибудь, conveying *complete indefiniteness* and *generality* is usually rendered by *any*one, *any*thing. Notice however that in Russian нибудь is often used where in English we use "someone" or "something." It is used most frequently in the future and question form:

Кто́-нибудь бу́дет там.	Someone will be there.
Был кто́-нибудь там?	Was anyone (someone) there?
Да, кто́-то был, но не зна́ю кто.	Yes, someone was there, but I do not know (exactly) who.
Занима́лся он чем-нибудь?	Was he busy with anything (something)?
Он чем-то был за́нят.	He was busy (occupied) with something.

These suffixes can also be attached to certain pronoun-adjectives and adverbs:

какой-то	some kind of	какой-нибудь	any kind of
где́-то	somewhere, some place	где́-нибудь	anywhere, any place
куда́-то	to somewhere, some place	куда́-нибудь	to anywhere, any place
когда́-то	once upon a time, some time	когда́-нибудь	any time at all, any time

2. *Negative* pronouns are formed by prefixing ни-:

Никто́ меня не зна́ет.	Nobody knows me.
Ничто́ не помогло́.	Nothing did any good. (*Lit.*: Nothing helped.)
Я никого́ не зна́ю.	I don't know anyone.
Он никому́ ничего́ не дал.	He did not give anyone anything.
Она́ ни с кем не знако́ма.	She knows no one.
Он ни о ком не говори́т.	He speaks of no one.

Note the double negative: никто́ ..... не; ничто́ ..... не; никого́ ..... не, etc.

Ни- can also be prefixed to certain pronoun-adjectives and adverbs:

Он не читáет **никакúх газéт**	He reads no newspapers whatever
Никогдá я не пойдý к ним	I shall never go to them
Я **нигдé** нé был сегóдня	I have not been anywhere today

B. The subjunctive[1]

1. *Formation of the subjunctive*:

The subjunctive is formed by combining the *past* tense of the verb (of either aspect) with the particle бы (or its contracted form б):

Я **читáл бы.**	I should read.
Онá **бы писáла.**	She would write, etc.

2. *Use of the subjunctive in unreal condition*:

There are in Russian, as in English, two types of conditional sentences, those expressing a *real* condition and those expressing an *unreal* or *contrary to fact* condition. Both types consist of a "conditional" or "if" clause and a "result" clause.

a. The *real* condition expresses a situation (or "condition") which is *actual* or at least possible in the present, past, or future. In this type of conditional sentence the verb will always be in the *indicative,* no matter what the tense. The conjunction "if" is generally rendered by éсли:[2]

Present Éсли дождь идёт, то он дóма.
If it is raining, he is at home.

Past Егó нé было там, éсли вы егó не вúдели.
He was not there if you did not see him.

Future Мы бýдем óчень рáды, éсли вы придёте.
We shall be very happy if you come.

---

[1] In Russian the subjunctive mood is identical in form with the conditional.

[2] The conjunctions раз and когдá are sometimes used. There are still other ways of introducing a conditional clause (imperative, infinitive) but their discussion would exceed the limits of a basic course such as this.

b. The *unreal* condition implies that a result would take place *if* a certain condition could or would be fulfilled, but that the condition could not be or was not fulfilled. Such a sentence may also express the wish that something would occur in the future. This type of sentence is *always* rendered by the use of the *subjunctive* in both clauses, that is, by the use of the *past* verb with **бы (б)**, which is generally introduced directly after the verb in the result clause and after "**éсли**" in the conditional clause:

Он был бы до́ма, éсли бы шёл дождь.

{ He would be at home if it were raining.
{ He would have been at home if it had rained.[1]

Мы бы́ли бы о́чень ра́ды, éслиб вы пришли́.

{ We would be very happy if you would come.
{ We would have been very happy if you had come.[1]

The sequence of clauses can be reversed. In this case the conjunction то may be used to introduce the result clause:

Éсли бы шёл дождь, **то** он был бы до́ма.
Éслиб вы пришли́, мы бы́ли бы о́чень ра́ды.

Note: It is very important to distinguish between the true conditional "would" and the "would" used in an indirect statement after a principal (or introductory) verb in the past tense:

(a) He *would read* if he could. (b) She said that she *would read*.

In sentence (a) we have a true conditional "would":

Он чита́л бы, éсли бы мог.

In sentence (b) "would" stands for "shall" of the corresponding direct statement (She said: "I shall read."), in accordance with the rules of *tense sequence* which apply in English. In Russian, however, there is *no tense sequence* and the "would" of the English sentence is therefore rendered by the *future* tense:

Она́ сказа́ла, что (она́) бу́дет чита́ть.

C. Date expressions (review and supplement)

    1. **Ты́сяча девятьсо́т со́-**   1947 (*Lit.*: the 1947th year)
      рок седьмо́й год

---

[1] Notice that in Russian the present and past unreal conditions can be differentiated only within a larger context.

2. To express "in the year" use **в** with the prepositional:

В ты́сяча девятьсо́т со́рок седьмо́м году́	In (the year) 1947
В про́шлом году́	In the past year; last year
В бу́дущем году́	In the coming year; next year

3. Day, month, and year are expressed as follows:

Два́дцать пя́т**ое** ма́**я** ты́сяча девятьсо́т три́д-цать пя́т**ого** го́**да**	The 25th of May, 1935
Два́дцать пя́т**ого** ию́ня ты́сяча девятьсо́т два́д-цать девя́т**ого** го́**да**	On the 25th of June, 1929

4. Dates are written as follows:

20-ое февраля́ 1947 г.	February 20, 1947
5-ого ма́я 1947 г.	On the 5th of May, 1947
Во вто́рник, 7-ого ию́ня, 1947 г.	On Tuesday, June 7, 1947

Note that **гг.** stands for **го́ды** "years" and must be read in the proper case, depending on context:

1947 (-ого) и 1949 (-ого) **гг.** i. e. год**о́в**	Of the years 1947 and 1949
В 1947 (-ом) и 1949 (-ом) **гг.** i. e. год**а́х**	In the years 1947 and 1949, etc.

V. QUESTIONS

1. Кто пови́с над го́родом в ду́шный а́вгустовский день?
2. Ско́лько самолётов насчита́ли наблюда́тели за день?
3. Ско́лько вре́мени горе́л го́род? 4. С чего́ начало́сь боль-шо́е Сталингра́дское сраже́ние? 5. Когда́ на́чал стиха́ть по-жа́р в Сталингра́де? 6. Почему́ пожа́р не прекраща́лся?
7. Когда́ подошли́ не́мцы совсе́м бли́зко к го́роду? 8. Где всё ча́ще ста́ли разрыва́ться их снаря́ды и ми́ны? 9. В кото́ром часу́ утра́ начала́сь канона́да на два́дцать пе́рвые су́тки?

10. Когда она прекратилась? 11. Если бы кто-нибудь попал бы в эти дни в штаб армии, каким ему бы показалось положение русских частей в Сталинграде? 12. Что он увидел бы, если бы он посмотрел на штабную карту? 13. Что мог бы он услышать? 14. Где мог бы он узнать, что действительно происходило? 15. Кого взяли из штабов армии и тыловых частей? 16. Что знал начальник штаба армии, когда он смотрел на штабную карту. 17. Чего он попрежнему требовал? 18. Что знали все начальники от самых больших до самых маленьких?

VI. GRAMMAR EXERCISES
Exercises with Grammar A

In Exercises a and b translate the pronouns[1] in parentheses:

a. 1. Тут (someone) требует командира к телефону. 2. Для (someone) сегодня привезли огромный сундук. 3. Я вижу (someone) на берегу реки. 4. Мне больше не нужен этот журнал, я его отдам (anyone). 5. На концерте я, конечно, (anyone) встречу. 6. Он всегда (something) занят. 7. Это мне в хозяйстве для (anything) будет нужно. 8. Ты бы занялся (anything). 9. Он для (something) поехал в город. 10. Расскажи мне, бабушка, о (anything)! 11. (Some kind of) матрос бросился в воду. 12. Мне кажется, (somewhere) пожар. 13. Летом мы, конечно, (anywhere) поедем. 14. Не знаете ли вы (anywhere) (any kind of) квартиры? 15. (Ever) я доберусь до моей дивизии? 16. Помню, (sometime) я был поваром на этом корабле. 17. Начальник штаба армии (somewhere) ушёл. 18. Мы слышали, как (somewhere) упал снаряд. 19. Прекратится ли (ever) эта канонада? 20. Купите мне фунт (any kind of) мяса.

b. 1. (Nobody) не знал, чей это новый дом на окраине города. 2. Вы, пожалуйста, этого (nobody) не говорите. 3. Я так устала, что не могу (about nothing) сейчас говорить. 4. Я тут (with nobody) не знаком. 5. Кажется, наш командир (nothing) больше не требовал. 6. Наш повар не интересовался (nothing), кроме еды. 7. Мой приятель, известный химик, (never) (nowhere) не бывает. 8. Этой весной мы действительно (nowhere) не поедем. 9. Наш телефонист (never) ещё не был в Сталинграде. 10. (Any sort of) приказания добраться до немцев я от него не слышал.

---

[1] The pronouns are chosen in keeping with the *Russian,* not the English text, thus underscoring the difference in usage of "some" and "any" in the two languages.

Exercises with Grammar B

a. In the following sentences supply the conjunction éсли; give the English translation.

1. ..... мы бýдем хорошó занимáться, то мы скóро бýдем говорúть по-рýсски. 2. Ребёнок закричúт. ..... он упадёт. 3. ..... бýдет дождь, мы не поéдем в дерéвню. 4. Я прочтý кнúгу, ... он её принесёт. 5. ..... этот мáльчик знáет англúйский язьík, то он бýдет читáть Дúккенса по-англúйски. 6. ..... необходúмо воевáть, то мы бýдем воевáть. 7. ..... капитáн потрéбует спустúть ту лóдку, то мы её спýстим. 8. Успéх обеспéчен, ... у начáльника достáточно дивúзий. 9. ..... мы все бýдем хорошó рабóтать, то наш колхóз бýдет лýчшим в странé. 10. Мы пойдём в парк, ... не бýдет так хóлодно.

b. In the above sentences reverse the sequence of clauses, making all the other necessary changes.

c. Change the *real condition* sentences given above into *contrary to fact conditions* and then translate into English, for example:

Real condition:	**Ребёнок закричúт, éсли он упадёт.**
Contrary to fact:	**Ребёнок закричáл бы, éслиб он упáл.**
English translation:	The child would have cried if it had fallen.

d. Translate all phrases in parentheses:

1. (If you wish to rest), приезжáй к нам в дерéвню! 2. Он скáзал, что он (would go) на концéрт. 3. Éсли бы я не был простýжен, я (would have gone) на концéрт. 4. (He would go) на концéрт, éсли бы не был простýжен. 5. Éсли я не бýду простýжен, я (shall go) на концéрт. 6. Éсли бы мáльчики не закричáли, стáрый артиллерúст (would not have seen) акýлы. 7. (If) наблюдáтель не оглянýлся, то он не встрéтил бы своегó командúра. 8. Éслиб вы не боя́лись канонáды, то вы (would have reached) до окрáины гóрода. 9. (If) подчинённые выполня́ли приказáния своúх начáльников, нéмцев давнó (would not have been) в гóроде. 10. (If) ты меня́ не разбудúл, я (would not have gotten) на собрáние. 11. Он скáзал, что он (would not be late) на этот пóезд. 12. (If) я не опоздáю на этот пóезд, то я (shall be) зáвтра в Москвé. 13. (If) я не опоздáл на этот пóезд, то я (would have been) ужé в Москвé.

14. Если бабушка не накрыла на стол в столовой, то дети (must eat) на кухне. 15. (If) бабушка не накрыла бы на стол в столовой, то дети (would have eaten) на кухне. 16. (It would have been) очень приятно познакомиться с вашим дядей, (if we had not been) так заняты.

Exercise with Grammar C

Read in Russian, translating the English phrases in parentheses:

1. Теперь 1947; через два года будет 1949; два года тому назад был 1945. 2. Париж, 28-ое февраля 1932. 3. Берлин, 5-ое июля 1944 г. 4. Москва, 15-ое декабря 1918 г. 5. Сталинградское сражение было в 1942 и 1943 гг.; оно началось (in September 1942) и кончилось (February 2, 1943). 6. Мы были в Лондоне (in 1933). 7. Он был в России (from the 5th of March, 1920 to April 10, 1935). 8. В Москве (in 1939) было (4,137,000) жителей (inhabitants), а в Ленинграде (1,191,000). 9. Александр Сергеевич Пушкин родился (in the year 1799) и умер (in the year 1837). 10. Лев Николаевич Толстой родился (August 28, 1828) и умер (November 7, 1910).

VII. TRANSLATION INTO RUSSIAN

A

Adapted from K. Simonov's *Days and Nights*

1. When the Germans were still sixty kilometers from Stalingrad, the city began to burn. 2. Airplanes were over the city day and night. 3. One day the observers counted 2,000 planes. 4. The huge city burned for a day and two nights. 5. On the third day the conflagration began to quiet down. 6. Nevertheless, somewhere there was always a fire, because the city was so huge. 7. Ten days after the start of the conflagration, German bombs and mines began to burst in the center of the city. 8. On the morning of the 21st day of the battle of Stalingrad, cannonading began at seven in the morning and did not end until eight in the evening. 9. Battles were raging (going) on the outskirts of the huge city. 10. And yet, if someone had come to army headquarters, he would have thought that all was well. 11. He would have seen on the map a great number of divisions and brigades. 12. He would have heard how the commanders were giving orders to these divisions and brigades. 13. Success would have seemed to him unquestionably assured. 14. Yet in order to understand what was really happening, he would have had to get to the divisions themselves. 15. Here he would have seen that those divisions no longer were divisions.

16. No one knew how many soldiers were in these divisions. 17. Nevertheless, it was necessary to fight as before. 18. Telephone operators, cooks, and chemists had to become infantrymen. 19. There was no other way out.

B

1. Yesterday, on the 23rd of January, 1957, I gave a report on Simonof's novel *Days and Nights*. 2. Before I began (перед тем как + infinitive) my report, I asked the students: "Has anyone of you read this novel of Simonof?" 3. Someone did know the name of the author, but no one had read the book. 4. I had read about this novel for the first time in the August issue (number) of the magazine *New World*. 5. It seems to me that it was in the first or second week of September, 1956. 6. At once I wanted to read the book, but I could not find it anywhere, neither at home nor in our school nor in the library of our little town. 7. Finally, I wrote to my brother, and he really did have it and immediately sent it to me. 8. He had been to (in) Russia twice, in the summer months of the years 1953 and 1954. 9. He no longer remembered where or why he had bought it, in some Russian city, perhaps even in Stalingrad itself. 10. If he had not bought the book then, I would never have read it and, of course, could not have given my report. 11. When I had finished the report, someone asked me: "When was the battle of Stalingrad?" 12. Really, had I forgotten to tell them the date of this important event of the war? 13. "Dear friends," I said, "please forgive me, if I forgot to tell you these important dates. 14. If I remember correctly, the battle began on the third of September, 1942, and ended on the second of February, 1943." 15. Another student asked: "Have you ever met and spoken to (with) a Stalingrad hero or anyone from the city of Stalingrad?" 16. "No, never!" I answered, "But if I had been in Russia, I surely would have met a Stalingrad soldier or a citizen of Stalingrad and would have heard from him something about that famous battle." 17. And, of course, someone wanted to know what would have happened if the Russian divisions could not have carried out the orders and could not have carried the excessive burden. 18. "Dear friend," I answered, "nobody can tell you that, for no one knows that!"

ДВАДЦАТЬ ВОСЬМОЙ УРОК

TWENTY-EIGHTH LESSON

*Subjunctive: purpose, wish, obligation, generalization —
Adverbial participle — Conjunctions*

I. COMMON EXPRESSIONS AND IDIOMS

Во что бы то ни стáло	At all cost, by all means
Рабóтать не покладáя рук	To work constantly. *Lit.*: without laying down one's hands
Как бы тяжелó ни рабóтал ...	No matter how hard (he) worked ...
Юмористи́ческий журнáл	Humorous magazine, a periodical of wit and entertainment
Глáвным óбразом	Mainly, chiefly
Вмéсте с тем	At the same time, in addition to, along with
Имéть большóе влия́ние на + (Acc.)	To have a great influence on

II. READING: О ЧЕХОВЕ (1860-1904)

А. П. Чéхов роди́лся 17-го января́ 1860 гóда в Таганрóге, небольшóм гóроде на ю́ге Росси́и. Отéц Чéхова был из крестья́н, но он хотéл лýчшей жи́зни для самогó себя́ и для свои́х детéй. Не **имéя** ни средств, ни образовáния, он ещё мáльчиком нáчал рабóтать в контóре одногó из городски́х купцóв.

Реши́вши во что-бы то ни стáло доби́ться незави́симости, отéц Чéхова **рабóтал не покладáя рук. Для тогó, чтóбы** доби́ться своéй цéли он откры́л своё небольшóе, торгóвое дéло в Таганрóге в 1857 годý.

Однáко, как бы тяжелó ни рабóтал отéц Чéхова, он не жалéл дéнег на **то, чтóбы** сдéлать свои́х детéй образóванными людьми́. Дéти не тóлько ходи́ли в шкóлу, но тáкже занимáлись и языкáми и мýзыкой.

Окóнчив шкóлу в Таганрóге, сыновья́ Чéхова продолжáли своё образовáние в Москвé. Стáрший сын, Алексáндр, окóнчил математический факультет Московского университета, младший, Михаил, учился на юридическом факультете, а Антон поступил на медицинский факультет.

Учась в университете Чехов занимался не только медициной, но и литературой. Ещё **будучи** студентом Чехов начал писать рассказы для **юмористических журналов.** Это были маленькие совсем короткие рассказы, прекрасные по форме и очень смешные. Чехов первым ввёл такую форму короткого рассказа в русскую литературу: «Я умею коротко говорить о длинных вещах», писал сам Чехов о своём творчестве. И **действительно,** в нескольких словах Чехов умеет передать не только характер, но и всю жизнь своих героев.

Во второй половине своей жизни Чехов писал, **главным образом,** для театра. Пьесы Чехова дали русскому театру совсем новое направление. «Пусть на сцене всё будет так же сложно и **вместе с тем** так же просто, как в жизни», говорил Чехов.

Однако, так же как и в «маленьких» рассказах Чехова в его пьесах, **несмотря на** их простоту, огромное богатство идей и мыслей, глубокое философское содержание.

Чехов **имел большое влияние** не только на русскую, но и на мировую литературу, а его пьесы теперь можно видеть в театрах всех стран мира, на всех языках.

III. VOCABULARY

богатство	wealth, riches	**смешной,**	funny, comical,
герой	hero	**-ая, -ое**	amusing
короткий,	short, brief	**содержание**	contents
-'ая, -'ое		**средство**	means
коротко	short,	**сцена**	stage, scene
(adv.)	brief	**творчество**	creation, works,
купец	merchant		creative power
направление	direction	**торговый,**	trade (adj.)
независимость	independence	**-'ая, -'ое**	
простота	simplicity	**философский,**	philosophical
пьеса	drama, play	**-'ая, -'ое**	
рассказ	story, tale,	**форма**	form, shape,
	narrative		genre
сложно	complicated	**характер**	character
		цель	aim, goal

Verbs

Imperfective	Perfective	English
добива́ться (I)	доби́ться; добью́сь, добьёшься, добью́тся	to strive for (successfully), gain, achieve
зараба́тывать (I)	зарабо́тать (I)	to earn
передава́ть (дава́ть)	переда́ть (дать)	to transmit, pass on

IV. GRAMMAR

A. Use of the subjunctive (continued)

1. To express *purpose*:

Он говори́т ме́дленно, **что́бы** вы **могли́** его́ поня́ть.
He speaks slowly so that you may understand him.

Я пойду́ в библиоте́ку, **что́бы взять кни́гу.**
I shall go to the library to take (out) a book.

Note: When the subject of the dependent clause is the same as that of the introductory clause, the verb is in the *infinitive.*

The conjunction **что́бы** "in order to, to, so that, that" is also used in the compound form **для того́, что́бы** (*Lit.*: for that, that . . .).

Для того́, что́бы стать изве́стным учёным, на́до мно́го рабо́тать.

To become a famous scientist, one must work much.

2. To express a *wish* (especially one that cannot or would not be fulfilled):

Еслиб то́лько не́ **было** бо́льше войны́!
If only there would be no more war! (*Lit.*: If only it would not be any more war [gen.].)

Хорошо́ **бы́ло бы** пое́сть!
It would be nice to have a little bite to eat!

Ты **бы сел** да **написа́л бы** ему́!
Why don't you sit down and write to him! (*Lit.*: [I wish that] you would sit down and write to him.)

Я не хочу́, **что́бы** вы так мно́го **рабо́тали.**
I don't want you to work so much. (*Lit.*: I do not want that you work so much.)

3. To express *obligation* (with the implication that the obligation is, at the moment at least, not being fulfilled):

Мне **сле́довало бы** бо́льше рабо́тать.　) I should be working
Я **до́лжен был бы** бо́льше рабо́тать.　}　　more.

4. To express *generalization*:

Кто **бы** меня́ **ни спроси́л**, я не скажу́ ни сло́ва.
No matter who asks me, I shall not say a word.

Что **бы** он ни **сказа́л**, всё бы́ло пра́вильно.
Whatever he said, everything was correct.

Куда́ **бы** ни **посмотре́ть**, везде́ вода́.
No matter where you look, there is water everywhere.

Во **что́бы** то ни **ста́ло!**   By all means!

In this type of construction the **бы** is used with a pronoun or adverb and is used together with the particle **ни.**

B.　The adverbial participle

The adverbial participle is frequently met with in conversational and, especially, in literary Russian. It is a part of speech formed from the verb and used as an adverb to indicate in what manner (or under what circumstances) an action is performed. Thus, in the sentences "I speak *standing*" or "I write *sitting*", the adverbial participles "standing" and "sitting" indicate the manner in which the actions of "speaking" and "writing" are performed. The adverbial participle has two tense forms: *present* and *past*. The *present* is used when the action expressed by the verb and by the participle are simultaneous (as in the examples above); the *past* is used when the action expressed by the participle precedes the one expressed by the verb (e. g.: Having written the letter, he mailed it**).**

1. The *present tense* adverbial participle[1] is formed by taking the *third* person *plural present* tense form of the verb,

dropping -ют (-ут) of the first-conjugation verb and -ят (-ат) of the second-conjugation verb, and adding я (or a after sibilant sounds):

---

[1] There are many verbs that do not have a present tense adverbial participle, for instance **писа́ть** and most monosyllabic verbs: **петь, пить, ждать,** etc.

чита́(ют)	: чита́	+ я	= чита́я	reading
име́(ют)	: име́	+ я	= име́я	having
жив(у́т)	: жив	+ я́	= живя́	living
крич(а́т)	: крич	+ а́	= крича́	shouting
говор(я́т)	: говор	+ я́	= говоря́	speaking

Reflexive verbs *always* add the ending -ясь: одева́ясь.

2. The *past tense* adverbial participle is formed by taking the *past tense* of the verb, dropping the ending -л, and adding в or вши to the resulting form:

$$\text{спроси́(л):} \quad \begin{array}{l} \text{спроси́} + \text{в} \quad = \text{спроси́в} \\ \quad\quad\quad + \text{вши} = \text{спроси́вши} \end{array} \Big\} \text{ having asked}$$

Reflexive verbs *always* add the ending -вшись: одева́вшись.

In forming the past adverbial participle, the *perfective* aspect of the verb is usually used. Verbs with irregular past tense formation usually add the ending -ши (instead of в or вши).[1]

3. The participial forms of быть "to be" are:

Present: **бу́дучи**   "being, while being"
Past: **бы́вши**   "having been"

C. Conjunctions and particles

The English translations of the following conjunctions and particles are approximate and will vary with different contexts.

Emphatic:

же but	Он пойдёт, я **же** оста́нусь.		He will go, but I shall remain.
	Вы **же** не хоте́ли туда́ пойти́!		But (I thought) you did not want to go there.
же then	Почему́ **же** ты остаёшься?		Why then are you staying?
же, ж——	Я **ж** тебе́ говори́л!		I told you so!
да́же even	**Да́же** он не знал.		Even he did not know.
действи́тельно truly, really, indeed, in fact	Он **действи́тельно** глуп.		He is truly, really stupid.

---

[1] For instance, принёс: принёсши   "having brought"
          привы́к: привы́кши   "having grown accustomed"
          пришёл : прише́дши   "having come"

Concessive:

хотя́ (even) though	**Хотя́** он и глуп, но мил.	Though stupid, he is nice.
несмотря́ на in spite of, notwith- standing	**Несмотря́ на** их простоту́	In spite of their simplicity

Adversative:

одна́ко however, yet	**Одна́ко,** он не хоте́л.	However, he did not want.
напро́тив on the contrary	**Напро́тив,** бы́ло о́чень легко́.	On the contrary, it was (even) very easy.

Distributive:

и . . . и both . . . and	**И** день **и** ночь	Both day and night
и́ли . . . и́ли either . . . or	**И́ли** я **и́ли** он	Either I or he
ни . . . ни neither . . . nor	**ни** он **ни** я	Neither he nor I

Conclusive:

ита́к and so	**Ита́к** он ушёл.	And so he left.
поэ́тому because **(потому́)** of that, therefore	**Поэ́тому (потому́)** я не пошёл.	Because of that (that's why) I did not go.

V.   QUESTIONS

1. Когда́ и где роди́лся А. П. Че́хов? 2. Из како́й семьи́
был Че́хов? 3. Име́л ли оте́ц сре́дства и образова́ние? 4. Чего́
хоте́л доби́ться оте́ц Че́хова? 5. Как он доби́лся свое́й це́ли?
6. На что оте́ц Че́хова не жале́л де́нег? 7. Чем занима́лись де́ти?
8. Око́нчив шко́лу, на како́й факульте́т поступи́л ста́рший сын,
Алекса́ндр? 9. Где и чему́ учи́лся мла́дший сын? 10. На како́й
факульте́т поступи́л сам Анто́н Че́хов? 11. Когда́ начала́сь
литерату́рная де́ятельность Че́хова? 12. Каки́е расска́зы писа́л
Че́хов бу́дучи ещё студе́нтом? 13. Что говори́л сам Чехо́в о
своём тво́рчестве? 14. Что Че́хов писа́л во второ́й полови́не
свое́й жи́зни? 15. Что да́ли ру́сскому теа́тру его́ пье́сы?
16. Име́л ли Че́хов влия́ние то́лько на ру́сский теа́тр? 17. Чем
знамени́ты и «ма́ленькие» расска́зы Че́хова и его́ пье́сы?
18. Каки́е расска́зы Че́хова вы уже́ чита́ли? 19. Знако́мы ли
вы с пье́сами Че́хова? 20. Каку́ю пье́су Че́хова вы ви́дели?

VI. GRAMMAR EXERCISES

Exercises with Grammar A

a. Combine the following sentences so as to express purpose, **for** example:

Он говори́т ме́дленно; мы мо́жем его́ поня́ть.
Он говори́т ме́дленно, что́бы мы могли́ его́ поня́ть.

1. На́до мно́го учи́ться; быть образо́ванным челове́ком.
2. Ну́жно люби́ть му́зыку; хорошо́ игра́ть на скри́пке. 3. Мы спусти́ли па́рус в мо́ре; матро́сы мо́гут устро́ить купа́льню.
4. Я купи́л ей но́вое пла́тье; она́ может приня́ть э́то приглаше́ние. 5. Он занима́ется ру́сским языко́м; он чита́ет ру́сские кни́ги. 6. Она́ пое́хала в го́род; она́ встре́тит его́. 7. Она́ ча́сто быва́ла за грани́цей; она́ изуча́ла языки́. 8. Мне на́до бо́льше занима́ться; я получу́ дипло́м в конце́ ию́ня. 9. Мы купи́ли э́ту краси́вую да́чу; на́ши де́ти мо́гут жить ле́том в дере́вне.
10. Я позвоню́ тебе́ за́втра; я расскажу́ тебе́ после́дние но́вости.

b. Change the following sentences so as to express a wish, as follows:

«Он рабо́тает». to «Е́сли бы он то́лько рабо́тал»!

1. Я уме́ю говори́ть по-ру́сски. 2. Он е́дет на уро́к. 3. Сестра́ написа́ла письмо́ отцу́. 4. Вы меня́ бу́дете учи́ть францу́зскому языку́. 5. Он ко́нчил свой дли́нный докла́д.

Exercise with Grammar B

Change the boldface phrases into adverbial participles, **con**sidering the tense and making all other necessary changes.

Examples:

Они́ бежа́ли **и перегоня́ли** друг дру́га.
Они́ бежа́ли **перегоня́я** друг дру́га.

Когда́ он попра́вился, он пое́хал на Кавка́з.
Попра́вившись, он пое́хал на Кавка́з.

1. **Я не по́мнил,** где живёт капита́н, и не мог ему́ написа́ть. 2. **Когда́ он жил** в Сталингра́де, он познако́мился с семьёю изве́стного учёного. 3. Я встре́тил моего́ това́рища, **когда́ я гуля́л** в Ле́тнем саду́. 4. **Когда́ нача́льник о́тдал** все необходи́мые приказа́ния, он уе́хал из шта́ба а́рмии туда́, где

шли бой. 5. **Когда́ я был** на вое́нной слу́жбе, я попа́л на Кавка́з. 6. Я слу́шал её игру́ на скри́пке **и ду́мал,** когда́ же наконе́ц она́ ко́нчит игра́ть. 7. **Он сказа́л:** «Прости́те за беспоко́йство», и закры́л дверь. 8. **Когда́ он жени́лся,** он стал интересова́ться хозя́йством. 9. **Когда́ я получи́л** ва́ше письмо́, я вам сейча́с же отве́тил. 10. **Когда́ они́ рассказа́ли** нам э́ту но́вость, они́ ушли́. 11. **Он кри́кнул:** «Това́рищи, не выдава́йте!», и упа́л. 12. **Когда́ Толсто́й устро́ил** шко́лу для дете́й, он стал сам преподава́ть в ней. 13. **Вчера́ я поступи́л** в университе́т и, написа́л об э́том отцу́. 14. **Когда́ сиди́шь** в па́рке нельзя́ не любова́ться э́тими кра́сными и жёлтыми цвета́ми. 15. **Когда́ я собира́лся** к вам в го́сти, я забы́л позвони́ть до́ктору Че́хову.

Exercise with Grammar A and C

Translate the expressions in parentheses:

1. (I should) воспи́тывать мои́х дете́й лу́чше. 2. (In order to) купи́ть мя́со, они́ до́лго стоя́ли в о́череди. 3. Я всё бу́ду есть, (no matter what they give me for dinner). 4. (One should) лу́чше знать родну́ю литерату́ру. 5. (Wherever I go), везде́ я встреча́ю прия́телей. 6. (Whomever I asked), никто́ не знал, где профе́ссор. 7. Он (emphatic part.) шути́л! 8. (Even) мой профе́ссор не знал отве́та на э́тот вопро́с. 9. Погуля́й в саду́ (and) приходи́ домо́й! 10. (Really,) он хорошо́ зна́ет свой предме́т. 11. (Even though) он всегда́ интересова́лся ру́сской литерату́рой, он не знал ру́сского языка́. 12. Ты хорошо́ танцу́ешь, (however) ху́же его́. 13. Я не то́лько не отдохну́л, (on the contrary) я ещё бо́льше уста́л. 14. Мы е́дем в го́род сего́дня (despite) дождь. 15. На собра́нии в клу́бе бы́ло о́чень мно́го наро́ду, (yet) мне бы́ло там ску́чно. 16. (Neither) мой брат (nor) мой дя́дя не попа́ли на конце́рт. 17. Он не зна́ет грамма́тики, (and because of that) ему́ тру́дно говори́ть по-францу́зски. 18. Ста́ло так тепло́, (as if) сейча́с ле́то. 19. (And so) мы за́втра уезжа́ем! 20. Мне на́до (either) отдохну́ть здесь у вас (or) пое́хать в дере́вню.

VII. TRANSLATION INTO RUSSIAN

A

1. Yesterday I read a play by (of) a Russian writer, Anton Chekhov. 2. I liked very much the simplicity of its language. 3. In spite of this simplicity there was a great wealth of ideas

in this little play. 4. Reading it, I wanted to know more about the life of this Russian genius. 5. Living right next to the library, I went there (thither) and there met my old Russian friend Ivan. 6. He gave me a little Russian book, "О Чéхове." 7. I read Russian with great difficulty; however, the contents of this book were so interesting that I read it from beginning to end with great pleasure. 8. The author tells us that Chekhov's father, himself not having had an education, worked constantly, day and night, in order to make possible (gain) a good education for his children. 9. In the year 1857, he opened a small business in the city [of] Taganrog. 10. If only the work had not been so hard! 11. If only there had been more money! 12. But in spite of the limited (small) means, Chekhov's three sons could go to the university. 13. Anton Chekov enrolled in the medical faculty of Moscow University. 14. While still (being) a student (there), Chekhov already began to write stories for the humor (humorous) magazine. 15. However, in the second part of his brief life, he wrote chiefly for the theater. 16. Whatever Chekhov wrote, everything had that Chekhovean simplicity and, at the same time, that wealth of ideas. 17. It seems to me that he once said to his friends: Let the people in your stories and plays be as simple and, at the same time, as complex as they are in life [itself]. 18. And so Chekhov's creative power gave to Russian literature a very new direction. 19. Now his short stories are read in every tongue, in every country of the East and the West. 20. His plays can be seen in the theaters of every cultural center of America and Europe.

B

1. Being a poor man, our father always wanted us to (that we) become rich and famous. 2. How many times did he say to us, to my two brothers and to me: "Dear sons, you know that I have worked constantly. 3. However, no matter how hard I work, I still remain a poor man. 4. In our days, in order to become rich and to achieve independence, you must study a great deal while you are still young. 5. I know that you have to work all day in the factory. 6. But, in spite of that, by all means find the time to study languages! 7. Knowing languages you can read the great works (трудьі) of famous writers of all nationalities (countries)." 8. But no matter how often father would tell us this, my brother Alek would always laugh at him and say: 9. "Yes, yes, dear father, of course we all know that we should read and write and

study a great deal. 10. And, indeed, I would be glad to read much more than I can now, if only I had more time and energy [for that]. 11. It would be so nice to go to the library every day or to sit at home and read interesting books. 12. However, dear father, you know that we must work in the factory and have neither the time nor the energy to study philosophy or medicine. 13. Having been on [my] feet all day, in the evening I can think only of rest." 14. And so my brother Alek never did go to the library, never did read, and never studied. 15. However, he did find (have) the energy to go to the movies and had the time to lie on the couch and to look at television all evening. 16. He is now 53 years old and is still working in the very same factory where he worked 30 years ago. 17. My other brother, Anton, did not laugh at our father. 18. On the contrary, he finished school and [while] still working at the factory, he did study languages and soon was able to read not only English authors but French and German as well. 19. When he had earned some (a little) money, he continued his education, enrolled at a university, and [while] studying in law school, began to write his first novel. 20. This was ten years ago; now everybody reads his excellent short stories and novels; he earns a great deal of money, is rich and famous.

ДВАДЦАТЬ ДЕВЯТЫЙ УРОК
TWENTY-NINTH LESSON

Relative pronouns — Present and past active participle

I. COMMON EXPRESSIONS AND IDIOMS

Вести́ своё нача́ло от ...	To trace one's origin from ...
Занима́ть большо́е положе́ние при дворе́	To occupy (hold) an important position at the court
По поруче́нию ...	Commissioned by ... *Lit.*: on commission
Сле́дующим о́бразом	In the following manner
Раздели́ться по положе́нию на ...	To divide (distribute) according to position (location) into ...
Во мно́гом отлича́ться от ...	To differ (be different) in many respects from ...
Деловы́е бума́ги	Official (business) papers
В дальне́йшем	Subsequently; with the passage of time; in the course of time
Проце́сс объедине́ния	The process of unification
Наприме́р	For example

II. READING: О РУССКОМ ЯЗЫКЕ

Совреме́нный ру́сский алфави́т **ведёт своё нача́ло** от старославя́нской а́збуки девя́того ве́ка, **кото́рую** разрабо́тали гре́ческие учёные Константи́н и Мефо́дий.

Бра́тья Константи́н и Мефо́дий бы́ли из бога́той вое́нной семьи́. **Роди́вшись** и **вы́росши** в го́роде Солу́не, они́ с де́тства зна́ли славя́нский язы́к, **на кото́ром** говори́ло населе́ние э́той о́бласти.

Оба бра́та получи́ли прекра́сное образова́ние и бы́ли высоко́ культу́рными людьми́. Кро́ме гре́ческого и славя́нского они́ хорошо́ зна́ли ещё не́сколько други́х языко́в. Оба **занима́ли большо́е положе́ние при дворе́** византи́йского импера́тора.

В 863 году́ славя́нское кня́жество Мора́вия попроси́ло византи́йского импера́тора присла́ть учителе́й, **кото́рые** могли́ бы научи́ть населе́ние христиа́нской ве́ре на их родно́м языке́. **По поруче́нию** импера́тора, Константи́н и Мефо́дий за́нялись созда́нием славя́нской а́збуки и перево́дом гре́ческих книг.

Эту а́збуку они́ разрабо́тали **сле́дующим о́бразом: взявши** гре́ческий алфави́т для всех тех зву́ков, **кото́рые** бы́ли похо́жи на гре́ческие и **созда́в** но́вые бу́квы для зву́ков не **име́ющихся** в гре́ческом языке́.

Ученики́ Константи́на и Мефо́дия, **продолжа́вшие** их де́ло, доби́лись того́, что старославя́нский язы́к стал о́бщим литерату́рным языко́м ра́зных славя́нских племён. Эти племена́, **кото́рые** жи́ли на террито́рии центра́льной и восто́чной Евро́пы в пе́рвые века́ на́шей э́ры, со вре́менем **раздели́лись по своему́ географи́ческому положе́нию** на отде́льные гру́ппы: ю́жную, восто́чную и за́падную.

Восто́чные славя́не, уже́ с седьмо́го ве́ка **называ́вшиеся** «Ру́сью» и **жи́вшие** по гла́вным во́дным путя́м, по Днепру́, по Во́лге, с са́мого ра́ннего вре́мени находи́лись в постоя́нных торго́вых и культу́рных сноше́ниях с Византи́ей.

Культу́рное влия́ние Византи́и ещё бо́лее уси́лилось, когда́ восто́чные славя́не при́няли от гре́ков христиа́нство в 989-ом году́. Вме́сте с христиа́нством пришла́ к восто́чным славя́нам и пи́сьменность. Старославя́нский язы́к был бли́зок восто́чно-славя́нскому, но, коне́чно, **во мно́гом отлича́лся от** разгово́рного наро́дного языка́.

Ру́сские перево́дчики, **переводи́вшие** гре́ческие кни́ги на старославя́нский язы́к, вводи́ли ча́сто в свои́ перево́ды слова́ ру́сского наро́дного языка́, а когда́ писа́лись **деловы́е бума́ги,** то то́же слова́ разгово́рного языка́ заменя́ли слова́ старославя́нские. **В дальне́йшем** э́тот проце́сс объедине́ния старославя́нского литерату́рного и ру́сского наро́дного языко́в всё бо́лее уси́ливается и ведёт к созда́нию языка́, **на кото́ром** тепе́рь говори́т всё ру́сское населе́ние С.С.С.Р.

III. VOCABULARY

а́збука	alphabet	**пле́мя** (decl.	tribe
алфави́т	alphabet	like **и́мя**)	
бу́ква	letter (of the alphabet)	**постоя́нный, -'ая, -'ое**	continuous, constant
ве́ра	faith, religion	**разгово́рный, -'ая, -'ое**	colloquial, conversational
влия́ние	influence		
звук	sound	**свято́й, -а́я, -о́е**	holy, Saint
импера́тор	emperor		
кня́жество	principality	**сноше́ние**	relation, dealings
нау́ка	science	**совреме́нный -'ая, -'ое**	contemporary
о́бщий, -'ая, -'ее	common, general		
		созда́ние	creation
отде́льный -'ая, -'ое	separate	**торго́вец (ᵼо)**	tradesman
		царь	Tsar, emperor
перево́д	translation	**центра́льный, -'ая, -'ое**	central
перево́дчик	translator		
пи́сьменность	written language, literature	**эпо́ха**	epoch
		э́ра	era

Verbs

Imperfective	Perfective	English
заменя́ть (I)	замени́ть (II)	to substitute, replace
признава́ть; признаю́,	призна́ть	to acknowledge,
признаёшь, признаю́т,	(знать)	recognize, admit
разраба́тывать (I)	разрабо́тать (I)	to work out, develop
уси́ливаться (I)	уси́литься (II)	to increase, grow stronger

Proper Names:

византи́йский,*	Byzantine	славяни́н; pl.	Slav
-'ая, -'ое		славя́не	
Византи́я	Byzantium	славя́нский,	Slavic
восточнославя́нский,	East Slavic	-'ая, -'ое	
-'ая, -'ое		старославя́нский,	Old Slavonic
Грек	Greek	-'ая, -'ое	
гре́ческий, -'ая, -'ое	Greek (adj.)	Солу́н	Thessalonica
Константи́н	Constantine	христиа́нский,	Christian
	(St. Cyril)	-'ая, -'ое	
Мефо́дий*	St. Methodius	христиа́нство	Christianity
Мора́вия	Moravia		

IV. GRAMMAR

A. The relative pronoun

1. The relative pronoun кото́рый "who, which" is used to introduce a relative clause:

The engineer *who works at our plant*
Инжене́р, кото́рый рабо́тает на на́шем заво́де.

(Since relative clauses are dependent clauses they must be set off by a comma in Russian.)

---

* Typical sound changes in Russian. We have seen the change from "h" to "g": Hegel to Ге́гель; hospital to го́спиталь (m.), and now we see the change from "b" to "v": byzantine to византи́йский; Benjamin to Вениами́н, and from "th" to "f": Methodius to Мефо́дий; Thomas to Фо́ма.

2. The relative pronoun *may not be omitted* in Russian. In English one can say: "The book I read is interesting."

In Russian one *must say*:

The book *which* I read is very interesting.
Кни́га, **кото́рую** я чита́ю, о́чень интере́сна.

3. The relative pronoun **кото́рый** is declined exactly like the pronoun-adjective **кото́рый**, that is, like any adjective in **-ый**.

4. The relative pronoun must agree in *gender* and *number* with its *antecedent*, that is, with the noun to which it refers. Its *case*, however, is determined by its *use* in the *clause*:

Инжене́р, кото́р**ый**	(masc., nom., sing.)	рабо́тает здесь.
Инжене́р, кото́р**ому**	(masc., dat., sing.)	я дал кни́гу.
Инжене́р, с кото́р**ым**	(masc., instr., sing.)	мы говори́ли
Инжене́р, о кото́р**ом**	(masc., prep., sing.)	мы говори́ли
Секрета́рша, кото́р**ая**	(fem., nom., sing.)	написа́ла письмо́.
Же́нщина, о кото́р**ой**	(fem., prep., sing.)	я ду́мал.
Окно́, кото́р**ое**	(neut., nom., sing.)	он закры́л.
Инжене́ры, кото́р**ые**	(masc., nom., pl.)	рабо́тали здесь.

5. Special attention must be paid to word order when the relative pronoun is in the *genitive* case. It then follows the part of speech it modifies within the clause:

Инжене́р, докла́д **кото́рого** был о́чень интере́сен
Lit.: The engineer, the report *whose* was very interesting

Note that in English this is the characteristic word order used with "which": "The table, the color *of which* was brown."

6. Instead of the relative pronoun **кото́рый**, the pronouns **кто, что** must be used to introduce a relative clause when the antecedent is a *pronoun*:

Тот, кто мно́го чита́ет, мно́го зна́ет.
He who reads much knows much.

Всё, что он рассказа́л, мы уже́ зна́ли.
All that he told we knew already.

Note that **кто** is used with *animate* antecedents, **что** with *inanimate*.

Rules 2 and 4 above apply equally to **кто** and **что**.

Кто and **что** when used as relative pronouns have the same declension as the *interrogative* pronouns кто and что (no plural!).

B. The participles

Participial forms are very common in Russian. In newspapers, periodicals, and other literary context *participles* are often used to replace the *relative pronoun.*

Instead of:	Инженéр, **котóрый** рабóтает здесь The engineer *who works* here
we find:	Инженéр, **рабóтающий** здесь The engineer *working* here

Moreover, *participles* are used as attributive adjectives:

Игрáющий мáльчик	The playing boy
Читáющая дéвочка	The reading girl

Finally, participles are used with the noun understood, **or** even as nouns, often in somewhat modified form:

читáющий	the reading one; **читáющие** the reading ones (readers)
рабóчий	the worker (*Lit.*: the working one)
сумасшéдший	the madman (*Lit.*: who has gone out of his mind)
прохóжий	the passer-by (*Lit.*: the going-through one)
нúщий	the beggar (*Lit.*: **не имéющий** one not having anything)
слéдующий	the following one

It is therefore important to have a good recognitional knowledge of the Russian participles. There are four types of participles in Russian: the *active* participle, *present* and *past,* and the *passive* participle, *present* and *past.*

1. The *present active participle* is characterized by the ending -щий:

Читáющий студéнт	The reading student	(attributive use)
Студéнт, читáющий кнúгу	The student [who is] reading a book	(in place of the relative pronoun)
Читáющий	The reading one, one who is reading	(used as a noun)

The participle, being a verbal adjective, must agree in *number, gender,* and *case* with the noun it modifies (or stands for):

читáющий мáльчик; читáющая дéвочка; читáющие дéти

The declension of a participle is that of an adjective the stem of which ends in a sibilant, e. g. хорóший, горя́чий, etc. (see Lesson 13):

читáющий мáльчик; читáющего мáльчика; читáющему мáльчику etc.

The basic method of *forming* the *active present* participle[1] is to take the third person plural, present tense of the verb[2] (читáют), drop the т, and add the participle ending щий:

рабóтающий; читáющий; говоря́щий

2. The *past active participle* is characterized by the ending -вший, or, with irregular past tense forms, -ший:

Читáвший мáльчик	The boy who has read; who has been reading
Ушéдший друг	The friend who has gone away

All that has been said with reference to the *active present* participle with respect to its use, agreement, and type of declension applies also to the *active past* participle. It should be noted, moreover, that the *past* participle may be rendered by the *present* tense in English:

Учёный, разрабóтавший нóвый алфавит.

The scholar who had worked out (*Lit.*: having worked out) the new alphabet.

Егó ученик, продолжáвший егó дéло

His student, continuing (*Lit.*: having continued) his work.

The basic method of *forming* the *active past* participle is to take the past tense form of the verb (был), drop the л, and add the regular *active past* participle ending вший: бы́вший "former, past." Some important irregular active past participles:

---

[1] Irregularities and exceptions are not given systematic treatment in this basic text.

[2] Only *imperfective* verbs can have a *present active* participle, since the *perfective* verbs do not have a *present* tense.

живший	one who has lived
принёсший	one who has brought
пришедший	one who has come
прошедший or прошлый	one who has passed, bygone, past

Table of 20 Frequent *Active* Participles

Infinitive		*Present Part.*	*Past Part.*
быть	be	None	бывший
говорить	speak	говорящий	говоривший
давать	give	дающий	давший
делать	do	делающий	делавший
думать	think	думающий	думавший,
ехать, ездить	drive	едущий ездящий	ехавший ездивший
ждать	wait	ждущий	ждавший
жить	live	живущий	живший
звонить	ring	звонящий	звонивший
знать	know	знающий	знавший
идти, ходить	go, walk	идущий ходящий	шедший ходивший
иметь	have	имеющий	имевший
кончать	finish	кончающий	кончавший
любить	love	любящий	любивший
начинать	begin	начинающий	начинавший
пить	drink	пьющий	пивший
смеяться	laugh	смеющийся	смеявшийся
спать	sleep	спящий	спавший
стоять	stand	стоящий	стоявший
умирать	die	умирающий	умиравший

V. QUESTIONS

1. Откуда ведёт своё начало русский алфавит? 2. Кто разработал старославянскую азбуку? 3. Где родились и выросли братья, Константин и Мефодий? 4. Какое получили они образование? 5. О чём просило славянское княжество византийского императора? 6. Чем занялись Константин и Мефодий по поручению императора? 7. Как они разработали славянскую азбуку? 8. Чего добились ученики Константина и Мефодия, продолжавшие их работу? 9. Где жили славянские племена в начале нашей эры? 10. На какие группы

разделились славянские племена? 11. Где жили восточные славяне? 12. С какой страной находились они в постоянных торговых и культурных сношениях? 13. Когда ещё больше усилилось влияние Византии? 14. Как пришла к восточным славянам письменность? 15. Кто учил восточных славян азбуке и письму? 16. Что делали русские переводчики, переводившие греческие книги на старославянский язык? 17. Как происходило развитие национального русского языка? 18. Какие слова часто заменяли старославянские в деловых бумагах? 19. Какой процесс усиливается в следующих годах? 20. К чему ведёт наконец этот процесс?

VI. GRAMMAR EXERCISES

Exercises with Grammar A

a. Supply the correct forms of the *relative* pronoun **который**:

1. Язык, на . . . . . они говорили, я хорошо знал. 2. Университет, в . . . . . я получил свой диплом, закрыли в прошлом году. 3. Где живёт певица, ... я вчера встретил на собрании? 4. Книга, ... он прочёл, очень интересна. 5. Учёный, работа . . . . . нас интересовала, уехал. 6. Переводчик, ... я дал этот журнал, прочитал его в пол часа. 7. Здание, около . . . . . мы стояли, было самым старым в городе. 8. Быстрота, с . . . . . летели бомбардировщики, не позволяла наблюдателям сосчитать сколько их было. 9. Милиционер, о . . . . . мы только что говорили, шёл к нашему дому. 10. Дороги, по . . . . . нам нужно было ехать, были совсём плохие.

b. Put the above sentences in the *plural*, making *all* necessary changes.

c. Supply the correct forms of the *relative* pronouns **кто** or **что**:

1. Все, ... мы встречали на улице, шли в клуб на собрание. 2. Тот, ... я ждала, не пришёл. 3. С . . . . . бы я ни говорил, никто не хотел идти со мной в кино. 4. Всё, ... я его учил, он уже забыл. 5. О . . . . . бы он ни говорил, всё нам было интересно. 6. То, о . . . . . рабочие говорили, было хорошо известно директору. 7. Я мало о . . . . . мог его спросить. 8. Всем, ... видел эту картину, она нравилась. 9. . . . . . бы мы ни спросили, никто не знал ответа. 10. Мы всегда понимали всё, ... он нам объяснял.

Exercises with Grammar B

a. From the Reading Exercise write out all *participles* and *adverbial participles* (review), grouping them according to their tense and giving their English meaning.

b. Use the *active* participles, *present* and *past,* of the list on page 287 in short but complete Russian sentences.

c. Change the *relative* clauses into *participial* phrases, using *present* tense participles. Remember that the participle must agree in case, number and gender with the noun it modifies, thus:

Не говори́те со студе́нтом, кото́рый рабо́тает над уро́ком:

Не говори́те со студе́нтом, рабо́тающим над уро́ком.

1. Рабо́чий, **кото́рый рабо́тает** на э́той фа́брике, живёт в це́нтре го́рода. 2. Де́вочка, **кото́рая гуля́ет** в саду́, моя́ сестра́. 3. Нам ну́жен инжене́р, **кото́рый понима́ет и говори́т** по-англи́йски. 4. Самолёт, **кото́рый гори́т,** упадёт в мо́ре. 5. Я́блоко, **кото́рое лежи́т** на столе́, из са́да мое́й ба́бушки. 6. Мы попроси́ли учи́теля, **кото́рый расска́зывает** нам о византи́йском госуда́рстве, объясни́ть нам когда́ и как начали́сь торго́вые сноше́ния Византи́и с славя́нскими племена́ми в центра́льной Евро́пе. 7. Для челове́ка, **кото́рый изуча́ет** эконо́мику, э́тот журна́л бу́дет о́чень интере́сен. 8. Я не зна́ю гости́ницы, **кото́рая име́ла бы** бо́лее удо́бные ко́мнаты. 9. К по́вару, **кото́рый живёт** ря́дом с на́ми, прие́хал его́ брат. 10. Я ча́сто ви́жу студе́нта, **кото́рый занима́ется** в э́том университе́те.

d. Put the above sentences in the *plural,* making all necessary changes.

e. Carry out the same changes as in (c) in the following sentences, using, however, the *past* tense participles:

1. В э́том го́роде да́же мой друг, **кото́рый знал** не́сколько языко́в, не мог получи́ть слу́жбы. 2. Граждани́на Семёнова, **кото́рый говори́л** вчера́ речь в клу́бе, я хорошо́ зна́ю. 3. Я не по́мнил фами́лии же́нщины, **кото́рая сиде́ла** за столо́м. 4. К тури́сту, **кото́рый осма́тривал** музе́й, подошёл профе́ссор Петро́в. 5. Я познако́мился с учёным, **кото́рый разрабо́тал** но́вую а́збуку. 6. Капита́н смотре́л на ло́дку, **кото́рая подплыла́** к кораблю́. 7. В кни́ге э́того писа́теля, **кото́рый написа́л** мно́го изве́стных рома́нов, я нашёл фотогра́фию моего́ отца́. 8. Вы

ничего́ не зна́ете о ма́льчике, **кото́рый бежа́л** и́з дома?
9. Нам необходи́мо пригласи́ть учёного, **кото́рый знал** положе́-
ние и **был** при дворе́ после́днего импера́тора. 10. Мой друг,
кото́рый сде́лал так мно́го для на́шего го́рода, тепе́рь живёт
в Чика́го.

f. Put the above sentences in the *plural*, making all necessary
changes.

VII.   TRANSLATION INTO RUSSIAN

A

1. Having read many books on Russian history and
life in the U.S.S.R., I wanted (got the desire) to know more
about the history of the Russian language. 2. And so I bought
a little book, *About the Russian Language,* in which I found
all I wanted to know. 3 Reading this book I found out that
the written language came to the Eastern Slavs along with
Christianity. 4. The Moravian principality was the first to ask
(asked as the first) the Byzantine Emperor to send someone
who could teach the new faith to the (native) population in
their own vernacular (native tongue); this was in the year
863. 5. At that time two brothers from a wealthy and important
family, Constantine and Methodius, were holding (occupied)
a very high position at the Byzantine court. 6. They had been
born and had grown up in Thessalonica, a city in which the
[native] population spoke the Slavic language. 7. Thus (in this
manner) both brothers knew the Slavic language from their
childhood [days]. 8. At the same time, they had received an
excellent education and, being highly educated people, they
not only spoke Greek but read the most difficult texts (books)
with great ease (completely freely). 9. Commissioned by the
Byzantine Emperor these two scholars began to translate the
Greek religious books into the Old Slavonic tongue. 10. But in
order to write these translations down, they had to develop
(work out) a new alphabet. 11. They worked out the Cyrillic
alphabet (Кири́ллица). 12. The name takes its origin
from Saint Cyril (Свято́го Кири́ла), who is, of course, the
Greek scholar Constantine himself. 13. Having created (worked
out) the alphabet and having written books in the Old Slavonic
language using (by means of) the new alphabet, they went
(отпра́вились) to the Slavic tribes and living among them
taught them the new faith and the new written language. 14. Of
course, this new written language in these new books was in
many respects different from the colloquial speech of the East
Slavic people. 15. But in the course of time, the students of Con-

stantine and Methodius, translating other Greek texts or
drawing up (writing) official papers, introduced many words
of the Russian native language into the Old Slavonic language
of the books and documents. 16. Thus began the process of the
unification of the Old Slavonic and the popular tongues.
17. This process finally led to the creation of the contemporary
Russian which every educated Russian now speaks, reads,
and writes.

B

1. My friend Nikolaĭ, who is making a serious study of
Russian history, knows also a great deal about that country's
geography and literature. 2. Last week he gave us an interesting report on the Russian language; next week he will speak
about the role of the Volga river in the economic and social
history of Russia. 3. Speaking of the Old Slavonic language,
Nikolaĭ wanted us to remember two very important names,
the names of two Greek scholars, Constantine and Methodius.
4. He told us how these two scholars had created the new
alphabet from which the present Russian alphabet traces its
origin. 5. Having worked out the "Cyrillica," they could then
write down their translations of the Greek religious books in
the Old Slavonic language and teach the Slavs the Christian
religion in their own tongue. 6. Nikolaĭ's reports are never
dull and all the students, especially those interested in the
history of Russian culture, are awaiting his next one with
great impatience. 7. Of all the students, only I know what
Nikolaĭ is going to (will) speak about next Thursday. 8. Last
Sunday, walking with me in the park and, evidently, having
completely forgotten about me, Nikolaĭ was thinking out loud
about his next report. 9. "Of course," he was saying, "of course,
everybody sings those 'Volga' songs and thinks that he knows
all about that most beautiful, that longest and deepest river
in all [of] Europe! 10. But who knows what an important
role that river has played in the history of Russia? 11. Who
knows, for example, that beginning with (from) the eighth
century tradesmen living in all parts of Russia and even in
foreign (other) countries gathered on the banks of that river,
that ancient trade route of Russia? 12. Meeting once a year
at Nizhniĭ Novgorod, these merchants brought furs from the
North, tea and silk from the East, wool and linen from the
West, wines and rugs from the South, the Caucasus and the
shores of the Caspian Sea." 13. "Sasha," Nikolaĭ suddenly

asked me, "do you know, that even large steamers can now
move (swim) from the Caspian Sea to Moscow, thanks to a
remarkable system of canals? 14. In my report which I shall
give next Thursday, I shall tell you all about these canals.
15. I shall also speak about the huge power stations that
stand on the banks of the Volga and about which you surely
know nothing at all. 16. Or have you, perhaps, heard about
the plans (пла́ны) which the Soviet government is working
out to make the Volga river the 'electrical heart' of the whole
country?" 17. I had to admit to my friend that I knew nothing at all about this. 18. But, saying goodbye to him that
Sunday, I did know what he would tell us in his talk next
Thursday.

Present and past passive participles — Passive voice

I. COMMON EXPRESSIONS AND IDIOMS

При Петре́ Вели́ком	In the reign of Peter the Great
Осно́вана Петро́м Вели́ким	Founded, established, by Peter the Great
По приме́ру...	Following the example of . . .
По пла́ну...	According to the plan of . . .
Наряду́ с...	Side by side, of equal importance with . . .
За грани́цей	abroad (place where)
За грани́цу	abroad (place whereto)
Среди́ чле́нов...	Among the members of . . .
Госуда́рственное устро́йство	Organization of the state
Проведённая Петро́м рефо́рма	The reform carried out by Peter the Great
Представля́ть собо́й	Represent
Чи́сто нау́чная и педагоги́ческая де́ятельность	Purely scientific and pedagogical activity
Техни́ческие шко́лы	Technical schools

II. READING: ОСНОВАНИЕ АКАДЕМИИ НАУК

Акаде́мия Нау́к[1] в Росси́и **была́ осно́вана Петро́м Вели́ким**[2] в январе́ 1724 го́да. Эпо́ха Петра́ Вели́кого изве́стна в ру́сской исто́рии как эпо́ха больши́х и ва́жных рефо́рм в экономи́ческой, полити́ческой и культу́рной жи́зни страны́.

Пётр Вели́кий хорошо́ зна́вший Евро́пу и понима́вший, что Росси́я во мно́гом отста́ла от свои́х европе́йских сосе́дей,

[1] **Акаде́мия Нау́к** — Academy of Sciences.
[2] **Пётр Вели́кий** — Peter the Great (1672-1725).

хотéл измени́ть свою́ страну́ **по приме́ру** за́падно-европе́йских госуда́рств.

Ру́сский исто́рик Ключе́вский[1] пи́шет, что одни́м из са́мых си́льных впечатле́ний, **вы́несенных** Петро́м из Евро́пы бы́ло чу́вство удивле́ния: как там мно́го у́чатся и как бы́стро и хорошо́ рабо́тают, а рабо́тают так бы́стро и хорошо́, потому́ что так мно́го у́чатся. Поэ́тому поня́тно, что **наряду́ с** экономи́ческими и полити́ческими рефо́рмами, распростране́ние образова́ния и подня́тие культу́рного у́ровня населе́ния ста́ло одно́й из гла́вных зада́ч Петра́ Вели́кого.

При Петре́ Вели́ком **приглаша́ются** в Росси́ю иностра́нные учёные и те́хники. Ру́сская молодёжь та́кже **посыла́ется за грани́цу** учи́ться. **По́сланные** в Англию, во Фра́нцию, в Ита́лию,[2] в Голла́ндию[3] молоды́е лю́ди изуча́ли там и матема́тику, и кораблестрое́ние, и филосо́фию, и архитекту́ру и госуда́рственное устро́йство ра́зных стран.

В 1703 году́ в Санкт Петербу́рге,[4] но́вой столи́це, **постро́енной** Петро́м на реке́ Неве́,[5] выхо́дит пе́рвая ру́сская газе́та, **печа́таются** уче́бники по ра́зным предме́там, из кото́рых мно́гие **бы́ли разрабо́таны** сами́м Петро́м. На ру́сский язы́к **перево́дятся** иностра́нные кни́ги, **открыва́ется** не́сколько техни́ческих школ. **Проведённая** Петро́м рефо́рма ру́сской а́збуки де́лает письмо́ бо́лее просты́м и поня́тным.

В 1717 году́ Пётр Вели́кий **был и́збран** чле́ном Пари́жской Акаде́мии Нау́к. Мысль о созда́нии Акаде́мии Нау́к в Росси́и давно́ занима́ла Петра́. По мы́сли Петра́, ру́сская Акаде́мия Нау́к должна́ была́ **представля́ть собо́й** собра́ние лу́чших учёных, кото́рые занима́лись бы **и чи́сто нау́чной и педагоги́ческой де́ятельностью.** Их ученики́ в дальне́йшем, са́ми станови́лись бы учителя́ми **техни́ческих школ** и распространя́ли бы образова́ние в наро́де.

Акаде́мия Нау́к **была́ осно́вана по пла́ну** Петра́ Вели́кого в 1724 году́, но начала́ свою́ де́ятельность то́лько че́рез год, уже́ по́сле сме́рти Петра́. Пе́рвые чле́ны Акаде́мии бы́ли иностра́нцы, **приглашённые** Петро́м из ра́зных европе́йских стран. Одна́ко, че́рез не́сколько лет **среди́ чле́нов** Акаде́мии бы́ло уже́ пятна́дцать ру́сских учёных. Среди́ них был вели-

---

[1] **Васи́лий Оси́пович Ключе́вский** — Vasilii Osipovich Kluchevski (1841-1911).
[2] **Ита́лия** — Italy.
[3] **Голла́ндия** — Holland; Netherlands.
[4] **Санкт Петербу́рг** — St. Petersburg, now **Ленингра́д** — Leningrad.
[5] **Нева́** — the river Neva.

чáйший рýсский учёный, Михаи́л Ломонóсов,[1] котóрым **бы́ло сдéлано** мнóго вáжных откры́тий в óбласти хи́мии и фи́зики. Им же **была́ напи́сана** пéрвая рýсская граммáтика в 1755 годý. При Акадéмии находи́лась и своя́ библиотéка и музéй, а в 1728 годý **печáтается** журнáл Акадéмии, получи́вший большóе распространéние за грани́цей.

Акадéмия Наýк срáзу же **была́ при́знана** наýчным ми́ром и Еврóпы и Амéрики. В 1779 годý оди́н из её члéнов **был и́збран** в члéны Америкáнского Филосóфского Общества в Филадéльфии, а пéрвым америкáнским учёным, стáвшим члéном Акадéмии Наýк в Росси́и был Вениами́н Фрáнклин.[2]

III. VOCABULARY

архитектýра	architecture	полити́ческий, -ая, -ое	political
впечатлéние	impression	распространéние	dissemination
госудáрство	state, empire	смерть	death
граммáтика	grammar	столи́ца	capital
дéятельность	activity	удивлéние	surprise, astonishment
инострáнец (†е)	foreigner		
инострáнный, -′ая, -′ое	foreign	ýровень (m.) (†е)	level
истóрик	historian	учéбник	textbook
кораблестроéние	shipbuilding	фи́зика	physics
мысль	thought	хи́мия	chemistry
подня́тие	raising		

Verbs

Imperfective	Perfective	English
избирáть (I)	избрáть (брать)	to select, elect
изменя́ть (I)	измени́ть, изменю́ изме́нишь, изме́нят	to change, alter
печáтать (I)	напечáтать (I)	to print
посылáть (I)	послáть; пошлю́ пошлёшь, пошлю́т	to send
распространя́ть (I)	распространи́ть (II)	to spread, disseminate

---

[1] Михаи́л Ломонóсов — Mikhail V. Lomonosov (1711-1765).
[2] Вениами́н Фрáнклин — Benjamin Franklin (1706-1790).

IV. GRAMMAR

A. The participles (cont.)

1. The *passive* participle *present* tense is characterized by the ending **-мый**:

Люби́**мый** ма́льчик	Dear (beloved, loved) boy.	(attr. use)
Ма́льчик, люби́**мый** все́ми	The boy [who is] loved by all	(in place of the relative pronoun)
Люби́**мый**	The loved one, one who is loved	(used as a noun)

The participle (being a verbal adjective) must agree in number, gender, and case with the noun it modifies (or stands for):

> люби́**мый** ма́льчик; люби́**мая** де́вочка; люби́**мые** де́ти; etc.

The declension of the participle is that of an adjective in **-ый** (но́вый etc. see Lesson 13):

> люби́**мый** ма́льчик; люби́**мого** ма́льчика; люби́**мому** ма́льчику; etc.

The *present passive* participle has also *short* forms ending in: **-м** (masculine singular); **-ма** (feminine singular); **-мо** (neuter singular); **-мы** (plural all genders).

These forms are used *predicatively;* they are *indeclinable* and show only number and gender, *not* case: люби́м; люби́ма; люби́мо; люби́мы "loved, one (ones) who are loved."

(Compare with the short adjective forms, Lesson 15; see Section B of this lesson for the principal use of these short participial forms.)

The basic *method* of *forming* the *present passive* participle[1] is to take the first person plural, present tense of the verb[2] (люби́м) and add the endings **-ый, -ая, -ое** etc.: люби́мый, etc.

---

[1] Irregularities and exceptions are not given systematic treatment in this basic text.

[2] Only *imperfective* verbs can have a *present passive* participle, since *perfective* verbs do not have a *present* tense.

Note that the position of the *stress* is like that in the *infinitive*: любить, любимый.

2. The *past passive* participle is characterized by two types of endings: -тый and -нный (ный):

Взятый	{ The taken one The one which has been taken
Написанный	{ The written one One which has been written

Взятый город	The taken (occupied) city
Написанное письмо	The written letter
Город, взятый нашими солдатами	The city [which] was taken by our soldiers
Письмо написанное по английски	A letter [which] was written in English

All that has been said with reference to the *present passive* participle, i.e., its use, agreement, and type of declension, applies also to the *past passive* participle.

The *past passive* participle has also *short* (indeclinable) forms which are used *predicatively*:

мыт (masc. sing.); мыта (fem. sing.); мыто (neut. sing.); мыты (plural all genders); написан (masc. sing.); написана (fem. sing.); написано (neut. sing.); написаны (plural all genders).

Note that the short form of the -нный ending has only *one* н.

The basic method of forming the *past passive* participle is to take the infinitive form of the verb, drop ть, and add the past participial endings

-тый, -тая, -тое: мытый; -нный, -нная, -нное: написанный.

When a verb ends in -ить, the и is changed into е or ё (when stressed) before -нный : строить, строенный; решить, решённый.

There are many irregularities in the formation of the *past passive participle* that cannot be summarized in any simple, functional set of rules (e.g., use of -тый or -нный, consonant mutation, position of stress). These irregularities do not receive systematic treatment in this basic course. Following are some of the more important *past passive participles* of verbs given in the text:

Infinitive	Past Passive Participle	English Meaning
бро́сить	бро́шенный, -ая, -ое	thrown away, discarded
взять	взя́тый, -'ая, -'ое	taken, occupied
дать	да́нный, -'ая, -'ое	given
изучи́ть	изу́ченный, -ая, -ое	learned, mastered
купи́ть	ку́пленный, -ая, -ое	bought
пригласи́ть	приглашённый, -'ая, -'ое	invited
приня́ть	при́нятый, -ая, -ое	accepted, customary
реши́ть	решённый, -'ая, -'ое	solved, settled
собра́ть	со́бранный, -ая, -ое	gathered, collected
сократи́ть	сокращённый, -'ая, -'ое	shortened, abbreviated

3. Use of *passive participles*. In choosing between the present and the past forms, observe that:

a. The *present* participle is used when the action expressed by the *participle* and by the *verb* are *simultaneous*:

Журна́лы, чита́**емые** на́ми, печа́таются в Нью Иóрке.

The periodicals, which we *are* reading, *are* (being) printed in New York.

b. The *past* participle is used when the action expressed by the *participle precedes* the action expressed by the *verb*:

Кни́ги, прочи́та**нные** на́ми, тепе́рь никто́ не чита́ет.

The books, which we *have* read, nobody *reads now*.

B. The passive voice

The *passive voice* in Russian is expressed:

1. By using the short forms of the passive participles, present or past, together with the proper tense of the verb **быть**. (In the present tense the auxiliary verb **быть** is, of course, not expressed.):

Present:

Этот ма́льчик **все́ми** люби́м.	This boy [is] loved by all.
Эта кни́га **на́ми** напи́сана.	This book [is] written by us.

Past:

Этот ма́льчик **был все́ми люби́м.**	This boy was loved by all.
Эта кни́га **была́ на́ми** напи́сана.	This book was written by us.

Future:

Этот ма́льчик **бу́дет все́ми** люби́м.	This boy will be loved by all.
Эта кни́га **бу́дет на́ми** напи́сана.	This book will be written by us.

Note that the *agent* "by all," "by us" is rendered by the *instrumental* case *without a preposition.*[1]

2. In general, this construction is avoided in Russian and the passive is expressed more frequently

a. By means of the reflexive verb:

Present:

Тепе́рь дома́ стро́я**тся** бы́стро.	Now houses are built quickly.

Past:

Дома́ стро́или**сь** ме́дленно.	Houses were built slowly.

Future:

Ско́ро дома́ бу́дут стро́ить**ся** в оди́н день!	Soon houses will be built in one day!

This construction is generally used when customary action or a general state of affairs without mention of a specific agent is being expressed.

---

[1] Which of the two passive participles to use, the *present* or the *past*, cannot be determined by any simple set of rules. Some verbs, to be sure, form both. The majority, however, lacks one or the other of the two. Thus, писа́ть, for instance, is used only in the *past* participial form (passive), while люби́ть has only the *present* passive participial form. For this (and other) reasons it is advisable for the beginner to concentrate on acquiring a *recognitional* knowledge of the *passive voice* and to rely on the *active voice* for active use.

b. The English passive is also frequently rendered in Russian by means of the *third person plural* of the *active* voice, subject not expressed.

Present: Высóкие домá (Dir. Obj.!) тепéрь стрóят бы́стро.
Past: Высóкие домá стрóили мéдленно.
Future: Высóкие домá **бýдут стрóить** в одѝн день.

3. The English passive impersonal expressions such as: "it is being said; it is known, etc." are best rendered in Russian by using the third person plural of the active voice:

Говоря́т, что не бýдет бóльше войны́.   It is said there'll be no more war.
В Росси́и мáло **игрáют в** тéннис.   One does not play much tennis in Russia.

VOCABULARY BUILDING — TYPICAL RUSSIAN WORD-FAMILIES[1]

начинáть	**начáло**	**сначáла**	**начáльник**
to begin	beginning	at, from the beginning	chief (first one, leader)
кончáть	**конéц**	**конéчно**	
to end	the end	of course	
продавáть	**продавéц**	**продавщи́ца**	**распродáжа**
to sell	seller (msc.)	sales lady	bargain-sale
жить	**жизнь**	**жи́тель** (m.)	**живóй**
to live	life	inhabitant, dweller	alive, living one
болéть	**болéзнь**	**больнóй**	**больни́ца**
to ache, be ill, sick	illness, sickness	the sick, ill one	hospital
писáть	**письмó**	**писáтель** (m.)	**перепи́ска**
to write	letter	writer	correspondence
петь	**певéц**	**пéсня**	**пéние**
to sing	singer (masc.)	song	the singing
éздить	**пóезд**	**отъéзд**	**приéзд**
to drive	train	departure	arrival

---

[1] The student should try to add to these groups and to form new word-families.

жени́ться to marry	**жена́** wife	**же́нщина** woman	**жени́х** bridegroom
рабо́тать to work	**рабо́та** work	**рабо́чий** worker	(Notice the English "robot.")
жа́рить to fry, roast	**жарко́е** the roast	**жар** fever	**пожа́р** conflagration, fire
учи́ть to teach	**учи́тель** (m.) teacher	**уче́бник** school text	**уче́ние** study, learning
наро́д people, nation	**наро́дный** national, popular	**родно́й** native, kindred	**ро́дина** native country
объясня́ть explain	**я́сно** clear (Adv.)	**я́сный** clear	**объясне́ние** explanation
мал small, young (short, popular form)	**ма́ленький** small, little	**ма́льчик** boy	**малю́тка** (m.) baby, tiny one

V. QUESTIONS

1. Кем и когда́ была́ осно́вана Акаде́мия Нау́к в Росси́и?
2. Каки́е ва́жные рефо́рмы бы́ли проведены́ Петро́м Вели́ким?
3. Как стара́лся Пётр Вели́кий измени́ть Росси́ю? 4. Како́е
впечатле́ние бы́ло одни́м из са́мых си́льных впечатле́ний, вы́-
несенных Петро́м из пое́здки за грани́цу? 5. Кака́я зада́ча
ста́ла одно́й из гла́вных зада́ч Петра́? 6. Кого́ приглаша́л Пётр
в Росси́ю? 7. Кого́ посыла́л Пётр Вели́кий за грани́цу? 8. Чему́
учи́лась ру́сская молодёжь за грани́цей? 9. Когда́ выхо́дит
пе́рвая ру́сская газе́та? 10. Каки́е кни́ги печа́таются и перево́-
дятся? 11. Каки́е шко́лы открыва́ются? 12. Когда́ был и́збран
Пётр Вели́кий чле́ном Пари́жской Акаде́мии Нау́к? 13. Како́й,
по мы́сли Петра́, должна́ была́ быть ру́сская Акаде́мия Нау́к?
14. Когда́ Акаде́мия Нау́к начала́ свою́ де́ятельность? 15. Кто
бы́ли пе́рвые чле́ны Акаде́мии Нау́к? 16. Како́й велича́йший
ру́сский учёный был чле́ном Акаде́мии в пе́рвый пери́од её
де́ятельности? 17. Чем он изве́стен в ру́сской и мирово́й
нау́ке? 18. Была́ ли Акаде́мия Нау́к при́знана нау́чным ми́ром
Евро́пы и Аме́рики? 19. Когда́ и́збрали одного́ из её чле́нов
чле́ном америка́нского Филосо́фского Общества? 20. Како́й
америка́нский учёный был и́збран чле́ном ру́сской Акаде́мии
Нау́к?

VI. GRAMMAR EXERCISES

Exercises with Grammar A

a. From the Reading Exercise write out *passive participles* and *adverbial participles* (review), grouping them according to *tense* and giving their English meaning.

b. Form regular *present passive participles* from the following verbs and translate them:

1. люби́ть; 2. узнава́ть; 3. занима́ть; 4. принима́ть; 5. запомина́ть; 6. открыва́ть; 7. получа́ть; 8. снима́ть; 9. осма́тривать; 10. изуча́ть.

c. Form the regular *past passive participles* from the following verbs, using the ending given in parentheses, then translate them, for example: **мыть (-тый), мы́тый, -'ая, -'ое,** "washed."

1. посла́ть (-нный); 2. избра́ть (-нный); 3. закры́ть (-'тый); 4. оде́ть (-'тый); 5. откры́ть (-'тый); 6. постро́и*ть (-нный); 7. изуча́*ть (-нный); 8. раздви́нуть (-тый); 9. сде́лать (-нный); 10. устро́и*ть (-нный).

d. Use the *past passive participles* formed by you in the above exercise as *adjectives* in simple but complete Russian sentences, thus: **По́сланные деловы́е бума́ги лежа́ли на столе́.**

e. Give the *infinitive* and *English meaning* of the following *past passive participles*, as follows: **соверше́нный: соверши́ть,** "complete, perfect."

1. расска́занный; 2. напеча́танный; 3. взя́тый; 4. чи́танный; 5. да́нный; 6. ку́пленный; 7. пока́занный; 8. разрабо́танный; 9. переведённый; 10. напи́санный.

f. Decline in the *singular* and *plural*:

1. многоуважа́емый; 2. бу́дущая неде́ля; 3. проше́дший ме́сяц; 4. люби́мое ме́сто; 5. напи́санное письмо́; 6. переведённая кни́га; 7. приглашённый гость; 8. прочи́танный докла́д; 9. раздви́нутый стол; 10. мы́тая па́луба.

g. Use the *past passive participles* given in the table on page 298 as adjectives in simple, complete Russian sentences.

---

* These vowels change to "e." Notice also that where the stress is not indicated over the dash it is to be placed preceding it, thus: избра́ть, и́збранный.

Exercises with Grammar B

a. Change the *long* participial forms in parentheses to the corresponding short forms and *translate* the sentences:

1. Уче́бник бу́дет (разрабо́танный) по приме́ру иностра́нных уче́бников. 2. Приказа́ние (о́тданное) команди́ром по телефо́ну. 3. Студе́нт был (по́сланный) за грани́цу учи́ться. 4. Это госуда́рство (при́знанное) Соединёнными Шта́тами Аме́рики[1] наряду́ с други́ми госуда́рствами. 5. Прекра́сная купа́льня была́ (устро́енная) на берегу́ реки́. 6. Универса́льный магази́н (закры́тый) по пра́здникам. 7. Эта же́нщина была́ (и́збранная) чле́ном Акаде́мии Нау́к. 8. Докла́д о жи́зни крестья́н в Росси́и девятна́дцатого ве́ка бу́дет (прочи́танный) изве́стным учёным.

b. Form *passive* sentences by giving the proper form of the parenthesized *passive participles* and by placing the parenthesized nouns and pronouns into the *instrumental* case, then give a *literal* translation of the resulting sentences, thus:

Кни́гу (напи́санный; он), все чита́ют.
Кни́гу, напи́сан**ную**[2] **им**, все чита́ют.

The book, *written by him*, everyone is reading.

1. Журна́л (ку́пленный; мы), всем нра́вится. 2. Дом (постро́енный; мой оте́ц), был на окра́йне го́рода. 3. Ме́жду ко́мнатой (снима́емый; он) и мое́й, нахо́дится ку́хня. 4. Фа́брика, (осмо́тренный; тури́сты) была́ огро́мна. 5. Я о́чень интересова́лся предме́том (преподава́емый; учи́тель). 6. Ребёнку (при́сланный; ба́бушка) из дере́вни, тру́дно жить в столи́це. 7. Профе́ссор, глубоко́ (уважа́емый; мы), вдруг у́мер. 8. Кни́га, (взя́тый; студе́нт) из библиоте́ки, была́ о́чень интере́сна. 9. Об э́том уче́бнике (разрабо́танный; они́) мы мно́го слы́шали. 10. Со шко́лой, (постро́енный; мой брат), у меня́ о́чень мно́го рабо́ты. 11. Госуда́рственное устро́йство Росси́и, (изменённый; Пётр), бы́ло результа́том большо́й рабо́ты. 12. Около стола́, (раздви́нутый; де́душка) в столо́вой, собрала́сь семья́.

---

[1] United States of America; abbreviated in Russian: **С.Ш.А.**

[2] Note the agreement of **напи́санную** with **кни́гу** in gender, case and number.

c. From the Reading Exercise write out all reflexive verbs used to express the passive, together with their subjects, and give their English meaning, thus:

приглаша́ются . . . учёные и те́хники
scholars and technicians are invited

d. Change the following sentences into *passive* sentences expressed by means of reflexive verbs and translate them, thus:

Э́то сло́во (acc.) **пи́шут** так to: Э́то сло́во (nom.) **пи́шется** так.

This word is written (*lit.*: writes itself) thus.

Note that the verb agrees in number and person with the new subject, **сло́во.**

1. На берега́х Во́лги **стро́ят** огро́мные гидро-ста́нции. 2. Его́ **счита́ли** о́чень у́мным челове́ком. 3. В на́шем клу́бе **начина́ют** собра́ния ро́вно в во́семь часо́в ве́чера. 4. Во вре́мя боле́зни **принима́ют** ра́зные лека́рства. 5. Сюда́ **присыла́ют** пи́сьма со всех концо́в Росси́и. 6. Образова́ние **распространя́ют** среди́ населе́ния. 7. Иностра́нные кни́ги **печа́тали** при Петре́ Вели́ком. 8. Архитекту́ру то́же **бу́дут изменя́ть** под влия́нием культу́рных рефо́рм. 9. Как изве́стно, **тре́бовали** подня́тие культу́рного у́ровня в рабо́те клу́ба. 10. В 19-ом ве́ке **прекраща́ют** педагоги́ческую де́ятельность Акаде́мии Нау́к.

e. Use the *past passive participles* given in the table on page 298 in *passive* Russian sentences.

VII. TRANSLATION INTO RUSSIAN

1. Peter the Great, one of the most learned and energetic Russian Tsars, died before the Russian Academy of Sciences, founded by him in 1724, had begun its activity. 2. If only he had lived a few more years, how great would have been his influence on his creation, the Academy! 3. With what interest would he have read the first Russian grammar written by one of the greatest Russian scholars, Mikhail Lomonosov! 4. With what pleasure would he have heard about that scholar's many discoveries in the field of chemistry and physics! 5. Under his influence the Russian Academy of Sciences might have grown even faster. 6. He would have invited more foreign scholars, more journals would have been printed, more foreign books would have been translated into Russian. 7. Peter had frequently gone to Europe and had studied abroad. 8. He knew

that his country had fallen behind its European neighbors in many respects (in much). 9. Much had to be done, in order to change Russia, following the example of European countries. 10. According to Peter's plan, Russian youths (sing.) were sent abroad, to England, to France, to Italy, and to Holland, there to study economics, philosophy, architecture, and even shipbuilding. 11. The spread of education to (into) all the parts of his enormous empire was one of the main problems of Peter the Great. 12. The economic, political, and cultural reforms carried out by the Russian Tsar were recognized by the great scholars of Europe in all the fields of learning. 13. In the year 1717 Peter the Great was elected (chosen) a member of the Paris Academy of Sciences, members of which had been invited by Peter to occupy important positions (sing.) at his court. 14. The beautiful city of St. Petersburg was built by Peter on [the banks of] the river Neva. 15. In his new capital of Russia were built many beautiful theaters, museums, and libraries. 16. Here were opened many technical schools. 17. Here, in the year 1703, was printed the first Russian newspaper. 18. Scholars in the new schools, libraries, and museums wrote important scholarly books. 19. Textbooks in all the fields of learning were also written and some of them were even worked out by Peter himself. 20. Peter wanted his scholars to occupy themselves not only with pure research activity but also with pedagogical problems. 21. Their students should, in the course of time, themselves become teachers in technical schools and universities. 22. Yes, Peter the Great knew very well that "Knowledge is light and ignorance is darkness" and did all he could to spread education in his country.

VIII. CONCLUDING EXERCISE

Write a brief composition on the "Accomplishments of Peter the Great," or on a topic of your own choosing, drawing freely upon your knowledge of Russian grammar and vocabulary gained in this course.

POETRY

It is in the poetry of a nation that the quality of its language, its color, its rhythm, its idiomatic and colloquial turn, are most vividly felt. Here, in its poetry, the student of language will recognize most quickly the uniqueness of a national idiom, and will develop most readily that indefinable "feel" for its finest and subtlest nuances.

This is nowhere more true than in the poetry of Russia, which ranges from the most refined, esoteric lyrical statement to the most direct, vivid and vigorous, pithy and earthy utterance in folk song and proverb.

There is in Russian, especially in folk poetry, a very characteristic feature which the student will notice at once and which will perhaps puzzle him somewhat. This feature is the frequent and effective use of forms of endearment, disparagement, and contempt, and of diminutive forms and forms of magnification. All of these forms are denoted by a variety of suffixes; the most important of them are listed below, to ease the student's way to his first sampling of Russian poetry.

A. Suffixes imparting to the noun a diminutive meaning and/ or expressing endearment:

-ик	:	(дом) до́мик	"little (dear) house"
-ок (ёк)	:	(сын) сыно́к	"dear little son"
-ец	:	(брат) бра́тец	"dear little brother"
-ка	:	(рука́) ру́чка	"dear little hand"
-йца	:	(сестра́) сестри́ца	"dear little sister"

B. Suffixes expressing tenderness, endearment:

-ушка	:	де́душка	"grandfather"
		ба́бушка	"grandmother"
-юшка	:	ба́тюшка	"daddy, little father"
		дя́дюшка	"dear (little) uncle"
-енька	:	па́пенька	"dear father"
		ма́менька	"dear mother"

C. Suffixes expressing contempt:

-йшка	:	мальчи́шка	"urchin, brat"
-йшко	:	доми́шко	"miserable little house, a shack"
-ёнка	:	избёнка	"miserable little hut"

306

D. Suffixes expressive of magnitude, hugeness:

-ище   : парни́ще "big fellow"; доми́ще "huge house"

Adjectives can also be given a diminutive and/or endearing meaning by attaching the ending -енький in place of -ый:

ми́лый   "dear"   ми́ленький   "dear, little (one)"
хоро́ший "good"   хоро́шенький   "pretty"

Notice the frequent occurence of these suffixes, especially in the first two poems that follow. The "visible" vocabulary is provided to eliminate the boredom of mechanical thumbing of dictionaries but not the satisfaction that is sure to come with the realisation that the knowledge of Russian gained in this course proves quite ample to deal with the poems here offered. (The new words or phrases are asterisked and translated, *unless they are easily derivable from known words.*)

I. КАЗАЧЬЯ КОЛЫБЕЛЬНАЯ ПЕСНЯ
(COSSACK CRADLE SONG)

Text	*Vocabulary*
Спи, младе́нец* мой прекра́сный, Ба́юшки-баю́.	infant, child
Ти́хо све́тит ме́сяц* я́сный В колыбе́ль* твою́.	moon cradle
Ста́ну ска́зывать я ска́зки,* Пе́сенку спою́.	fairytale
Ты ж дремли́*, закры́вши гла́зки, Ба́юшки-баю́.	to dream, sleep peacefully

II. А. Фет: ЗИМА

Text	*Vocabulary*
Чу́дная* карти́на,* Как ты мне родна́! Бе́лая равни́на, По́лная луна́.*	beautiful (wondrous) picture synonym for ме́сяц
Свет небе́с* высо́ких И блестя́щий* снег,* И сане́й* далёких, Одино́кий бег!*	plural of не́бо glistening snow sled (gen. pl.) run, course

III. А. Блок: ВЕРБОЧКИ[1]

Text	*Vocabulary*
Ма́льчики, да де́вочки	
Све́чечки*, да ве́рбочки*	little candles and willow branches
Понесли́ домо́й.	(diminutive/endearing forms!)
Огонёчки* те́плятся*	endearing demunitive of огóнь (m.)
Прохо́жие кре́стятся*	cross themselves
И па́хнет весно́й	and there is a smell of spring
	(spring is in the air)
Ветеро́к уда́ленький,*	brave, boisterous (diminutive/
	endearing form!)
До́ждик*, до́ждик ма́ленький,	(diminutive/endearing!)
Не заду́й* огня́*.	blow out the fire
В Воскресе́нье Ве́рбное	
За́втра вста́ну пе́рвая	
Для свято́го дня.*	for the holy day

IV. А. Пушкин: ЗИМНЕЕ УТРО

Text	*Vocabulary*
Моро́з* и со́лнце; день чуде́сный*	frost; wondrous
Ещё ты дре́млешь,* друг	doze, dream
преле́стный.	
Пора́, краса́вица, просни́сь:*	wake up
Вечо́р,* ты по́мнишь, вью́га*	last evening; snow storm
зли́лась,*	was raging
На му́тном* не́бе мгла* носи́лась;*	cloudy; haze was hovering
Луна́, как бле́дное пятно́*,	spot
Сквозь* ту́чи* мра́чные* желте́ла,*	was yellow through the
	darkling clouds
А ты печа́льная* сиде́ла.	sad one
А ны́нче*... погляди́ в окно́:	now
Под голубы́ми* небеса́ми	synonym for сини́й
Великоле́пными* ковра́ми	magnificent
Блестя́ на со́лнце, снег лежи́т;	
Прозра́чный* лес оди́н черне́ет	transparent
И ель* сквозь и́ней* зелене́ет,	fir tree; hoar frost
И ре́чка подо* льдо́м* блести́т.	подо—под; ice

---

[1] The Sunday before Easter Sunday is called Ве́рбное Воскресе́нне. It is the equivalent of our Palm Sunday. The poem describes how, on the eve of that festive day, boys and girls are carrying home the blessed candles and willow branches, blessed at an evening service.

V. М. Лермонтов: ГОРНЫЕ ВЕРШИНЫ

Text	*Vocabulary*
Го́рные верши́ны* спят во тьме́ ночно́й;	mountain top, peak
Ти́хие доли́ны*	valleys
По́лны све́жей мгло́й;	
Не пыли́т* доро́га,	send up dust
Не дрожа́т* листы́*...	leaves do not tremble
Подожди́ немно́го,	
Отдохнёшь и ты́.	

VI. А. Майков: ХРИСТОС ВОСКРЕС!

Text	*Vocabulary*
Повсю́ду* бла́говест* гуди́т*	Everywhere the ringing of bells resounds (*lit.*: drones)
Из всех церкве́й наро́д вали́т,*	throng
Заря́* гляди́т уже́ с небе́с...	the dawn, sunrise
Христо́с* Воскре́с!* Христос Воскре́с!	Christ has risen!
Вот просыпа́ется земля́,	
И одева́ются поля́...	
Весна́ идёт, полна́ чуде́с*	wonders (gen.)
Христо́с Воскре́с! Христо́с Воскре́с!	

VII. М. Лермонтов: МОЛИТВА

Text	*Vocabulary*
В мину́ту жи́зни тру́дную, Тесни́тся ль* в се́рдце грусть,*	crowds; sadness (if, whenever sadness crowds in the heart)
Одну́ моли́тву* чу́дную*	prayer: wonderful
Твержу́* я наизу́сть.*	repeat by heart
С души́* как бре́мя ска́тится,*	soul; rolls, falls off (disappears)
Сомне́нье* далеко́ —	doubt ("is" understood)
И ве́рится* и пла́чется,*	and one believes; and one weeps
И так легко́, легко́.	(tears of joy and relief)

VIII.   М. Лермонтов: ПАРУС

Text	Vocabulary
Белеет* парус* одинокий*	shines white; sail; lonely
В тумане* моря голубом.	mist (fog)
Что ищет он в стране далёкой?	
Что кинул* он в краю родном?	left (behind)
Играют волны, ветер свищет*...	whistles
И мачта* гнётся* и скрипит*...	the mast bends and creaks
Увы!* Он счастия не ищет	Alas!
И не от счастия бежит!	
Под ним струя* светлей лазури,*	flash (lit.: stream); azure
Над ним луч* солнца золотой,	ray
А он, мятежный,* просит бури,	rebellious, mutinous
Как будто в бурях есть покой!*	rest, peace

IX.   А. Майков: ТИХО МОРЕ ГОЛУБОЕ!

Text	Vocabulary
Тихо море голубое!	
Если б вихрь* не налетал,*	whirlwind; swoop down, rush in
Не шумело б, не кидало* б	would not throw
В берега за валом вал!*	wave, surge
Тихо б грудь* моя дышала,*	breast; would breathe
Если б вдруг, в душе моей	
Образ* твой не проносился*	picture, image; rush through
Вихря буйного* быстрей!	tempestuous, raging

X.   М. Кольцов: НАРОДНАЯ ПЕСНЯ

Text	Vocabulary
Дуют ветры	
Ветры буйные,*	storms (lit.: wild winds)
Ходят тучи,*	clouds
Тучи тёмные	
Не видать в них	
Света* белого,*	the wide world (lit.: white world)
Не видать в них	
Солнца красного.*	for: красивого (archaic)

Text	Vocabulary
Во сырой* мгле,*	damp mist, haze
За туманами,	
Только ночка*	night (*lit.*: little night)
Лишь* чернеется*...	only darkles
В эту пору*	time
Непогожую*	foul, bad weather (adj.)
Одному жить	
Сердцу холодно...	

XI. А. Пушкин: ЭПИГРАММЫ

Text	Vocabulary
Друзья, простите! завещаю*	bequeath
Вам всё, чем рад и чем богат:	
Обиды,* песни — всё прощаю,*	insults, affronts; forgive
А мне пускай долги* простят.	debts

**

Всегда так будет и бывало,	
Таков* издревле* белый* свет.*	such from yore (is) the wide (white) world
Учёных много, умных мало,	
Знакомых тьма,* а друга нет.	great number, mass of (*lit.*: darkness)

**

Полумилорд, полукупец,*	half-merchant
Полумудрец,* полуневежда,*	half-wise man, half-boor
Полуподлец,* но есть надежда,*	half-rascal; hope
Что будет полным наконец.	

**

Пустое «вы» сердечным* «ты»	heartfelt, cordial
Она, обмолвясь,* заменила,*	by slip of tongue she had replaced
И все счастливые мечты*	dreams, reveries, wishful thoughts
В душе влюблённой* возбудила.*	infatuated; she aroused, awakened
Пред ней задумчиво* стою;	thoughtfully
И говорю ей, как «вы» милы	
И мыслю:* как «тебя» люблю!	think

XII. А. Блок: ДЕВУШКА ПЕЛА...

Text	Vocabulary
Дéвушка пéла в церкóвном хóре*	choir
О всех устáлых в чужóм* краю,	foreign, strange
О всех кораблях, ушéдших в мóре,	
О всех забывших рáдость свою.	
Так пел её гóлос, летящий в купол,*	flying up to (into) the cupola
И луч* сиял* на бéлом плечé,	the ray was bright (shone)
И кáждый из мрáка* смотрéл и слушал,	out of the darkness
Как бéлое плáтье* пéло в лучé.	stands in poetic context for: дéвушка
И всем казáлось, что рáдость будет,	
Что в тихой зáводи* все кораблú,	sheltered cove (*lit.:* backwater)
Что на чужбине* устáлые люди	in the foreign land
Свéтлую жизнь себé обрелú.*	have gained (obtained) for themselves [1]

TEXT OF RUSSIAN SONGS

(Recorded by the Don Cossack Choir on Record No. CHS 1230)

I. ПОЛЮШКО—ПОЛЕ

Text	Vocabulary
Пóлюшко-пóле,	
Пóлюшко ширóко пóле	
Едут по пóлю герóи,	
Эх-да Крáсной Армии герóи.	
Дéвушки плáчут,*	they cry
Дéвушкам сегóдня грустно.*	sad
Мúлый надóлго уéхал,	
Эх-да мúлый в áрмию уéхал.	

---

[1] The last verse is omitted.

Де́вушки, гля́ньте,*	look, take a look
Гля́ньте на доро́гу на́шу,	
Вьётся* да́льняя* доро́га.	stretches (*lit.*: curls); distant
Эх-да развесёлая* доро́га.	a most merry, happy
Едем мы, е́дем,	
Едем, а круго́м* колхо́зы.	round about, around
На́ши, де́вушки, колхо́зы,	
Эх-да молоды́е на́ши села́.*	villages

II. МЕТЕЛИЦА

Text	Vocabulary
Вдоль* по у́лице мете́лица* метёт,*	along; the snow storm is sweeping
За мете́лицей мой ми́ленький идёт.	
Ты посто́й,* посто́й краса́вица моя́,	stop a while, tarry
Дай мне наглядѣ́ться,* ра́дость на тебя́.	to have one's fill of looking
На твою́ ли* на прия́тну¹ красоту́,	not expressive of a question here
На твоё ли* да на бѣ́лое лицо́.	but implies "as well as..."
Ты посто́й, посто́й, краса́вица моя́,	
Дай мне наглядѣ́ться, ра́дость на тебя́	refrain—припѣ́в
Красота́ твоя́ с ума́ меня́ свела́,*	has driven me insane (*lit.*: has led me off my mind.)
Погуби́ла* добра́² мо́лодца* меня́.	has undone, destroyed; right fine young fellow
Ты посто́й, посто́й, краса́вица моя́,	
Дай мне наглядѣ́ться, ра́дость на тебя́.	

¹ Short ending in keeping with folk-tone.
² An archaic form of the adjective particularly common in folk-speech.

III. КТО ЕГО ЗНАЕТ

Text	*Vocabulary*
На закате* ходит парень*	at sunset; fellow, lad
Возле* дома моего.	in front of
Поморгает* мне глазами	winks
И не скажет ничего.	
И кто его знает, зачем он моргает,	refrain—припев
Зачём он моргает, зачём он моргает...	
Как приду я на гулянье*	festive dance
Он танцует и поёт.	
А простимся у калитки,*	gate
Отвернётся* и вздохнёт.*	turns away; sighs
И кто его знает, чего* он вздыхает,	why
Чего он вздыхает, чего он вздыхает...	
Я спросила, что* не весел	why
И не радуется.*	is not happy
Потерял* я, отвечает,	I have lost
Сёрдце бедное своё.	
И кто его знает, зачём он теряет,	
Зачём он теряет, зачём он теряет...	
А вчера прислал по почте	
Два загадочных* письма.	mysterious
В каждой строчке	
Только точки.*	dots, periods
Догадайся,* мол,* сама.	guess; emphatic particle
И кто его знает, на что намекает,*	hints
На что намекает, на что намекает.	
Я разгадывать не стала,	
Не надейся* и не жди!	don't hope
Только сердце почему-то	
Сладко таяло* в груди.*	melted in breast
И кто его знает, чего оно тает,	
Чего оно тает, чего оно тает.	

IV. Цыганская песня: МОЙ КОСТЁР

Text	Vocabulary

Мой костёр* в тумане светит, — campfire
Искры* гаснут* на лету;* — the sparks are extinguished,
Ночью нас никто не встретит,   die away in flight
Мы простимся на мосту.

Ночь пройдёт и спозаранок* — very early
В степь далёко, милый мой,
Я уйду с толпой цыганок* — gipsies
За кибиткой* кочевой.* — covered nomadic cart
      (a nomad's cart)

На прощанье шаль* с каймою* — shawl with a hem
Ты узлом* на мне стяни:* — into a knot; tie (pull
Как концы её, с тобою   together)
Мы сходились* в эти дни. — we met (came together)

Кто-то мне судьбу предскажет?
Кто-то завтра, сокол* мой, — falcon
На груди моей развяжет* — will untie
Узел, стянутый тобой?

Вспомни же,* когда другая, — do remember
Друга милого любя,
Будет песни петь играя
На коленях* у тебя! — on (your) knees (your lap)

Мой костёр в тумане светит,
Искры гаснут на лету,
Ночью нас никто не встретит,
Мы простимся на мосту.

V. И. Козлов: ВЕЧЕРНИЙ ЗВОН

Text	Vocabulary

Вечерний звон,* вечерний звон! — (lit.: peal, ringing of
      evening bells)

Как много дум* наводит* он — thoughts it calls up
О юных* днях* в краю родном, — of youthful days
Где я любил, где отчий дом,* — parental (father's) house
И как я с ним на век простясь,
Там слушал звон в последний раз.

Уже́ не зреть* мне све́тлых дней	to see, behold (archaic)
Весны́ обма́нчивой* мое́й	illusive, deceptive
И ско́льких нет тепе́рь в живы́х	
Тогда́ весёлых, молоды́х	
И кре́пок их моги́льный* сон:*	sleep of death, sepulchral sleep
Не слы́шен им вече́рний звон.	
Лежа́ть и мне в земле́ сыро́й!	
Напе́в* уны́лый* надо мно́й	a sad tune, melody, refrain
В доли́не* ве́тер разнесёт;*	valley (vale); will scatter
Друго́й певе́ц по ней пройдёт —	
И уж не я, а бу́дет он	
В разду́мьи* петь вече́рний звон.	in thought, pensively

PROVERBS — ПОСЛОВИЦЫ

Text	Vocabulary
Без посло́вицы не проживёшь.[1]	Without the proverb, you won't make your way through life.[1]

1. *Learning*

Век* живи́, век учи́сь!	century, age
Повторе́нье* — мать уче́нья.	repetition
Учи́сь смо́лоду,* не умрёшь с го́лоду.*	from early youth; from hunger
Уче́нье свет, а неуче́нье тьма!	

2. *Work*

Рабо́та не медве́дь,* в лес не убежи́т.*	the bear; won't run away
Де́ло ма́стера бои́тся.	
Ко́нчил де́ло, гуля́й сме́ло!*	boldly
Коне́ц де́лу вене́ц.	All's well that ends well.

---

[1] Notice that some of the more difficult and idiomatic proverbs are rendered in full. The majority of items, however, the student should have little difficulty in handling aided by the "visible" vocabulary

Ти́ше* е́дешь, да́льше бу́дешь.

more quietly, calmer, slower

Куй желе́зо пока́ горячо́!

Strike while the iron is hot!

Терпе́ние и труд всё перетру́т.

Patience and work will overcome everything.

3. *Love and Friendship*

Наси́льно мил не бу́дешь.

One cannot endear oneself by force.

Ста́рый друг лу́чше но́вых двух.
Не име́й сто рубле́й, а име́й сто друзе́й!
Де́вичье «нет» не отка́з.

A maiden's "no" is not a refusal.

С глаз доло́й, из се́рдца вон.

Out of sight, out of the heart (mind).

4. *Way of the World*

Жизнь прожи́ть, не по́ле перейти́.*
Нет ху́да без добра́.

to cross
In every evil there is [some] good.

Пра́вда светле́й со́лнца.
Без Бо́га ни до поро́га.*
Утро ве́чера мудрене́е.*
Нет ды́ма без огня́.*
Не всё то зо́лото, что блести́т.*
Лу́чше по́здно, чем никогда́.

threshold
wiser
fire
glistens

За три ве́щи не руча́йся:*
за часы́, за ло́шадь, да за жену́!

don't vouch for

Ру́сский челове́к лю́бит:*

«говори́ть» is understood

«аво́сь», «небо́сь», да «ка́к-нибу́дь.»*

"perhaps," "probably," "somehow"

ЗАГАДКИ — RIDDLES

Text	Vocabulary
1	**1**

Та́ет снежо́к,
Ожил лужо́к,*
День прибыва́ет.*
Когда́ это быва́ет?

the meadow has come alive
is growing longer

2 　　　　　　　　　　　　　　　　**2**

Со́лнце печёт,*
Ли́па цветёт,*
Рожь поспева́ет.*
Когда́ э́то быва́ет?

burns hot, bakes
the linden stands in bloom
the corn is ripening

3 　　　　　　　　　　　　　　　　**3**

Пусты́* поля́
Мо́кнет* земля́,
Дождь полива́ет.*
Когда́ э́то быва́ет?

empty
is wet, soaked
pours

4 　　　　　　　　　　　　　　　　**4**

Снег на поля́х,
Лёд* на река́х,
Вью́га* гуля́ет.*
Когда́ э́то быва́ет?

ice
the snow storm is blowing

5 　　　　　　　　　　　　　　　　**5**

Шуми́т* он в по́ле и в саду́
А в дом не попадёт*
И никуда́ я не иду́
Поку́да* он идёт

it makes noise
will not get in

as long as (colloquial)

6 　　　　　　　　　　　　　　　　**6**

Под* Но́вый Год пришёл он в дом
Таки́м румя́ным* толстяко́м.*
Но с ка́ждым днём теря́л* он вес*
И наконе́ц совсе́м исче́з!*

on the eve of (New Year)
rosy-cheeked fat one
he lost weight
disappeared

7

Кто на* бегу,* пары* клубя*

Пуская дым трубой*
Несёт вперёд
И сам себя
Да и меня с тобой?

on the run; blowing off
   steam
through the smokestack

8

Всегда шагаем* мы вдвоём,*
Похожие как братья.
Мы за обедом под столом,
А ночью под кроватью.*

walk (march) in pairs

synonym for постель

9

Мы ходим ночью,
Ходим днём,
Но никуда
Мы не уйдём.

Мы бьём* исправно*
Каждый час
Но вы, друзья,
Не бейте нас!

we strike punctually

РАЗГАДКА

1. весной
2. летом
3. осенью
4. зимой
5. дождь
6. календарь
7. паровоз
8. ботинки, туфли, сапоги
9. часы

SOLUTION

in the spring
in the summer
in the fall
in the winter
rain
calendar
locomotive
shoes, slippers, boots
watch, clock

ПРИЛОЖЕНИЕ II | APPENDIX II

I. DECLENSION OF NOUNS

Masculine and Neuter Genders

Singular

	Masculine			Neuter		
	Hard	*Soft*	*Soft*	*Hard*	*Soft*	*Soft*
Nom.	стол	музе́й	дождь	ме́сто	по́ле	зда́ние
Gen.	стола́	музе́я	дождя́	ме́ста	по́ля	зда́ния
Dat.	столу́	музе́ю	дождю́	ме́сту	по́лю	зда́нию
Acc.	стол[1]	музе́й[1]	дождь[1]	ме́сто	по́ле	зда́ние
Instr.	столо́м[2]	музе́ем[3]	дождём[3]	ме́стом	по́лем[3]	зда́нием[3]
Prep.	столе́	музе́е	дожде́	ме́сте	по́ле	зда́нии

Plural

Nom.	столы́[4]	музе́и	дожди́	места́	поля́	зда́ния
Gen.	столо́в[5]	музе́ев	дожде́й	мест	поле́й	зда́ний
Dat.	стола́м	музе́ям	дождя́м	места́м	поля́м	зда́ниям
Acc.	столы́[4]	музе́и	дожди́	места́	поля́	зда́ния
Instr.	стола́ми	музе́ями	дождя́ми	места́ми	поля́ми	зда́ниями
Prep.	стола́х	музе́ях	дождя́х	места́х	поля́х	зда́ниях

[1] *Animate masculines* have identical *accusative* and *genitive* endings.

[2] *Unaccented* instrumental ending -ом of *masculines* becomes -ем when preceded by ж, ч, ш, щ, ц: това́рищем.

[3] When *stressed*, the masculine and neuter instrumental ending -ем changes to -ём: дождём, ружьём. The same change from e to ё takes place in the *neuter nominative* and *accusative singular*: ружьё.

[4] *Masculine* plural nominative and accusative (inanimate) ending -ы changes to -и when preceded by г, к, х, ж, ч, ш, щ (not ц) : това́-рищи.

[5] The *masculine genitive plural* ends in -ей after ж, ч, ш, щ: това́-рищей; and in -ев after ц: ме́сяцев.

For further peculiarities in the declension of *masculines*, see Lessons 18, 19, 21; for further peculiarities in the declension of *neuters*, see Lessons 20, 21.

DECLENSION OF NOUNS (continued)

Feminine Gender

Singular

	Hard	Soft	Soft	Soft
Nom.	ко́мнат**а**	неде́л**я**	двер**ь**	фами́ли**я**
Gen.	ко́мнат**ы**[1]	неде́л**и**	две́р**и**	фами́ли**и**
Dat.	ко́мнат**е**	неде́л**е**	две́р**и**	фами́ли**и**
Acc.	ко́мнат**у**	неде́л**ю**	двер**ь**	фами́ли**ю**
Instr.	ко́мнат**ой**[2]**(ою)**[2]	неде́л**ей(ею)**	две́р**ью**	фами́ли**ей(ею)**
Prep.	ко́мнат**е**	неде́л**е**	две́р**и**	фами́ли**и**

Plural

Nom.	ко́мнат**ы**[1]	неде́л**и**	две́р**и**	фами́ли**и**
Gen.	ко́мнат	неде́л**ь**	двер**е́й**	фами́ли**й**
Dat.	ко́мнат**ам**	неде́л**ям**	двер**я́м**	фами́ли**ям**
Acc.	ко́мнат**ы**[1,3]	неде́л**и**[3]	две́р**и**[3]	фами́ли**и**[3]
Instr.	ко́мнат**ами**	неде́л**ями**	двер**я́ми**	фами́ли**ями**
Prep.	ко́мнат**ах**	неде́л**ях**	двер**я́х**	фами́ли**ях**

---

[1] *Genitive singular* and *nominative* and *accusative plural* ending -ы changes to -и after г, к, х, ж, ч, ш, щ (not ц) : кни́ги.

[2] *Unstressed* instrumental singular ending -ой (-ою) changes to -ей (-ею) after ж, ч, ш, щ, ц: продавщи́цей.

[3] *Animate* feminine nouns have identical *accusative* and *genitive* endings in the *plural*.

Note that, in the *plural*, *feminine* noun endings differ from those of the *masculine* only in the *genitive* (and in the accusative of animate feminines).

For further peculiarities in the declension of feminine nouns, see Lesson 23.

II. NOUN ENDINGS

The Three Regular Declensional Patterns Arranged for Easy Comparison

Singular

Cases	Masculine and Neuter	Feminine
Nom.	Consonant : стол — *Hard* -ь : гость -й : чай — *Soft* -ий : гéний -о : окнó — *Hard* -е : мóре -ё : ружьё — *Soft* -ие : здáние	-а : кóмната — *Hard* -я : недéля -ия : фамúлия — *Soft* -ь : дверь
Gen.	Hard: **-А** Soft: **-Я**	Hard: **-Ы** Soft: **-И**
Dat.	Hard: **-У** Soft: **-Ю**	-А and -Я > *-Е -ия and -ь > -И
Acc.	Masc. *Inanimate* like Nominative *Animate* like Genitive Neuter always like Nominative	-А > -у -Я and -ия > -ю -ь remains unchanged
Instr.	Hard: **-ОМ** Soft: **-ЕМ**	-А and -Я > -ОЙ (-ОЮ) -Я and -ия > ЕЙ (-ЕЮ) -ь > -ью
Prep.	Always **-Е** except masc. -ий > -ии neut. -ие > -ии	-А and -Я > -Е -ия and -ь > -И

* The sign > stands for "changes to."

Plural — All Genders

Cases	Masculine and Neuter	Feminine
Nom.	Masculine and Feminine *Hard:* **-Ы** Masculine and Feminine *Soft:* **-И**	Neuter *Hard:* **-А** Neuter *Soft:* **-Я**
Gen.	*Masculine* Hard Cons. adds **-ОВ** **-Й** and **иЙ** > **-ЕВ** **-Ь** > **-ЕЙ** *Neuter* *Hard: no ending* **-Е** and **-ё** > **-ЕЙ** **-иЕ** > **-иЙ**	*Feminine* *Hard: no ending* **-Я** > **-Ь; -иЯ** > **-иЙ** **-Ь** > **-ЕЙ**
Dat.	*All Genders Hard:* **-АМ** *All Genders Soft:* **-ЯМ**	
Acc.	*Inanimate* — Masculine and Feminine like *Nominative* *Animate* — Masculine and Feminine like *Genitive* Neuter always like *Nominative*	
Instr.	*All Genders Hard:* **-АМИ** *All Genders Soft:* **-ЯМИ**	
Prep.	*All Genders Hard:* **-АХ** *All Genders Soft:* **-ЯХ**	

III. PLURAL ENDINGS OF RUSSIAN NOUNS

Plural Endings	*Types of Nouns*
-Ы	*Masc.* ending in *Hard Consonants*: стол, заво́д, etc. *Fem.* ending in the *Hard Vowel* «**А**»: жена́, рабо́та, etc.
-И	*Masc.* ending in «**Й**»: ге́ний, музе́й, etc. *Fem.* ending in «**Я**»: дере́вня, ку́хня, etc. *Masc. & Fem.* ending in «**Ь**»: день. ночь, etc. *Masc. & Fem.* the stem of which ends in «**Г, К, Х**» and in «**Ж, Ш, Щ**»: кни́га, нож, това́рищ, etc. *Neuters*: **плечо́, я́блоко.**
-А	Most *Neuters* ending in «**О**»: окно́, ме́сто, etc. Certain *Masc.* with stress on the plural ending: глаза́, города́, доктора́, дома́, поезда́. *Neuters* ending in «**ЖЕ, ШЕ, ЩЕ, ЧЕ, ЦЕ**»: со́лнце, се́рдце, etc.
-Я	*Neuters* ending in «**Е**» *or* «**Ё**»: по́ле, ружьё, etc. *Masc.* ending in «**Ь**» and having the stress on the plural ending: учителя́, *etc.*
-АНЕ **-ЯНЕ**	*Masc.* ending in «**АНИН**» and «**ЯНИН**»: англича́нин, граждани́н, крестья́нин, христиа́нин.
-ЬЯ	*Masculines*: **брат, лист, муж, стул.** *Neuters*: **де́рево, перо́.**
-ЕНА	*Neuters ending in* «**МЯ**»: бре́мя, вре́мя, вы́мя, зна́мя, и́мя, пла́мя, пле́мя, се́мя, стре́мя, те́мя.

	Singular	*Plural*	*Singular*	*Plural*
Irregular Formations	господи́н	господа́	мать	ма́тери
	дитя́	де́ти	ребёнок	ребя́та
	дочь	до́чери	сын	сыновья́
	друг	друзья́	у́хо	у́ши
	челове́к	лю́ди	цвето́к	цветы́

IV. DECLENSION OF ADJECTIVES

Hard: -ˊый (-ˊий); -о́й

	Masculine	Neuter	Feminine	Plural All Genders
Nom.	но́вый	но́вое	но́вая	но́вые
Gen.	но́вого	но́вого	но́вой	но́вых
Dat.	но́вому	но́вому	но́вой	но́вым
Acc.	но́вый(ого)	но́вое	но́вую	но́вые(ых)
Instr.	но́вым	но́вым	но́вой (ою)	но́выми
Prep.	но́вом	но́вом	но́вой	но́вых

Soft: -ˊий

	Masculine	Neuter	Feminine	Plural All Genders
Nom.	си́ний	си́нее	си́няя	си́ние
Gen.	си́него	си́него	си́ней	си́них
Dat.	си́нему	си́нему	си́ней	си́ним
Acc.	си́ний(его)	си́нее	си́нюю	си́ние(их)
Instr.	си́ним	си́ним	си́ней (ею)	си́ними
Prep.	си́нем	си́нем	си́ней	си́них

1. Adjectives in **-о́й (молодо́й)** are declined exactly like **но́вый,** the stress being on the ending throughout the declension.

2. After **г, к, х, ж, ч, ш, щ** the vowel **ы** of all endings in the *hard* declension changes to **и.**

3. After **ж, ч, ш, щ, ц** the *unstressed* **о** of all endings in the *hard* declension changes to **е.**

4. When an adjective modifies an *animate masculine* noun in the *singular* or *animate masculine* and *feminine* nouns in the *plural* its *accusative* ending is like its *genitive.*

V. DECLENSION OF THE POSSESSIVE PRONOUN-ADJECTIVES

	Masculine	Neuter	Feminine	Plural All Genders
Nom.	мой	моё	моя	мои
Gen.	моего́	моего́	мое́й	мои́х
Dat.	моему́	моему́	мое́й	мои́м
Acc.	мой (его́)	моё	мою́	мои́ (и́х)
Instr.	мои́м	мои́м	мое́й (е́ю)	мои́ми
Prep.	моём	моём	мое́й	мои́х

Like **мой** are declined **твой** "your, yours" and the reflexive possessive pronoun-adjective **свой** "my own, your own, his own, etc."

	Masculine	Neuter	Feminine	Plural All Genders
Nom.	наш	на́ше	на́ша	на́ши
Gen.	на́шего	на́шего	на́шей	на́ших
Dat.	на́шему	на́шему	на́шей	на́шим
Acc.	на́ш (его)	на́ше	на́шу	на́ши (их)
Instr.	на́шим	на́шим	на́шей (ею)	на́шими
Prep.	на́шем	на́шем	на́шей	на́ших

Like **наш** is declined **ваш** "your, yours" (plural and polite).

The third person possessive pronoun-adjectives **его́** "his, its," **её** "her, hers," **их** "their, theirs," are not declined.

For the declension of other pronoun-adjectives see:

Personal pronoun: **я, ты, он** etc. . . . .   Lesson 17
Demonstrative pronoun-adjective: **э́тот, тот** . .   Lesson 21
Interrogative pronoun: **кто, что** . . . .   Lesson 15
Relative pronoun: **кото́рый, кто, что** . . . .   Lesson 29
Reflexive pronoun: **себя́;** *emphatic*: **сам** . . . .   Lesson 22
Reciprocal pronoun: **друг дру́га** . . . .   Lesson 25
Indefinite pronoun: **кто́-то, кто́-нибудь** . . . .   Lesson 27
Negative pronoun: **никто́, ничто́** . . . .   Lesson 27

Pronoun-adjectives: **како́й, тако́й, кото́рый,**
    чей . . . .   Lesson 20
Pronoun-adjective: **весь** . . . .   Lesson 24

VI. NUMBERS[1]

	Cardinals	Ordinals	
1	оди́н, одна́, одно́	пе́рвый, -'ая, -'ое	first
2	два, две	второ́й, -а́я, -о́е	second
3	три	тре́тий, -'ья, -'ье	third
4	четы́ре	четвёртый, -'ая, -'ое	fourth
5	пять	пя́тый, -'ая, -'ое	fifth
6	шесть	шесто́й, -а́я, -о́е	sixth
7	семь	седьмо́й, -а́я, -о́е	seventh
8	во́семь	восьмо́й, -а́я, -о́е	eighth
9	де́вять	девя́тый, -'ая, -'ое	ninth
10	де́сять	деся́тый, -'ая, -'ое	tenth
11	оди́ннадцать .	оди́ннадцатый, -ая, -ое	11th
12	двена́дцать ...	двена́дцатый, -ая, -ое	12th
13	трина́дцать ...	трина́дцатый, -ая, -ое	13th
14	четы́рнадцать	четы́рнадцатый, -ая, -ое	14th
15	пятна́дцать ...	пятна́дцатый, -ая, -ое	15th
16	шестна́дцать .	шестна́дцатый, -ая, -ое	16th
17	семна́дцать ...	семна́дцатый, -ая, -ое	17th
18	восемна́дцать .	восемна́дцатый, -ая, -ое	18th
19	девятна́дцать .	девятна́дцатый, -ая, -ое	19th
20	два́дцать	двадца́тый, -'ая, -'ое	20th
21	два́дцать оди́н	два́дцать пе́рвый, -'ая, -'ое	21st
22	два́дцать два .	два́дцать второ́й, -а́я, -о́е	22nd
30	три́дцать	тридца́тый, -'ая, -'ое	30th
40	со́рок	сороково́й, -а́я, -о́е	40th
50	пятьдеся́т	пятидеся́тый, -'ая, -'ое	50th
60	шестьдеся́т ...	шестидеся́тый, -'ая, -'ое	60th
70	се́мьдесят	семидеся́тый, -'ая, -'ое	70th
80	во́семьдесят ..	восьмидеся́тый, -'ая, -'ое	80th
90	девяно́сто	девяно́стый, -'ая, -'ое	90th
100	сто	со́тый, -'ая, -'ое	100th
200	две́сти	двухсо́тый, -'ая, -'ое	200th
300	три́ста	трехсо́тый, -'ая, -'ое	300th
400	четы́реста	четырёхсо́тый, -'ая, -'ое	400th
500	пятьсо́т	пятисо́тый, -'ая, -'ое	500th
600	шестьсо́т	шестисо́тый, -'ая, -'ое	600th
700	семьсо́т	семисо́тый, -'ая, -'ое	700th
800	восемьсо́т	восьмисо́тый, -'ая, -'ое	800th
900	девятьсо́т	девятисо́тый, -'ая, -'ое	900th
1,000	ты́сяча	ты́сячный, -ая, -ое	1000th
2,000	две ты́сячи ...	двухты́сячный, -ая, -ое	2,000th
10,000	де́сять ты́сяч .	десятиты́сячный, -ая, -ое	10,000th
1,000,000	оди́н миллио́н	миллио́нный, -'ая, -'ое	millionth

[1] For the declension of numerals, see: **оди́н**, Lesson 21; all other cardinals, Lesson 26; ordinals, Lesson 19.

VII. A SUMMARY OF RULES OF CASE REQUIREMENTS
AFTER CARDINAL NUMERALS

The Noun *with Cardinal Numerals*

RULE I: When following **один** and all its compounds (except 11), the noun agrees with the numeral in gender and case, and is always in the *Singular*.

Examples: **один** стол, **одного** стола, **одному** столу, etc. **двадцать один** стол, двадцати **одного** стола, двадцати **одному** столу, etc.

одно окно, **одного** окна, **одному** окну; **двадцать одно** окно, etc.

одна комната, **одной** комнаты, etc.; **двадцать одна** комната, etc.

RULE II: When following other cardinal numerals there is agreement in the *oblique* cases, i.e., in the Genitive Dative, Instrumental, Prepositional, and the *Accusative* when that case differs from the *Nominative*.

Examples: **двух** столов, **с тремя** друзьями, **о сорока** зданиях, etc.

When following these cardinal numerals in the *Nominative* and the *Accusative* (when the accusative is like the nominative) there is *no* agreement, the following sub-rules apply:

SUB-RULE I: When following 2, 3, 4, and all their compounds the noun is in the *Genitive Singular*.

Examples: **два** стола, **три** книги, **двадцать четыре** окна, etc.

SUB-RULE II: When following 5, 6, 7, 8, 9, and all their compounds as well as 10 and 11 the noun is in the *Genitive Plural*. Also when following 100 and its multiples.

Examples: **пять** столов, **двадцать шесть** книг, **десять** окон, **одиннадцать** стульев, **сто** солдат, **двести** долларов, etc.

A SUMMARY OF RULES OF CASE REQUIREMENTS
AFTER CARDINAL NUMERALS

(Continued)

The Adjective *with Cardinal Numerals*

RULE I:

When following one and its compounds (except 11), the adjective agrees with the numerals in gender and case and is always in the *Singular*: **двáдцать одногó** большóго столá, etc.

RULE II:

When following other numbers there is agreement in the *oblique* cases: с **двумя** стáрыми друзья-ми, **ста** стáрых книг, etc.

RULE III:

When following other numbers in the *Nominative* and *Accusative* (when it is like nominative) the adjective is always in the *Genitive Plural,* though after 2, 3, 4* it can also be in the *Nominative Plural:* **две** стáрых/стáрые книги, **четы́ре** хорóших/хорóшие дрýга, **пять** извéстных учёных, etc.

---

* and their compounds except 12, 13, 14.

VIII. PREPOSITIONS

Preposition		Preposition		Case
без	without	от	from, away from	
впереди	in front of	подле	alongside of	
для	for	позади	behind	
до	up to, until	после	after	**Genitive**
из	out of	с (со)	from, off	
кроме	besides, except	у	near, at, at the house of (possession)	
около	at the side of, near, around, about			
к (ко)	to, toward	по	on, along, according to	**Dative.**
в (во)	in, into (motion)	о (об, обо)	against	
за	behind (motion)	под	under (motion)	**Accusative**
на	on, onto (motion)	через	through, across, within (time)	
за	for, behind (location)	перед	in front of	
между	between	под	under (location)	**Instrumental**
над	above	с (со)	with, by means of	
в (во)	in (location)	на	on (location)	**Prepositional**
о (об, обо)	about, concerning	при	in the presence of	

IX. PREPOSITIONS USED WITH MORE THAN ONE CASE

Prepositions	Cases	Meaning and sample sentences
в, на о, об óбо	Accusative	**Motion toward, against:** Я éду в гóрод **на** концéрт. Вóлны бúли **о** бéрег. **Time:** Я прочёл э́то **в** час. Я éду в гóрод **на** недéлю.
	Prepositional	**Location:** Я **в** гóрод**е на** концéрт**е**. **Time:** Он éдет **в** мáрт**е, на** э́той недéл**е**. **"About," "concerning":** Мы читáем **о** поэ́т**е** Пýшкин**е**.
за под	Accusative	**Motion "behind," "under":** Он кладёт газéту **за** лáмпу, **под** кнúгу. **Time:** Я прочёл кнúгу **за** час.
	Instrumental	**Location "behind," "under":** Газéта **за** лáмп**ой, под** кнúг**ой**. **"ЗА" in the meaning of "for," "after":** Я идý **за** газéт**ой**.
с со	Genitive	**"С" in the meaning of "from (off)":** Я взял кнúгу **со** стол**á**. Он идёт **с** урóк**а**.
	Instrumental	**"С" in the meaning of "with," "in the company of":** Онú говорÿ́т **с** учúтел**ем**. Идёшь ты **с** ним на концéрт?

X. USE OF PREPOSITIONS WITH THEIR CASES IN *TIME* EXPRESSIONS

English	Prepositions Russian	Cases	Typical Expressions
after	**чéрез**	Accusative	**Чéрез** час мы бýдем дóма. After an hour we shall be home.
at (clock time)	**в**	Accusative	**В** час, **в** два часá, **в** пять At one, two, five o'clock
for (optional)	***	Accusative	Я читáл час. I read (for) an hour.
for (compulsory)	**на**	Accusative	Он приéхал **на** недéлю. He came for a week, i. e., to spend a week.
from — to	**от — до**	Genitive	Я бýду у вас **от** чáса **до** шестú. I shall be with you from 1 to 6.
	с — до		Я бýду дóма **с** утрá **до** вéчера. I shall be at home from morning till evening.
	из — в	Gen.—Acc.	Он жил там **из** гóда **в** год. He lived there from year to year; year in year out.
	с — на		Он меняет плáны **с** недéли **на** недéлю. He changes his plans from week to week.
in	**в**	Instrumental	Утрóм, днём, вéчером, нóчью Зимóй, весной, лéтом, óсенью In the morning.., in winter...
		Prepositional	**В** маé мéсяце: In the month of May

332

Prepositions			
English	Russian	Cases	Typical Expressions
in, during, within	в	Accusative	**В** однý минýту я узнáл её. In a (one) minute I recognized her.
	за	Accusative	**За** эту недéлю я прочёл всю кнúгу. During this week I read the whole book.
on (specific)	в	Accusative	**В** срéду у меня собрáние. On Wednesday I have a meeting.
		Genitive	Вторóго мáя у нас собрáние. On the second of May we have a meeting.
on (habitual, repetitive)	по	Dative	**По** средáм всегдá собрáния. On Wednesdays we always have meetings.
per (times a...)	**раз ... в**	Accusative	Урóк два **рáза в** недéлю. (There is) a lesson twice a week.
No Prepositions	в	Accusative	**В** эту срéду: this Wednesday
	на	Prepositional	**В** прóшлом годý: last year
		Prepositional	**На** этой недéле: this week
	***	Instrumental	**Этой веснóй, прóшлой зимóй, бýдущим лéтом** This spring, last winter, next summer

XI. PREPOSITIONAL PREFIXES

Prefixes	Meaning	Prepositions with which chiefly used	Case by which followed	Sample sentences (Notice perfective aspect of verbs.)
в, во	Motion into a place	**в**	Accusative	Я войду́ в ко́мнату.
вз, вс, взо	Motion upward (*N. B.*: з changes to с before voiceless consonants)	**на**	Accusative	Мы взойдём на́ гору. Он взбежа́л на 2-ой эта́ж.
вы	Motion out of a place	**из**	Genitive	Я вы́шел из ко́мнаты.
до	Completion; action carried to a fixed limit	**до**	Genitive	Я дошёл до клу́ба. Он дописа́л письмо́ до конца́.
за	Starting; turning in; going behind	**к** **за**	Dative or Accusative	Она́ запе́ла. Зайди́те к нам за́втра. Я зае́хал за го́ру.
из **ис**	"out" in a figurative sense: thoroughly, completely	***	***	Я изучи́л ка́рту Евро́пы. Он исписа́л весь лист.
на	On; upon; and figuratively: satiation	**на**	Accusative	Авто́бус нае́хал на де́рево. Он нашёл меня́ бы́стро. Он нае́лся и напи́лся.
над	Over; above; also figuratively	***	***	Он надписа́л э́ту кни́гу.
о, обо	Motion around and about; also figuratively	***	***	Я обошёл парк. Он описа́л наш го́род.
от, ото	From, away (with reference to place and person)	**от**	Genitive	Мы отошли́ от кино́. Он отошёл от бра́та.

334

Prefixes	Meaning	Prepositions with which chiefly used	Case by which followed	Sample sentences (Notice perfective aspect of verbs.)
пе́ре	Repetition or Motion across	че́рез	Accusative	Он перепльı́л (че́рез) о́зеро. Я переде́лал гара́ж.
по	Completion or performance in a casual or leisurely manner	***	***	Я попроси́л ещё воды́. Он лю́бит посиде́ть и поговори́ть.
под	Motion up and under, also figuratively: stealth, subterfuge	под к	Accusative Dative	Он подлёз под стол. Он подошёл к ней. Он подговори́л меня́. Он подкра́лся ко мне.
при	Arrival, attachment	***	***	Я приписа́л не́сколько слов. По́езд прие́хал.
про	motion & action through, thoroughly	че́рез* +	Accusative Instrumental	Я прошёл че́рез парк. Я прошёл па́рком.
пред	"fore," before	***	***	Предска́зывают дождь. Я э́то предви́дел.
раз рас	"dis," "un"; dispersion, division	***	***	Они́ разъе́хались. Она́ раздала́ свои́ ве́щи.
с со, с	Motion away from a place; completion; with reflexive verbs: union, coming together.	с со	Genitive Instrumental	Я собра́л кни́ги со стола́. Кто э́то сде́лал? Они́ сошли́сь хара́ктерами.
у	motion away from a place; disappearance.	из	Genitive	Он уе́хал из го́рода. Самолёт улетёл.

* Optional.

XII. THE VERB

First Conjugation

Imperfective	Perfective

I. Infinitive:

читáть   прочитáть   to have read
to read, be reading

II. Indicative:

Present Tense

I read, am reading

я читáю
ты читáешь
он, онá, онó читáет   None

мы читáем
вы читáете
они́ читáют

Past Tense

I read, was reading	I have, had read
я читáл, ла, ло	я прочитáл, ла, ло
ты читáл, ла, ло	ты прочитáл, ла, ло
он читáл	он прочитáл
онá читáла	онá прочитáла
онó читáло	онó прочитáло
мы, вы они́ читáли	мы, вы, они́ прочитáли

Future Tense

I shall read, be reading	I shall have read
я бу́ду читáть	я прочитáю
ты бу́дешь читáть	ты прочитáешь
он, онá, онó бу́дет читáть	он, онá, онó прочитáет
мы бу́дем читáть	мы прочитáем
вы бу́дете читáть	вы прочитáете
они́ бу́дут читáть	они́ прочитáют

Imperfective	*Perfective*

III. Subjunctive (conditional):

Conjugated exactly like the *past* tense of the *indicative* mood
with the addition of particles **бы** or **б**:

я чита́л, ла, ло бы (б) etc.   я прочита́л, ла, ло бы (б) etc.

I should read, be reading,   I should have read
should have been reading

IV. Imperative:

чита́й!   прочита́й!   read! read (it)
чита́йте!   read!   прочита́йте!   through, com-
                                            pletely

V. Adverbial participles:

Present Tense

чита́я   reading, while   None
            reading

Past Tense

чита́вши   while (I, etc.)   прочита́вши
чита́в   was reading   прочита́в   having read

VI. Participles:

a. *Active*:

Present Tense

чита́ющий one who is   None
            reading

Past Tense

чита́вший one who was   **прочита́вший** one who has,
            reading   had read

Imperfective	*Perfective*

b. *Passive*:

Present Tense

Long form: читáе**мый**   None
Short form: читáе**м**

which is being read

Past Tense

| Long form: чи́танный | прочи́танный | which has, had |
| Short form: чи́тан | прочи́тан | been read |

which was read

(Other *past passive participle* endings are: long **-тый,** short **-т.**)

VII. Passive:

The *passive* is constructed by means of the *short passive participle* forms, *present* or *past* (see directly above); also by means of the *reflexive* form.

Second Conjugation

Imperfective	*Perfective*

I. Infinitive:

кури́ть   вы́курить   to have smoked
to smoke, be smoking

II. Indicative:

Present Tense

I smoke, am smoking   None

я курю́
ты ку́ришь
он, она́, оно́ ку́рит

мы ку́рим
вы ку́рите
они́ ку́рят

Past Tense

I smoked, was smoking   I have, had smoked

я кури́л, ла, ло   я вы́курил, ла, ло
ты кури́л, ла, ло   ты вы́курил, ла, ло
он кури́л   он вы́курил
она́ кури́ла   она́ вы́курила
оно́ кури́ло   оно́ вы́курило

мы, вы, они́ кури́ли   мы, вы, они́ вы́курили

Future Tense

I shall smoke, be smoking   I shall have smoked

я бу́ду кури́ть   я вы́курю
ты бу́дешь кури́ть   ты вы́куришь
он, она́, оно́ бу́дет кури́ть   он, она́, оно́ вы́курит
мы бу́дем кури́ть   мы вы́курим
вы бу́дете кури́ть   вы вы́курите
они́ бу́дут кури́ть   они́ вы́курят

III. Subjunctive (conditional):

Conjugated exactly like the *past* tense of the *indicative* mood
with the addition of particles бы (б):

я кури́л, ла, ло бы (б) etc.   я вы́курил, ла, ло бы (б) etc.

I should smoke, be smoking,   I should have smoked
should have been smoking

Imperfective		Perfective	

IV. Imperative:

кури́!
кури́те! smoke!   вы́кури!   smoke! finish
                     вы́курите!   smoking!

V. Adverbial participles:

Present Tense

куря́   smoking, while
         smoking   None

Past Tense

кури́вши   while (I, etc.)   вы́куривши
кури́в   was smoking   вы́курив   having smoked

VI. Participles:

a. *Active*:

Present Tense

куря́щий   one who is
           smoking   None

Past Tense

кури́вший   one who was   вы́куривший   one who has,
            smoking   had smoked

b. *Passive*:

Present Tense

Long form: кури́мый
Short form: кури́м   None

which is being smoked

Past Tense

Long form: ку́ренный   вы́куренный   which has, had
Short form: ку́рен   вы́курен   been smoked

which was smoked

(Other *past passive participle* endings are long **-тый**, short **-т**.)

VII. Passive:

The *passive* is constructed by means of the *short passive participle* forms, *present* or *past* (see directly above); also by means
of the *reflexive* form.

XIII. VERBS FROM THE TEXT ARRANGED ACCORDING TO THEIR TYPICAL CONJUGATIONAL PATTERNS

(Regular first and second conjugation verbs are not included.)

I. CONSONANT PERMUTATION

1. Д > Ж: (In the first person singular *only*)

буди́ть: бужу́, бу́дишь, бу́дят	to awaken, rouse
ви́деть: ви́жу, ви́дишь, ви́дят	to see
води́ть: вожу́, во́дишь, во́дят	to lead, guide
заводи́ть: завожу́, заво́дишь, заво́дят	to wind
вы́глядеть: вы́гляжу, вы́глядишь, вы́глядят	to appear, look
е́здить: е́зжу, е́здишь, е́здят	to drive
роди́ться: рожу́сь, роди́шься, родя́тся	to be born
сиде́ть: сижу́, сиди́шь, сидя́т	to sit
ходи́ть: хожу́, хо́дишь, хо́дят	to go, walk

2. З > Ж: (Throughout)

каза́ться: кажу́сь, ка́жешься, ка́жутся	to appear, seem
показа́ть: покажу́, пока́жешь, пока́жут	to show
сказа́ть: скажу́, ска́жешь, ска́жут	to say, tell
рассказа́ть: расскажу́, расска́жешь, расска́жут	to tell, narrate
(In the first person sing. *only*)	
вози́ть: вожу́, во́зишь, во́зят	to transport, cart

3. Ж > Г: (In the first person singular and the third plural)

бежа́ть: бегу́, бежи́шь, бегу́т	to run

VERBS ARRANGED ACCORDING TO THEIR
CONJUGATIONAL PATTERN (*continued*)

4. **С > Д:** (Throughout)

класть: кладу́, кладёшь,   to put, place
кладу́т

попа́сть: попаду́, попадёшь,   to get to, catch
попаду́т

упа́сть: упаду́, упадёшь,   to fall
упаду́т

сесть: ся́ду, ся́дешь, ся́дут   to sit down
(Note the change from **е**
to **я**)

5. **С > Ш:** (In the first person singular *only*)

бро́сить: бро́шу, бро́сишь,   to throw
бро́сят

носи́ть: ношу́, но́сишь,   to carry, bear
но́сят

проси́ть: прошу́, про́сишь,   to ask, beg (a favor)
про́сят

спроси́ть: спрошу́, спро́-   to ask (a question)
сишь, спро́сят

пригласи́ть: приглашу́,   to invite
пригласи́шь, приглася́т
(Troughout)

писа́ть: пишу́, пи́шешь,   to write
пи́шут,

посла́ть: пошлю́, пошлёшь,   to send (away)
пошлю́т

присла́ть: пришлю́,   to send (to receiver)
пришлёшь, пришлю́т

6. **СК, СТ, Т > Щ:** (Throughout)

иска́ть: ищу́, и́щешь, и́щут   to search, look for
(In the first person singular
only)

прости́ться: прощу́сь,   to say good bye
прости́шься, простя́тся

спусти́ть: спущу́, спу́стишь,   to lower, let down
спу́стят

прекрати́ть: прекращу́,   to stop, end, cease
прекрати́шь, прекратя́т

VERBS ARRANGED ACCORDING TO THEIR
CONJUGATIONAL PATTERN (*continued*)

7. **Т > Ч**: (In the first person singular *only*)

встре́тить: встре́чу, встре́тишь, встре́тят	to meet
лете́ть: лечу́, лети́шь, летя́т	to fly
отве́тить: отве́чу, отве́тишь, отве́тят	to answer

(Throughout the singular)
хоте́ть: хочу́, хо́чешь, хо́чет
but not in the plural:

хоти́м, хоти́те, хотя́т	to want, wish

8. **ЧЬ > Г**: (For 1st pers. sing. & 3rd pl.) **> Ж** (for all other persons):

мочь: могу́, мо́жешь, мо́жет, мо́жем, мо́жете, мо́гут	to be able
лечь: ля́гу, ля́жешь, ля́жет, ля́жем, ля́жете, ля́гут	to lie down

(Note the change from **e** to **я**)

9. **АВА, ЕВА, ОВА > У/Ю**:

воева́ть: вою́ю, вою́ешь, вою́ют	to wage war
интересова́ться: интересу́юсь, интересу́ешься, интересу́ются	to be interested
любова́ться: любу́юсь, любу́ешься, любу́ются	to admire
тре́бовать: тре́бую, тре́буешь, тре́буют	to demand
чу́вствовать: чу́встую, чу́вствуешь, чу́вствуют	to feel

II. CONSONANT INFIXES

1. After **б, в, ф, м, п** certain verbs insert **Л** in the first person sing.:

люби́ть: люблю́, лю́бишь, лю́бят	to love
гото́вить: гото́влю, гото́вишь, гото́вят	to prepare

VERBS ARRANGED ACCORDING TO THEIR
CONJUGATIONAL PATTERN (*continued*)

нра́виться: нра́влюсь, нра́вишься, нра́вятся	to like, please
отпра́вить: отпра́влю, отпра́вишь, отпра́вят	to send off, away
попра́вить: попра́влю, попра́вишь, попра́вят	to repair
ста́вить: ста́влю, ста́вишь, ста́вят	to place, put
предста́вить: предста́влю, предста́вишь, предста́вят	to introduce, represent
станови́ться: становлю́сь, стано́вишься, стано́вятся	to become, grow to be
знако́мить: знако́млю, знако́мишь, знако́мят	to introduce, make acquainted
купи́ть: куплю́, ку́пишь, ку́пят	to buy
поступи́ть: поступлю́, посту́пишь, посту́пят	to enter, enroll, enlist
спать: сплю, спишь, спят	to sleep

2. Infix - **В** - :

жить: живу́, живёшь, живу́т	to live
плыть: плыву́, плывёшь, плыву́т	to swim

3. Infix - **Н** - :

встать: вста́ну, вста́нешь, вста́нут	to get up, rise
стать: ста́ну, ста́нешь, ста́нут	to become, grow to be
нача́ть: начну́, начнёшь, начну́т	to begin
(Note the loss of the "a")	
оде́ть: оде́ну, оде́нешь, оде́нут	to dress
отста́ть: отста́ну, отста́нешь, отста́нут	to fall behind, lag

III. VOWEL INFIXES

1. Infix - **Ь** - :

пить: пью, пьёшь, пьют	to drink
бить: бью, бьёшь, бьют	to strike, hit

VERBS ARRANGED ACCORDING TO THEIR
CONJUGATIONAL PATTERN (*continued*)

2. Infix - **O** - :

догна́ть: догоню́, дого́нишь, дого́нят	to catch up with
закры́ть: закро́ю, закро́ешь, закро́ют	to close
мыть: мо́ю, мо́ешь, мо́ют	to wash
петь: пою́, поёшь, пою́т	to sing

3. Infix - **E** - :

брать: беру́, берёшь, беру́т	to take
добра́ться: доберу́сь, доберёшься, доберу́тся	to reach

IV. VERBS IN -ТИ

идти́: иду́, идёшь, иду́т	to go
везти́: везу́, везёшь, везу́т	to carry (by vehicle), transport
вести́: веду́, ведёшь, веду́т (Note the change from с to д)	to lead
нести́: несу́, несёшь, несу́т	to carry, bear
расти́: расту́, растёшь, расту́т	to grow

V. VERBS OF VARYING CONJUGATIONAL PATTERNS

быть: бу́ду, бу́дешь, бу́дут	to be
взять: возьму́, возьмёшь, возьму́т	to take
дава́ть: даю́, даёшь, даю́т	to give
дать: дам, дашь, даст, дади́м, дади́те, даду́т	to give
есть: ем, ешь, ест, еди́м, еди́те, едя́т	to eat
е́хать: е́ду, е́дешь, е́дут	to drive
заня́ть: займу́, займёшь, займу́т	to borrow
поня́ть: пойму́, поймёшь, пойму́т	to understand
прочёсть: прочту́, прочтёшь, прочту́т	to read through, to the end
умере́ть: умру́, умрёшь, умру́т	to die

XIV. LIST OF VERBS FROM THE TEXT WITH VARYING PAST TENSE CONJUGATIONS

I. PERMUTATION OF Ч > Г

1. мочь: мог, могла́, могло́,   to be able to
могли́
2. лечь: лёг, легла́, легло́,   to lie down
легли́

II. LOSS OF C

1. есть: **ел, е́ла, е́ло, е́ли**   to eat
2. класть: **клал, кла́ла, кла́ло,**   to place, put
кла́ли
3. упа́сть: **упа́л, упа́ла, упа́ло,**   to fall
упа́ли

III. STEM CONSONANT (without Л) IN THE *MASCULINE*

1. умере́ть: **у́мер, умерла́,**   to die
умерло́, у́мерли

IV. VERBS IN -ТИ

1. идти́ (итти́): **шёл, шла,**   to go (on foot)
шло, шли
вы́йти: **вы́шел, вы́шла,**   to go out
вы́шло, вы́шли
подойти́: **подошёл,**   to go, come up to
подошла́, подошло́,
подошли́
прийти́: **пришёл, пришла́,**   to arrive (on foot)
пришло́, пришли́
произойти́: **произошёл,**   to happen
произошла́, произошло́,
произошли́
разойти́сь: **разошёлся,**   to part
разошла́сь, разошло́сь,
разошли́сь
уйти: **ушёл, ушла́, ушло́,**   to go away
ушли́

VERBS WITH VARYING PAST TENSE CONJUGATIONS
(*continued*)

2. везти́: вёз, везла́, везло́, везли́ — to cart, transport

   вы́везти: вы́вез, вы́везло, вы́везли — to export, cart out

   привезти́: привёз, привезла́, привезло́, привезли́ — to bring (by vehicle)

3. вести́: вёл, вела́, вело́, вели́ — to lead

   ввести́: ввёл, ввела́, ввело́, ввели́ — to lead in, introduce

   перевести́: перевёл, переве-ла́, перевело́, перевели́ — to lead over, across, translate

4. нести́: нёс, несла́, несло́, несли́ — to carry, bear

   внести́: внёс, внесла́, внесло́, внесли́ — to carry in, introduce

5. расти́: рос, росла́, росло́, росли́ — to grow, develop

   вы́расти: вы́рос, вы́росла, вы́росло, вы́росли — to grow up, mature

XV. LIST OF VERBS FROM THE TEXT ARRANGED ACCORDING TO THEIR PERFECTIVE ASPECT FORMATION

(This list does not include all possible perfective forms.)

I. By Way of Prefixes

1. **ВЫ**

купа́ться: **вы́**купаться (21)*	to bathe, swim
мы́ться: **вы́**мыться (16)	to wash
расти́: **вы́**расти (22)	to grow, grow up
чи́стить: **вы́**чистить (16)	to clean, to make neat, tidy

2. **ЗА**

крича́ть: **за**крича́ть (26)	to shout; P. to start shouting, cry out
спеши́ть: **за**спеши́ть (16)	to hurry; P. to begin hurrying
хоте́ть: **за**хоте́ть (16)	to want to; P. to get the desire

3. **НА**

писа́ть: **на**писа́ть (16)	to write
печа́тать: **на**печа́тать (30)	to print

4. **ПО**

(Perfectives of this type used in the text are too numerous to receive complete listing here)

дуть: **по**ду́ть (26)	to blow
иска́ть: **по**иска́ть (25)	to search, look for
любова́ться: **по**любова́ться (21)	to admire
нра́виться: **по**нра́виться (18)	to like; P. to come to like
плы́ть: **по**плы́ть (24)	to swim
пры́гать: **по**пры́гать (26)	to jump
стро́ить: **по**стро́ить (24)	to build
тре́бовать: **по**тре́бовать (27)	to demand
купи́ть: **по**купа́ть (16)	to buy — has ПО in the *imperfective* and drops it in the *perfective*

5. **ПРИ**

гото́вить: **при**гото́вить (16)	to prepare

6. **РАЗ**

буди́ть: **раз**буди́ть (23)	to awaken, rouse

---

* Numbers in parentheses refer to lessons in which the verbs are to be found with their key forms.

VERBS ARRANGED ACCORDING TO THEIR PERFECTIVE ASPECT FORMATION (*continued*)

7. С

горе́ть: **с**горе́ть (27)	to burn
де́лать: **с**де́лать (16)	to do
мочь: **с**мочь (16)	to be able to
петь: **с**петь (13)	to sing

8. У

ви́деть: **у**ви́деть (16)	to see; P. catch sight of
па́дать: **упа́сть** (26)	to fall
слы́шать: **у**слы́шать (17)	to hear; P. to catch the sound of

II. By Dropping the Vowels И or Ы

добира́ться: добра́ться (27)	to reach, get to
избира́ть: избра́ть (30)	to select, choose
убира́ть: убра́ть (16)	to pick up, tidy up
посыла́ть: посла́ть (30)	to send

III. By Dropping the Syllables

1. ВА

доби**ва́**ться: доби́ться (28)	to strive for, gain, achieve
закры**ва́**ть: закры́ть (19)	to close
отда**ва́**ть: отда́ть (25)	to give away
отста**ва́**ть: отста́ть (26)	to fall behind
переда**ва́**ть: переда́ть (28)	to transmit, pass on
препода**ва́**ть: препода́ть (20)	to teach, instruct
раздава́ться: разда́ться (21)	to resound
сда**ва́**ть: сдать (18)	to give up
уси́ливаться: уси́литься (29)	to increase, grow stronger

2. ЫВ

насчи́**тыв**ать: насчита́ть (27)	to count
разраба́**тыв**ать: разрабо́тать (29)	to work out, develop
расска́**зыв**ать: рассказа́ть (20)	to tell, narrate

3. ИН

на**чин**а́ть: нача́ть (16)	to begin

IV. By Change of Ending

1. **АТЬ > ИТЬ**: (N.B. This involves a change from 1st to 2nd conjugation)

броса́ть: бро́сить (26)	to throw
изуча́ть: изучи́ть (20)	to study; P. to master
получа́ть: получи́ть (18)	to receive
поступа́ть: поступи́ть (20)	to enter, enroll, act
продолжа́ть: продо́лжить (20)	to continue
разреша́ть: разреши́ть (17)	to permit, solve

2. **ЯТЬ > ИТЬ**: (Change from 1st to 2nd conjugation)

выполня́ть: вы́полнить (27)	to fulfill, carry out
заменя́ть: замени́ть (29)	to replace, substitute
изменя́ть: измени́ть (21)	to change
населя́ть: насели́ть (22)	to populate, settle
объясня́ть: объясни́ть (20)	to explain
отделя́ть: отдели́ть (22)	to separate
проверя́ть: прове́рить (19)	to check
распространя́ть: распространи́ть (30)	to spread, disseminate

V. By Change of Stem and Ending

1. **ЧАТЬ > ТИТЬ**:

встреча́ть: встре́тить (16)	to meet
отвеча́ть: отве́тить (17)	to answer

2. **ЩАТЬ > ТИТЬ**:

прекраща́ться: прекрати́ться (26)	to stop, end
проща́ться: прости́ться (18)	to say goodbye

3. **ЛЯТЬ > ИТЬ**:

отправля́ть: отпра́вить (18)	to send off
поправля́ть: попра́вить (19)	to correct
представля́ть: предста́вить (17)	to introduce

4. **ШАТЬ > СИТЬ**:

приглаша́ть: пригласи́ть (17)	to invite

5. **ИМАТЬ > ЯТЬ**:

занима́ть: заня́ть (20)	to occupy
поднима́ться: подня́ться (21)	to rise, get up
понима́ть: поня́ть (25)	to understand
принима́ть: приня́ть (17)	to accept
снима́ть: сня́ть (19)	to take off, rent

6. **АТЬ > НИТЬ/НУТЬ**:

запоминáть: запóмнить (20)	to remember
кричáть: крúкнуть (26)	to shout; P. to cry out
отдыхáть: отдохнýть (21)	to rest
поворáчивать: повернýть (19)	to turn
стихáть: стúхнуть (27)	to subside, quiet down
раздвигáть: раздвúнуть (23)	to extend, draw out

VI. By Radical Change in Stem or Use of Different Verb

1. Verbs Belonging to the Indeterminate—Determinate Group.

водúть: вестú (25)	to lead
вводúть: ввестú (25)	to lead in
переводúть: перевестú (19)	to lead across, translate
возúть: везтú (25)	to carry (by vehicle), transport
вывозúть: вы́везти (25)	to export
привозúть: привезтú (26)	to bring (by vehicle), import
носúть: нестú (25)	to carry, bear
вносúть: внестú (25)	to carry in
-езжáть: éхать (8)	to drive
приезжáть: приéхать (16)	to arrive (driving)
уезжáть: уéхать (16)	to depart (driving)
ходúть: (о)*йти (идтú) (8)	to walk, go
находúться: найтúсь (22)	to be located
подходúть: подойтú (26)	to approach, come up
приходúть: прийтú (25)	to arrive (on foot)
разходúться: разойтúсь (26)	to go apart, part
уходúть: уйтú (25)	to go away

2. Special Formations

класть: положúть (19)	to place, put
уклáдывать: уложúть (18)	to pack (one's belongings)
спускáть: спустúть (26)	to lower, let down
становúться: стать (21)	to become
брать: взять (18)	to take
говорúть: сказáть (16)	to speak; P. tell

---

* The "o" is inserted after consonants.

XVI. TABLE OF DOUBLE INFINITIVE VERBS AND THEIR COMPOUNDS

Imperfective		Perfective	English
Indeterminate	Determinate		
ходи́ть	итти́/идти́	пойти́ (идти́)	to walk, go (on foot)
е́здить	е́хать	пое́хать (е́хать)	to ride, go (in vehicle)
носи́ть; ношу́ но́сишь, но́сят	нести́; несу́, нести́; несу́, несёшь, несу́т; нёс, несла́, несли́	понести́ (нести́)	to carry
вози́ть; вожу́, во́зишь, во́зят	везти́; везу́, везёшь, везу́т; вёз, везла́, везли́	повезти́ (везти́)	to convey (in vehicle)
води́ть, вожу́, во́дишь, во́дят	вести́, веду́, ведёшь, веду́т; вёл, вела́, вели́	повести́ (вести́)	to lead
бе́гать (I)	бежа́ть; бегу́, бежи́шь, бегу́т	побежа́ть (бежа́ть)	to run
ла́зить; ла́жу, ла́зишь, ла́зят	лезть; ле́зу, ле́зешь, ле́зут; лез, ле́зла, ле́зли	поле́зть (лезть)	to climb
лета́ть (I)	лете́ть; лечу́, лети́шь, летя́т	полете́ть (лете́ть)	to fly
пла́вать (I)	плыть; плыву́, плывёшь, плыву́т	поплы́ть (плыть)	to float, swim

352

Imperfective	Perfective	English
приходи́ть (ходи́ть)	прийти́ /притти́/ (идти́)	to come, arrive (on foot)
приезжа́ть (I)	прие́хать (е́хать); приезжа́й/-те	to arrive (by vehicle)
приноси́ть (носи́ть)	принести́ (нести́)	to bring
привози́ть (вози́ть)	привезти́ (везти́)	to bring (by vehicle)
приводи́ть (води́ть)	привести́ (вести́)	to bring, lead to
уходи́ть (ходи́ть)	уйти́ (итти́)	to go away (on foot)
уезжа́ть (I)	уе́хать (е́хать) уезжа́й/-те	to go away (by vehicle)
уноси́ть (носи́ть)	унести́ (нести́)	to carry away
увози́ть (вози́ть)	увезти́ (везти́)	to carry away (by vehicle)
уводи́ть (води́ть)	увести́ (вести́)	to carry, lead away
улета́ть (лета́ть)	улете́ть (лете́ть)	to fly away
въезжа́ть (I)	въе́хать (е́хать)	to ride into
ввози́ть (вози́ть)	ввезти́ (везти́)	to convey in (by vehicle)
вбега́ть (I)	вбежа́ть (бежа́ть)	to run in
влета́ть (I)	влете́ть (лете́ть)	to fly in
вплыва́ть (I)	вплыть (плыть)	to float in
влеза́ть (I), etc.	влезть (лезть)	to climb in, etc.

Remember that the verb followed by a verb in parenthesis is to be conjugated like the verb in parenthesis; e.g., пойти́ (итти́) : пойду́, пойдёшь, etc., like: иду́, идёшь, etc.

353

XVII. FORMATION OF PARTICIPLES: ACTIVE AND PASSIVE

Imperfective Infinitive	Active Participle		Passive Participle	
	Present	*Past*	*Present*	*Past*
1. читáть	читáющий, -ая, -ее, -ие	читáвший, -ая, -ее, -ие	читáемый, -ая, -ое, -ые	чи́танный, -ая, -ое, -ые
2. ви́деть	ви́дящий, -ая, -ее, -ие	ви́девший, -ая, -ее, -и	ви́димый, -ая, -ое, -ые	ви́денный, -ая, -ое, -ые
3. говори́ть	говоря́щий, -ая, -ее, -ие	говори́вший, -ая, -ее, -ие	говори́мый, -ая, -ое, -ые	говорённый, -ая, -ое, -ые
4. одевáть	одевáющий, -ая, -ее, -ие	одевáвший, -ая, -ее, -ие	одевáемый, -ая, -ое, -ые	None
5. одевáться	одевáющийся -аяся, -ееся, -иеся	одевáвшийся -аяся, -ееся, -иеся	None	None
Perfective Infinitive				
1. прочитáть	None	прочитáвший, -ая, -ее, -ие	None	прочи́танный, -ая, -ое, -ые
2. уви́деть	None	уви́девший, -ая, -ее, -ие	None	уви́денный, -ая, -ое, -ые
3. сказáть	None	сказáвший, -ая, -ее, -ие	сказýемый	скáзанный, -ая, -ое, -ые
4. одéть	None	одéвший, -ая, -ее, -ие	None	одéтый, -ая, -ое, -ые
5. одéться	None	одéвшийся, -аяся, -ееся	None	None

VOCABULARIES

Arabic numerals following certain items in the vocabularies refer to the pages where the grammatical forms (declensions, conjugations, etc.) and explanations of these items can be found.

Verbs followed by (I) belong to the *first regular* conjugation; by (II) to the *second regular* conjugation; irregular verbs are followed by the keyforms or by the page where keyforms or full conjugation are given.

Aspects are given in the *Russian-English* vocabulary in pairs except when they follow alphabetically in consecutive lines; *Perfectives* are marked **P.**; "**по-**" indicates a *Perfective* formed by prefixing "**по**" to the *Imperfective* verb: **ку́шать** (I): **по-** stands for **ку́шать** (I): **поку́шать P** (I); *Perfectives* in "**по**" are not followed by the *Imperfective*: **поку́шать P** (I) stands for **поку́шать P** (I): **ку́шать** (I).

In the *English-Russian* vocabulary the *Imperfective* verb is always given first, immediately followed by the *Perfective*: **писа́ть, написа́ть.** If only one verb is given, it must be understood that only the one in common usage is given in the text.

Nouns followed by: (m.) are masculine; (†o) or (†e) drop these vowels in oblique cases (see Lesson 15); (o) or (e) insert these vowels in the genitive plural (see Lesson 23); (pl.) have only *plural* declensional forms; (dim.) are diminutive forms.

The use of parentheses around **(-ся)** serves to remind the student that the verb may be used without the reflexive suffix (see Lesson 15).

Adverbs derivable from adjectives by replacing the adjectival ending with the adverbial ending **o** (without any further change!) are *not* separately listed.

Other abbreviations used:

acc.	= accusative	gen.	= genitive
adj.	= adjective	instr.	= instrumental
adv.	= adverb	m.	= masculine
conj.	= conjunction	n.	= neuter
dat.	= dative	pl.	= plural
dim.	= diminutive	pol.	= polite
f.	= feminine	prep.	= prepositional (locative)
fam.	= familiar	pron.	= pronoun

(**ё** > **ь**): final **ё** changes to **ь** in oblique cases of the noun (see Lesson 15).

[Numerals are not given in the General Vocabularies. See Appendix II, page 327.]

355

Russian-English Vocabulary

A

a 22, and, but, while
а́вгуст, August
августо́вский, August *(adj.)*
автомоби́ль *(m.)*, car, auto
а́втор, author
а́збука, alphabet
азиа́тский, Asiatic
А́зия, Asia
аку́ла, shark
алло́, hello
алфави́т, alphabet
Аме́рика, America
америка́нец (†е), American
америка́нка (о), American *(f.)*
америка́нский, American *(adj.)*
англи́йский, English *(adj.)*
англича́нин 171, Englishman
англича́нка (о), Englishwoman
А́нглия, England
апельси́н, orange
апре́ль *(m.)*, April
а́рия, aria
а́рмия, army
артиллери́ст, artilleryman
архитекту́ра, architecture

Б

ба́ба, woman
ба́бушка, grandmother
бага́ж, baggage
банк, bank
ба́шня (е), tower
бе́гать (I) 239, to run
бе́дный, бе́ден, бедна́, бедны́, poor
бежа́ть 239, to run
без *(gen.)* 53, without
бе́лый, white
бе́рег, shore
бесе́да, conversation
беспоко́йство, worry
библиоте́ка, library
биле́т, ticket
благодари́ть (II): по-, to thank
благодаря́, thanks to
благополу́чно, all right, successfully
бле́дный, pale
бли́же, nearer

бли́зкий, near
Бог, God
бога́тство, wealth, riches
бога́тства, приро́дные, natural resources, raw materials
бога́тый, rich
бога́че, richer
бой, battle
бо́лее 216, more
боле́знь (е), sickness, illness
бо́лен 124, sick, ill
боле́ть (I): заболе́ть *P* (I), to be ill, ache: to fall ill, sick
больни́ца, hospital
бо́льно, painful (ly), it is painful
больно́й, ill, sick
бо́льше 216, more, bigger
большо́й, big, large
бомбардиро́вщик, bombing plane, gunner
боя́ться (II), to be afraid of
брат 193, brother
брать: взять *P* 159, to take
бре́мя 194, burden
брига́да, brigade
бри́ться 131: по-, to shave
броса́ть(ся) (I), to rush, dash
бро́сить(ся) *P* 251, to rush, dash
буди́ть: разбуди́ть *P* 215, to awaken, rouse
бу́дущий, future, coming, next
бу́ква, letter (of the alphabet)
бульва́р, boulevard
бума́га, paper
б, бы, see 264 f.
быва́ть 195, to happen, visit, be
был, была́, бы́ло 90, was
бы́стро, quickly
быть 21, 116, 195, to be

В

в (во) 39, 45, 266 *(prep. or acc.)*, in, into
ваго́н, car (railroad)
ва́жно, important
ва́жный, important
вал, bulwark
вам, to you
ва́ми, with you, by you

вас, of you, you *(acc.)*

ваш, ваша, ваше, ваши 116, 185, your, yours

вверх up, upward

ввести *P* 238, 239, to introduce, lead in

вводить 238, 239, to introduce, lead in

вдруг, suddenly

вёз 239, conveyed, transported

везде, everywhere

везти 239, to convey, transport, cart

век, century, age

вёл 239, lead, conducted

великий, great, mighty

вера, faith, belief, religion

веселить(ся) (II): по-, to be merry, to make merry

весело, gaily, merrily, joyfully

весёлый, gay, merry, joyful

весенний, spring *(adj.)*

весна, spring

весной, in the spring

вести 239, to conduct, lead

весь *(m.)*, вся *(f.)*, всё *(n.)*, все *(pl.)* 226, 227, all, everyone, everybody, everything, entire, whole

ветер (†e), wind

вечер 161, evening

вечерний, evening *(adj.)*

вечером, in the evening

вещь, thing, object

вздумать (I), to get the idea

взять *P*: брать 159, to take

вид, view, appearance, form

видеть: увидеть *P*, 138, to see: catch sight of

византийский, Byzantine

Византия, Byzantium

визг, scream, shriek

вилка (о), fork

вино, wine

влияние, influence

вместе, together

внести *P* 238, 239, to bring in, carry in

вносить 238, 239, to bring in, carry in

внук, grandson

внучка (е), granddaughter

вода, water

водить 239, to lead, conduct

водка (о), vodka

воевать: по- 262, to fight, wage war

военный, military

вождь *(m.)*, leader

воздух, air

возить 239, to convey, transport, cart

возможность, possibility

война, war

войти (like идти): входить (like ходить), to enter

вокзал, station

волна, wave

вопрос, question

вор, thief

воскресенье, Sunday

восток, east

восточнославянский, East Slavic

восточный, eastern

вот, here is (emphatic)

впереди *(gen.)*, in front, ahead

впечатление, impression

впрочем, by the way, incidentally, however, after all

временами, at times

время 150, 194, time

все *(pl.)* 227, all, everybody

всё *(n.)* 227, all, everything

всегда, always

всё таки, nevertheless, yet

вслух, aloud

вставать 122, to get up, rise

встать (встану, встанешь, встанут) *P*, to get up, rise

встретить(ся) *P* 138, to meet

встречать(ся) (I) 126, to meet

всюду, everywhere

вся *(f.)* 227, whole, entire, all

вторник, Tuesday

вчера, yesterday

въезжать (I), to drive in, ride in

въехать (like ехать) *P*, to drive in, ride in

вы 151, you

вывезти *P* 238, 239, to export

вывозить 238, 239, to export

выглядеть 215, to appear, seem

выезжать (I), to drive out, ride out

выехать (like ехать), to drive out, ride out

выйти (like идти): выходить (like ходить), to go out, come out

выкупаться *P*: купаться (I), to bathe thoroughly: to bathe

вымыться *P*: мыться 138, to wash (thoroughly): wash (oneself) вы́полнить P 262, to carry out, fulfill

выполня́ть (I), to carry out, fulfill

вы́расти P: расти́ 205, to grow

высо́кий, high

высоко́, high

вы́стрел, shot

вы́учить P: учи́ть 95, 183, to teach, learn thoroughly: teach, learn

вы́ход, exit

выходи́ть (like ходи́ть): вы́йти P (like идти́), to go out, come out

вы́чистить P: чи́стить 139, to clean, cleanse thoroughly: clean, cleanse

вы́ше, higher

Г

газе́та, newspaper

гара́ж, garage

где 21, 40, where

ге́ний, genius

геро́й, hero

гидроста́нция, water power station

глава́, head, chief

гла́вный, chief, main

глаз 161, 162, eye

глу́бже, deeper

глубо́кий, deep

говори́ть (II): сказа́ть P 138, to speak, say, tell

год, 150, 241, 266, year

голова́, head

го́лод, hunger

го́лоден, hungry

голо́дный, hungry (adj.)

го́лос 161, voice

гольф, golf

гора́, mountain

гора́здо, comparatively , see 218

горе́ть: сгоре́ть P 262, to burn: burn up

го́рло, throat

го́род 161, city, town

городско́й, urban

горя́чий, hot

горячо́, hot (ly)

го́спиталь (m.), hospital

господа́ 171, ladies and gentlemen

господи́н 171, Mr., Sir

госпожа́, 171, lady, Mrs.

гости́ная 216, drawing-room, living room, parlor

гости́ница, hotel

гость (m.), guest

госуда́рственный, governmental, state (adj.)

госуда́рство, government, state

гото́в 124, ready, prepared

гото́вить 105: пригото́вить P 138, to prepare

гото́вый, ready, prepared

гра́ждане 172, citizens

граждани́н 172, citizen (m.)

гражда́нка 172 (о), citizen (woman)

грамма́тика, grammar

грани́ца, border

Грек, Greek

гре́ческий, Grecian, Greek (adj.)

гроб, coffin

гро́мкий, loud

гро́мче, louder

гру́ппа, group

грязь, mud

гуля́ть: по- (I), to walk, take a walk

Д

да, yes

дава́ть 62: дать P 138, to give

давно́, long ago

да́же 275, even

дай, да́йте 207, let me, us, etc.

далеко́, far, far away

дальне́йшем, в, in the future, in the course of time, subsequently

дать P 138: дава́ть 62, to give

да́ча, country house

дверь, door

движе́ние, movement

дво́е 255, two (twosome)

двор, court (yard)

де́вочка (е), girl

де́душка (е) 206, grandfather

действи́тельно, really, in fact

дека́брь (m.), December

де́лать (I): сде́лать P (I), to do, make: finish, complete

де́латься (I): сде́латься P (I), to happen

де́ло, business, matter, action

делово́й, business, businesslike

де́нь (†е) (m.) 162, day

де́ньги 194, money

дереве́нский, rural, country (adj.)

дере́вня (е), village

де́рево 193, wood (substance)

держа́ть 81: по-, to hold, keep hold of

де́ти 172, children
де́тство, childhood
деше́вле, cheaper
дешёвый, cheap
де́ятельность, activity
дива́н, divan, sofa
диви́зия, division
дипло́м, diploma
дире́ктор, director
дитя́ 172, child
дли́нный, long
для *(gen.)* 82, 83, for
днём, in the daytime
до *(gen.)*, until, before, up to
добива́ться (I), to strive for, gain, achieve
добира́ться 262, to reach, get to
доби́ться *P* 273, to strive for (successfully), gain, achieve
добра́ться *P* 262, to reach, get to
до́брый, good, kind
дово́лен 124, pleased, satisfied
дово́льный, pleased, satisfied
догна́ть *P* 225, to catch up with
догоня́ть 225, to catch up with
дождли́вый, rainy
дождь *(m.)*, rain
докла́д, report
до́ктор 161, doctor
до́лго, long, for a long time
до́лее, longer (of time)
до́лжен 162, must, have to
до́ллар, dollar
до́льше, longer
дом 161, house
до́ма, at home
домо́й, homeward, home
доро́га, road, way
до́рого, expensively, dearly
дорого́й, expensive, dear
доро́же, more expensive, dearer
до свида́ния, goodbye
доста́точно, enough, sufficiently
дочь 215, daughter
дрова́, firewood
дро́жки (e), droshki (carriage)
друг 194, friend
друг дру́га 241, one another
друго́й, other (one)
ду́мать (I): по-, to think
дуть (I): по-, to blow
ду́шный, stifling
дым, smoke

дю́жина, dozen
дя́дя 206, uncle

E

Евро́па, Europe
европе́йский, European
его́ 116, his, its
еда́, food
её 116, her, hers
е́здить 69, 141, to drive, go, travel
ёлка (о), Christmas tree
е́сли, if
есть 41, there is
есть 40: по-; съесть *P*, to eat: have a bite; eat up, devour
е́хать 47: по-, to ride, drive
ешь! eat!
ещё, still, yet, more

Ж

жаль, it's a pity, too bad
жар, fever
жа́ркий, hot
жа́рко, hot, it is hot
жарко́е, roast meat
жа́рче, hotter
ждать 81, 82: подожда́ть *P*, to wait (for)
же 275, but, then
жела́ть (I): по-, to wish, want, desire
желе́зный, iron *(adj.)*
жёлтый, yellow
жена́, wife
жена́т (на) *(m.)* 215, married
жени́ться (на) 215, to get married
же́нщина, woman
жесть, tin
живо́й, live (ly), alive
живо́тный мир fauna
жи́дкий, liquid, fluid, thin
жи́же, thinner, more diluted
жизнь, life
жи́тель *(m.)*, inhabitant, dweller
жить 46: по-, to live
журна́л, periodical

З

за *(acc. or instr.)* 89, 97, behind, after
заболе́ть *P* (I): боле́ть (I), to fall ill, sick: to be ill, sick

забыва́ть (I), to forget
забы́ть (забу́ду, забу́дешь, забу́дут) P, to forget
заво́д, plant, factory
за́втра, tomorrow
за́втрак, breakfast
за́втракать (I): по-, to have breakfast, lunch
зада́ча, problem
зака́т (со́лнца), sunset
закрича́ть P 139, 140: крича́ть (II), to cry out, begin crying: to shout, cry
закрыва́ть (I), to close
закры́ть P 170, to close
заку́ска (о), hors d'oeuvre
замени́ть P (II), to substitute, replace
заменя́ть (I), to substitute, replace
замеча́тельный, remarkable
за́мужем (за) 215, married
занима́ть (ся) (I): заня́ть (ся) P 183, to occupy, study, to be busy
за́нят 124, busy
заня́тие, occupation, pursuit
занято́й, busy
заня́ть (ся) P 183: занима́ть (ся) (I), to occupy, study, to be busy
за́пад, west
за́падный, western
запомина́ть (I), to remember, memorize
запо́мнить P (II), to remember, memorize
зараба́тывать (I), to earn
зарабо́тать P (I), to earn
зара́нее, beforehand, in advance
заспеши́ть P (II): спеши́ть (II), to hurry, rush
зате́м, after that
зато́, on the other hand, but then
захоте́ть P 139: хоте́ть 76, 82, to get the desire: want, wish
звезда́, star
звони́ть 95: по-, to ring, call (by phone)
звоно́к (†о), bell, (telephone) ring
звук, sound
зда́ние, building
здесь, here
здоро́в 124, healthy, well
здоро́вый, healthy, well
здоро́вье, health

здра́вствуйте, how are you, how do you do, hello
зелёный, green, verdant
зима́, winter
зи́мний, winter (adj.)
зимо́й, in winter
знако́мить 149: по-, to acquaint
знако́мый, acquaintance, familiar (adj.)
знамени́тый, famous
зна́мя 194, flag, standard
зна́ние, knowledge
знать (I): узна́ть P, to know, find out
значе́ние, meaning, importance
зо́лото, gold
зо́на, zone

И

и 22, and
игра́ть (I): по-, to play
иде́я, idea
идти́ 46, 90: пойти́ P, to go on foot
из 82, 83, 255 (gen.), from, out of
изба́, hut
избира́ть (I), to select, elect
избра́ть P (like брать), to select, elect
изве́стный, famous
изво́зчик, cabman
измени́ть (ся) P 295, to alter, change
изменя́ть (ся) (I), to alter, change
изуча́ть (I), to learn, study
изучи́ть P 183, to master
и ... и 276, both ... and
и́ли, or
и́ли ... и́ли 276, either ... or
им, to them, by him
име́ние, estate
и́менно, just
име́ть (I) 117, to have
и́ми, with them, by them
импера́тор, emperor
и́мя 150, 194, name
инжене́р, engineer
иногда́, sometimes
иностра́нец (†е), foreigner
иностра́нный, foreign
интере́сный; интере́сно, interesting; it is interesting
интересова́ть (ся) 238: по-, to interest (oneself) in, have interest for
иска́ть: по- 238, to search, look for

историк, historian
история, story, history, affair
источник, source
их, their, theirs 116; them
июль *(m.)*, July
июнь *(m.)*, June

К

к (ко) *(dat.)* 61, 255, to
ка́ждый, every, each
каза́ться: по- 152, to seem, appear
как, how
как бу́дто, as if
како́й, which, what kind, sort of
кана́л, canal
кани́кулы, vacations
канона́да, cannonade
капита́н, captain
капу́ста, cabbage
каранда́ш 162, pencil
ка́рта, map; ка́рты, playing cards
каучуконо́с, rubber tree
ка́ша, porridge
ка́шель (†е) *(m.)*, cough
кварти́ра, apartment
киломе́тр, kilometer
кино́ 34, movie
кла́няться (I): поклони́ться P 193, to bow, give regards to
класс, class
класть 46: положи́ть P 170, to put, place
кли́мат, climate
клуб, club
кни́га, book
кня́жество, principality
ковёр (†ё), rug, carpet
когда́ 40 when
ко́жа, leather, skin
кой (*see* како́й)
коли́чество, quantity, number
колхо́з, collective farm
команди́р, commander
ко́мната, room
коне́ц (†е), end
коне́чно, of course
конто́ра, office
конце́рт, concert
конча́ть (I), to end, finish
ко́нчить P (II), to end, finish
кора́бль *(m.)*, ship
кораблестрое́ние, shipbuilding
коро́бка (о), box

коро́ткий 124, short
кото́рый, which (one); (relative pronoun, see 284 f)
ко́фе, coffee
край, country, region
краса́вица, beautiful woman
краси́вый, beautiful
красо́та, beauty
кре́пкий, strong firm
кре́пче, stronger, firmer
кре́сло, armchair
крестья́нин 171, farmer, peasant
крик, shout, cry
кри́кнуть P (I) 139, 140, to cry out
крича́ть 251, to shout, call
кро́ме, besides, except (for) *(gen.)*
кро́ме того́, besides (that)
круг, circle
круго́м, round, round about
крюк, hook
кто 124, who (relative pronoun, see 284 f)
куда́, whereto, where
кузне́ц, blacksmith
культу́ра, culture
культу́рный, cultured, cultural
купа́льня (е), bathing place, bath house
купа́ться (I): вы́купаться P (I), to bathe; bathe thoroughly
купе́ц (†е), merchant
купи́ть P 138: покупа́ть (I), to buy, purchase
кусо́к (†о), piece
ку́хня (о), kitchen
ку́шать 40: по-, to eat: have a bite

Л

ла́вка (о), shop, bench
ла́мпа, lamp
лёг, lay down
лёгкий, light, easy
легко́, easy, easily, lightly, it is easy
ле́гче, lighter, easier
лёд (ё > ь), ice
лежа́ть 67: по-, to lie, recline
лека́рство, medicine
лес 161, forest, woods
ле́со-степь, forest and grassland
лета́ть 239, to fly
лете́ть 239, to fly
ле́тний, summer *(adj.)*

ле́то, summer
ле́том, in the summer
лечи́ть (ся) 122: по-, to treat, be treated
лечь (ля́гу, ля́жешь, ля́гут) *P*: ло-жи́ться (II), to lie down
лимо́н, lemon
лист 193, leaf (of a tree), sheet, piece (of paper)
литерату́ра, literature
литерату́рный, literary
лицо́, face
лоб (†о), forehead
ло́вко, adroitly
ло́дка (о), boat
ложи́ться (II): лечь (see лечь) *P*, to lie down
ло́жка (е), spoon
ло́шадь, horse
лу́чше, better
люби́мый, beloved, favorite
люби́ть 88, 163: по-, to love
любова́ться 193: по-, to admire
лю́ди 172, people
ляг! lie down!

М

мавзоле́й, mausoleum
магази́н, store
май, May
ма́ленький, little, small
ма́ло *(gen.)* 53, 164, little
ма́льчик, boy
ма́ма, mother
март, March
ма́сло, butter
матро́с, sailor
мать 215, mother
маши́на, machine, engine
мёд, honey
медици́нский, medical *(adj.)*
ме́дленно, slowly
медь, copper
ме́жду *(instr.)* 68, between, among
ме́нее 216, less
ме́ньше 216, less, smaller
меня́, of me, me *(acc.)*
мёртвый, dead
ме́сто, place, room, space
ме́сяц 150, 162, month
мета́лл, metal
ме́тод, method

метро́ 34, subway
мех, fur, pelt
меха́ник, mechanic
милиционе́р, policeman
ми́лости про́сим, welcome (in)
ми́лый, dear, nice
ми́ля, mile
ми́мо *(gen.)*, past
ми́на, mine, mortar shell
ми́нус, minus
мину́та, minute
мир, world, peace
мла́дше, younger
мла́дший, younger, youngest, junior
мне, to me
мно́го *(gen.)* 53, 164, much
многоуважа́емый, much respected
мной, мно́ю, with me, by me
мог 90, could, was able
мо́дный, fashionable
моё 27, 116, 185, my, mine
мо́жет быть, perhaps
мо́жно 162, possible, permitted
мой 27, 116, 185, my, mine
молодёжь, youth, young people
молодо́й, young
мо́лодость, youth
моло́же, younger
молоко́, milk
мора́ль, morals, ethics
мо́ре, sea
моро́з, frost
Москва́, Moscow
моско́вский, Moscow *(adj.)*
мост 150, bridge
мочь 55, 90: смочь *P* 138, to be able, know how
моя́ 116, my, mine
муж 194, husband
мужи́к, peasant
мужчи́на 205, man
музе́й, museum
му́зыка, music
му́ка, torment, suffering
мука́, flour, meal
мы 151, we
мы́ло, soap
мысль, thought
мыть (ся) 122: вы́мыть (ся) *P* 138, to wash (oneself): wash thoroughly
мя́гкий, soft
мя́со, meat

Н

на *(acc.* or *prep.)* **39, 45, 46,** on
наблюда́тель *(m.),* observer
над *(instr.)* **68,** above, over
на́до **162,** it is necessary, needed
наза́д, back, backward (s)
найти́сь *P*: находи́ться **205,** to be located, found
наконе́ц, finally
накрыва́ть (I), to cover, set (the table)
накры́ть (накро́ю, накро́ешь, накро́ют) **213,** to cover, set (the table)
нале́во, to the left
нам, to us
на́ми, with us, by us
написа́ть *P*: писа́ть **,52,** to write
направле́ние, direction
напра́во, to the right
напра́сно, in vain
наприме́р, for example
напро́тив, opposite *(with gen.),* on the contrary *(adv.)* **276**
наро́д, people, nation
наро́дный, popular, national
наряду́ с, side by side, equally important
нас, of us, us *(acc.)*
населе́ние, population
насели́ть *P* (II), to populate, settle
населя́ть (I), to populate, settle
на́сморк (head), cold
(на) счита́ть *P* (I), to count
(на) счи́тывать (I), to count
нау́чный, scientific
находи́ться: найти́сь *P* **205,** to be located, found
национа́льный, national
нача́ло, beginning (noun)
нача́льник (шта́ба), (staff) commander
нача́ть (ся) *P* **131, 205,** to begin
начина́ть (ся) (I), to begin
наш **185,** our, ours
не **21, 22,** not
не́бо, sky
невозмо́жно, impossible
неда́вно, recently
неде́ля, week
незави́симость, independence
не́которые, some
нельзя́ **162,** forbidden
не́мец (†е), German

не́мка (о), German woman
необходи́мо, necessarily
необходи́мый, necessary, unavoidable
непоси́льно, beyond one's strength
непра́вильный, incorrect
неприя́тно, unpleasant, it is unpleasant
не́сколько, some
несмотря́ на **276,** in spite of
несомне́нно, undoubtedly, certainly
нести́: носи́ть **239, 240,** to carry, wear
несча́стный, unhappy
нет **22, 52,** no, there is no
нетерпе́ние, impatience
неудо́бно, uncomfortable, it is uncomfortable
нефть, oil
ни, as prefix + neg. particle, see **263**
нибу́дь, as suffix see **262, 263**
ни́же, lower
ни́зкий, low
никогда́, never
никто́ **35, 263,** nobody
никуда́, nowhere
ни ... ни **276,** neither ... nor
ничего́ **35,** nothing; it does not matter; alright; quite well
ни́щий, beggar
но, but
но́вость, news
но́вый, new
нога́, foot, leg
нож **162,** knife
но́мер, number, room (in a hotel)
нос, nose
носи́льщик, porter
носи́ть **239, 240:** нести́ *P*, to carry, wear
ночь, night
но́чью, at night
ноя́брь *(m.),* November
нра́виться: по-, **163,** to please, like: get to like
ну! well!
ну́жно **162,** it is necessary, needed
ню́хать (I): по-, to smell, sniff

О

о, об, о́бо *(prep.),* about, concerning
о́ба **252,** both *(m.)*
о́бе **252,** both *(f.)*
обе́д, dinner

обе́дать (I): по-, to dine, have dinner
обеспе́чен, guaranteed
обеща́ть (I): по-, to promise
оби́да, insult
обита́емый, inhabitable
о́блако, cloud
о́бласть, region, province
о́браз, image, figure, manner
образова́ние, education
образо́ванный, educated
обра́тно, back
обстано́вка (о), furniture, situation
о́бувь, footwear
о́бщество, society
о́бщий, general, common
обыкнове́нно, usually
объедине́ние, unification
объявле́ние, announcement
объясне́ние, explanation
объясни́ть P 183, to explain
объясня́ть (I), to explain
о́вощи, vegetables
огля́дываться (I), to look around, back
огляну́ться P (I), to look around, back
огро́мный, huge, big
одева́ть(ся) 131, to dress, put on
оде́ть(ся) P 131, to dress, put on
оди́н, one
одина́ковый, same, identical
одна́жды, once (upon a time)
одна́ко 276, however, yet
ожида́ние, expectation, waiting
о́зеро 184, lake
ока́нчивать (I): око́нчить P (II), to finish
окно́ (о), window
о́коло (gen.) 82, 83, beside, about, next to
око́нчить P (II): ока́нчивать (I), to finish
окра́ина, outskirts
октя́брь (m.), October
он, она́, оно́ 27, 150, he, she, it
они́ 151, they
опа́здывать (I): опозда́ть P (I), to be late
о́пера, opera
описа́ние, description
опозда́ть P (I): опа́здывать (I), to be late
опя́ть, again

орке́стр, orchestra
осе́нний, autumnal
о́сень, fall, autumn
о́сенью, in the fall
осма́тривать (I), to inspect, examine, sightsee
осмотре́ть P 171, to inspect, examine, sightsee
осо́бенно, especially
от (gen.) 82, 83, 255, from
отве́т, answer
отве́тить P 149, to answer
отвеча́ть (I) 61, to answer
отдава́ть 238, to give away
отда́ть P 238, to give away
отделе́ние, department
отдели́ть P (II), to separate
отде́льный, separate
отделя́ть (I), to separate
отдохну́ть P 193, to rest
о́тдых, rest, relaxation
отдыха́ть (I), to rest
оте́ц (†e), father
открыва́ть (I): откры́ть P 138, to open
откры́тие, discovery
откры́тый, open
откры́ть P 138: открыва́ть (I), to open
отку́да, from where, whence
отлича́ться (I), to differ, stand out
отличи́ться P (II), to differ, stand out
отпра́вить P 160, to send off
отправля́ть (I), to send off
отстава́ть 251, to fall behind, lag
отста́нь! leave (one) alone! fall behind!
отста́ть P 251, to fall (lag) behind
о́тчество, patronymic
отъе́зд, departure
очеви́дно, evidently
о́чень, very
о́чередь, queue, (one's) turn

П

па́дать (I): упа́сть P 251, to fall (down)
паке́т, package
па́лец (†e), finger
па́луба, deck
пальто́ 34, coat
папиро́са, cigarette

па́ра, pair
парк, park
парохо́д, steamship
па́рус, sail
Па́сха, Easter; па́сха, Easter cake (of curds, eggs, etc.)
пацие́нт, patient
певе́ц (†е), singer
певи́ца, singer (f.)
педагоги́ческий, pedagogical
пей! drink!
пе́рвый, first
перевести́ P 171, to move, transfer, translate
перево́д, translation
переводи́ть 171, to move, transfer, translate
перево́дчик, translator
пе́ред (instr.) 68, before, in front of
передава́ть 273, to transmit, pass on
переда́ть P 273, to transmit, pass on
пере́дняя 216, entrance hall, anteroom, vestibule, lobby
переса́дка (о), change (of trains)
пери́од, period
перо́ 193, pen, feather
пе́сня (е), song
петь 105: спеть P, to sing
пехо́та, infantry
печа́тать (I): напеча́тать P (I), to print
пешко́м, on foot
пикни́к, picnic
пиро́г, cake, pie
писа́тель (m.), writer, author
писа́ть 52: написа́ть P 131, to write
пи́сьменность, literature, written language
письмо́ (е), letter
пить 60: по-; вы́пить P, to drink: drink a little; completely
пла́вать 239: по-, to swim, float
пла́мя 194, flame
план, plan
планта́ция, plantation
пла́тье, dress
пле́мя 194, tribe
плечо́ 184, shoulder
плодоро́дный, fertile
плоти́на, dam
пло́хо, badly, it is bad
плохо́й, bad
пло́щадь, square
плыть 225, 239, to swim, float

плюс, plus
по (dat.) 255, along, on, according to
по-америка́нски, American, in American
по-англи́йски, English, in English
поблагодари́ть P (II), to thank
побри́ться P 131, to shave
по́вар, cook
поверну́ть P 171: повора́чивать (I) to turn
повесели́ться P (II), to be merry
повоева́ть P 262, to battle, wage war
повора́чивать (I): поверну́ть P 171, to turn
поворо́т, turn
поговори́ть P (II), to speak, chat
пого́да, weather
погуля́ть P (I), to take a walk
под (acc. or instr.) 89, 97, under
подержа́ть P (like держа́ть), to hold
по́дле (gen.) 255, near, alongside
поднима́ться 193, to arise, get up
подня́тие, raising, lifting
подня́ться P 193, to arise, get up
подожда́ть (conjugated like ждать) 81, 82, to wait (a little)
подойти́ P: подходи́ть 251, to approach, come up to
подру́га, girl friend
поду́мать P (I), to think
поду́ть P (I), to blow
подходи́ть: подойти́ P 251, to approach, come up to
подчинённый, subordinate
по́езд 161, train
пое́здка, trip
пожа́луйста, please, if you please
пожа́р, conflagration, fire
пожела́ть P (I), to wish, desire
пожива́ть (I), to get along, live
поза́втракать P (I), to breakfast, lunch
позади́ (gen.), behind
позво́лить P (II), to permit, allow
позволя́ть P (I), to permit, allow
позвони́ть P (II), to ring, call (by phone)
по́здний, по́здно, late
познако́мить (ся) P 149, to acquaint, present, get acquainted
пойти́ P (like идти́), to go (on foot)
пока́, while, as long as
показа́ть P 138, to show
пока́зывать (I), to show

поклони́ться P 193: кла́няться (I), to bow, greet, give regards to

покупа́ть (I): купи́ть P 138, to buy, purchase

поку́пка (о), purchase

поку́шать (I), to have a bite, eat a little

пол 150, floor

по́ле, field

полежа́ть P (II), to lie, recline

полечи́ться P (II), to treat, be treated

полити́ческий, political

поли́ция, police

полново́дный, deep

по́лный, full, complete, stout

полови́на, half

положе́ние, situation, position, office

положи́ть P 170: класть 46, to put, place

по́лон 124, full

полотно́, linen

получа́ть (I), to receive, get

получи́ть P 160, to receive, get

полфу́нта, half a pound

полчаса́, half an hour

полюби́ть P (like люби́ть), to get to like, love

полюбова́ться P 193, to admire

по́мнить (II), to remember

помно́женное на, multiplied by

помога́ть 88, to help

помо́чь P (like мочь), to help

понату́жься! pull yourself together! try hard!

понеде́льник, Monday

понима́ть (I): поня́ть P 238, to understand

понра́виться P 159, 163, to please, like

поня́ть P 238: понима́ть (I), to understand

попада́ть 238, to get to, catch

попа́сть P, to get to, catch

пола́вать (I), to swim

поплы́ть P 225, to swim, set sail

попра́вить (ся) P 171, to get well, improve

поправля́ть (ся) (I), to get well, improve

попре́жнему, as before, formerly

попроси́ть P 149, to ask a favor, beg

попры́гать (I), to jump

пора́, time, it is time

порабо́тать P (I), to work (a little)

порт, port, harbor

по-ру́сски, Russian, in Russian

поруче́ние, commission

посиде́ть P, to sit

посла́ть P 295: посыла́ть (I), to send

по́сле (gen.) 53, after, afterward

после́дний, last

посмотре́ть P 160, to look, glance

поспа́ть P 88, to sleep

поста́вить (like ста́вить) P, to place, put

постара́ться P (I), to strive, try

посте́ль, bed

постоя́нный, continuous, constant

постро́ить P (II), to build

поступа́ть (I), to act, enter, enroll, enlist

поступи́ть P 183, to act, enter, enroll, enlist

посу́да, dishes

посыла́ть (I): посла́ть P 295, to send

потоло́к (†о), ceiling

пото́м, afterward, then

потому́ что, because

потре́бовать P, to demand

по-францу́зски, French, in French

похо́жий на, resembling, like

по́чва, ground, soil

почему́, why

почита́ть (I), to read (a little)

по́чта, post office, mail

почти́, almost

почу́вствовать P, to feel

поэ́т, poet

поэ́тому 276, therefore, because of that

прав 124, right, correct

пра́вда, truth; to be sure (conj.)

пра́вильный, пра́вильно, right, correct

прави́тельство, government

пра́вый, right (direction, side)

пра́здник, holiday, feast

предме́т, subject, object

председа́тель (m.), president

предста́вить P 149, to introduce

представля́ть (I), to introduce

пре́жний, former

президе́нт, president

прекра́сный, beautiful, splendid, fine

прекрати́ться P 252, to stop, end
прекраща́ться (I), to stop, end
преподава́ть (I), to teach, instruct
препода́ть P 183, to teach, instruct
при (*prep.*) 255, in, in the presence of, at
привезти́ P 251, to bring, convey
привози́ть 251, to bring convey
пригласи́ть P 149, to invite
приглаша́ть (I), to invite
приглаше́ние, invitation
пригото́вить P 138: гото́вить 138, to prepare
прие́зд, arrival
приезжа́ть (I): прие́хать (like éхать) P, to arrive (by vehicle)
прие́м, reception
прие́хать P 139: приезжа́ть (I), to arrive (by vehicle)
признава́ть 283, to acknowledge, admit
призна́ть (like знать), to acknowledge, admit
прийти́ P (like идти́): приходи́ть (like ходи́ть), to arrive (on foot)
приказа́ние, order, command
приме́р, example
принима́ть (I), to receive, accept
приня́ть P 149, to receive, accept
приро́да, nature
приро́дное бога́тство, raw materials, natural resources
присла́ть P (пришлю́, пришлёшь, пришлю́т), to send
присыла́ть (I), to send
притти́ P (like идти́), to arrive, come
приходи́ть (like ходи́ть), to arrive, come
причи́на, cause, reason
прия́тель (*m.*), friend, comrade
прия́тный; прия́тно, pleasant; it is pleasant
пробива́ть (I), to strike (the hour)
проби́ть (like бить) P, to strike (the hour)
про́бка (о), stopper, cork
прове́рить P 171, to check
проверя́ть (I), to check
програ́мма, program
продаве́ц (†е), salesman, merchant
продавщи́ца, saleslady
продолжа́ть (I), to continue
продо́лжить P 183, to continue

проезжа́ть (I), to drive, ride through
прое́хать (like éхать), to drive, ride through
произво́дство, production
произойти́ P 262, to happen, take place
происходи́ть 262, to happen, take place
пройти́ P (like идти́): проходи́ть (like ходи́ть), to go through, pass
пронзи́тельный, piercing
проси́ть: по- 149, to ask a favor, beg
просну́ться P (I): просыпа́ться (I), to awaken
прости́! прости́те! excuse me, please!
прости́ть (прощу́, прости́шь, простя́т) P: проща́ть (I), to forgive
прости́ться P 160: проща́ться (I), to say goodbye
про́сто, simple, simply
просто́й, simple
простота́, simplicity
просту́женный, afflicted with cold
просыпа́ться (I): просну́ться P (I), to awaken
профе́ссор 161, professor
проходи́ть (like ходи́ть): пройти P (like идти́), to go, through, pass
прохо́жий, passer-by
проце́сс, process
проче́сть P; прочита́ть P 175, to read (through)
про́шлый, past, last
проща́й! goodbye!
проща́ть (I): прости́ть (see прости́ть) P, to forgive
проща́ться (I): прости́ться P 160, to say goodbye
пры́гать (I), to leap, jump, dive
пры́гнуть P 252, to leap, jump, dive
пря́мо, straight, straightaway
пуска́й, пусть 208, let
пусты́ня, desert
путь (*m.*), path, route, voyage
пу́шка (е), cannon, gun
пье́са, drama, play
пя́теро 255, five, fivesome
пя́тница, Friday

Р

рабо́та, work
рабо́тать (I): по-, to work
рабо́чий 216, worker, working (*adj.*)

ра́бство, slavery
равни́на, plain
равно́, same, equal to
ра́вный, equal
равня́ется, is equal to
рад, happy
ра́дио 34, radio
ра́достный, happy, merry
ра́дость, joy, happiness
раз 162, one, once, time
разбуди́ть *P*: буди́ть, to awaken, rouse
разгово́р, conversation, talk
разгово́рный, conversational, colloquial
раздава́ться 193, to resound
разда́ться *P* 193, to resound
раздвига́ть (I), to push apart, extend, open
раздви́нуть *P* 215, to push apart, extend, open
разделённое на, divided by
раздели́ть *P* (II), to divide
разделя́ть (I), to divide
разли́чный, different
разнообра́зный, various, varied, different
ра́зный, different, various
разойти́сь *P*: расходи́ться 252, to part, go apart, scatter
разорва́ться *P* 262: разрыва́ться (I), to burst, explode
разраба́тывать (I), to work out, develop
разрабо́тать *P* (I), to work, out, develop
разреша́ть (I), to permit, solve
разреши́ть *P* 149, to permit, solve
разрыва́ться (I): разорва́ться *P* 262, to burst, explode
райо́н добы́чи, region of extraction
райо́н обрабо́тки, region of processing
ра́нний, ра́но, early
ра́ньше, earlier, formerly
расписа́ние, timetable, schedule
распрода́жа, sale
распростране́ние, dissemination
распространи́ть *P* (II), to spread, disseminate
распространя́ть (I), to spread, disseminate
расска́з, story, tale, narrative

рассказа́ть *P* 183, to tell, narrate
расска́зывать (I), to tell, narrate
расти́: вы́расти *P* 205, to grow: grow up
расти́тельный мир, flora
расходи́ться: разойти́сь *P* 252, to part, go apart, scatter
реа́льность, reality
ребёнок (†о) 172, child
ребя́та 172, lads, fellows, youngsters
ре́дкий; ре́дко, rare; rarely
ре́зкий, sharp
результа́т, result
река́, river
рели́гия, religion
рестора́н, restaurant
рефо́рма, reform
речь, speech
реши́тельный, firm, resolute
ро́вно, even, exactly
ро́дина, native country
роди́ться *P* 238: рожда́ться (I), to be born
родно́й, native
Рождество́, Christmas
роль, role
рома́н, novel
Росси́я, Russia
рот (†о) 150, mouth
роя́ль *(m.)*, piano
руби́ть (рублю́, ру́бишь, ру́бят): по-, to chop
рубль *(m.)*, ruble
рука́, hand
ру́сский, a Russian, Russian *(adj.)*
рю́мка (о), wine glass
ря́дом, alongside, next to

С

с (со), *(instr.)* 68, with *(gen.)* 97, from off
сад 150, garden
сади́ться 125: сесть (ся́ду, ся́дешь, ся́дут) *P*, to sit down
сам, сама́, само́, са́ми 206, oneself (myself, yourself, etc.)
самова́р, samovar
самолёт, airplane
са́мый 225, the most
сапо́г, boot
са́хар, sugar
са́харный, sugar *(adj.)*
све́жий, fresh

свёкла, beet
светло́, light, bright
све́тлый, light (adj.)
свида́ние, meeting
свобо́дный, free
свой, своё, своя́, свои́ 185, one's own
свято́й, holy, saint
сгоре́ть P: горе́ть 262, to burn up: burn
сдава́ть 160, to give up, check, rent
сдава́ться (for conjugation see дава́ть), to be for rent, to surrender
сдать P 160, to give up, check, rent
сда́ться (like дать) P, to surrender, be for rent
сде́лать P 174 (I): де́лать (I), to finish, complete
сде́латься P (I): де́латься (I), to happen, to become
себе́, себя́, собо́й 206, oneself (myself, yourself, etc.)
се́вер, north
се́верный, northern
сего́дня, today
сейча́с, now, just a minute
сейча́с же, immediately
секрета́рша (f.), secretary
секрета́рь (m.), secretary
семе́стр, semester
се́мя 194, seed
семья́, family
се́но, hay
сентя́брь (m.), September
се́рдце (e), heart
серебро́, silver
сере́бряный, silver (adj.)
серьёзный, serious
сестра́ (pl. сёстры), sister
сесть (ся́ду, ся́дешь, ся́дут) P: сади́ться 125, to sit down
сига́ра, cigar
сиде́ть 131: по-, to sit
си́ла, strenght
си́льный, strong
си́ний, blue
систе́ма, system
сказа́ть P 138: говори́ть (II), to tell, speak, say
ска́терть, tablecloth
ско́лько (gen.) 53, 164, how much, how many
ско́ро, soon, quickly
ско́рость, speed

ско́рый, quick
скри́пка (o), violin
скуча́ть (I): по-, to be bored
ску́чный, boring, dull, tedious
сла́ва, fame
славяни́н, Slav
славя́нский, Slavic
сла́дкий, sweet
сла́дкое, dessert, sweets
сла́ще, sweeter
сле́дующий, following, coming
сли́шком, too, excessively
сло́во, word
сло́жный, complicated
слу́жба (e), work, job
слу́чай, occasion
слу́шать (I): по-, to listen to
слы́шать (II): услы́шать P (II), to hear: to catch the sound of
смерть, death
смесь, mixture
смешно́й, funny, comical
смея́ться 125 (I): по- (I), to laugh
смотре́ть 139: по-, to look: take a look
смочь P 138, 174: мочь 55, 90, to be able, to know how
снаря́д, shell
снача́ла, at first
снег, snow
снима́ть (I), to take off, rent
сноше́ние, dealings, relation
снять P 171, to take off, rent
собира́ть (ся) (I), to gather, collect, meet, prepare for
собра́ние, meeting, gathering, collection
собра́ть (ся) P 215, to gather, collect, meet, prepare for
собы́тие, event
соверше́нно, completely, entirely, quite
сове́тский, Soviet (adj.)
совреме́нный, contemporary
совсе́м, completely, entirely, quite
содержа́ние, content
созда́ние, creation
солда́т 162, soldier
со́лнце 150, 184, sun
соль, salt
сообще́ние, communication, message
сосе́д, pl.: сосе́ди, сосе́дей, etc., neighbor

сосе́дка (о), neighbor *(f.)*
сосе́дний, neighboring
сосчита́ть *P* (I), to count
со́тня, a hundred
спаси́бо, thank you
спать 88: по-, to sleep
сперва́, at first
спеть *P*: петь 105, to sing
специали́ст, specialist
спеши́ть (II): заспеши́ть *P* (II), to hurry, to rush: begin to hurry, rush
спина́, back
споко́йный, calm, quiet *(adj.)*
споко́йствие, calm, quiet
спо́рить (II): по-, to argue, dispute
спорт, sport
спра́шивать (I), to ask
спроси́ть *P* 139, to ask
спуска́ть (I), to let down, lower
спусти́ть *P* 252, to let down, lower
сраже́ние, battle
сра́зу, at once
среда́, Wednesday
среди́ *(gen.)*, amidst, in the midst of
сре́дство, means
ста́вить (ста́влю, ста́вишь, ста́вят): по-, to place, put
ставь! place! put!
стака́н, glass
станови́ться: стать *P* 193, 195, to become, place oneself
ста́нция, station
стара́ться (I): по-, to strive, try
старе́е, older
стари́нный, ancient, old
ста́рше, older, elder
ста́рший, elder, eldest, senior
ста́рый, old
стать *P*: станови́ться 193, 195, to become, place oneself
стена́, wall
стиха́ть (I), to abate, quiet down, subside
сти́хнуть *P* 262, to abate, quiet down, subside
сто́ить (II), to cost
стол, table
столи́ца, capital
столо́вая 216, dining room
сто́лько *(gen.)*, so much, so many
сторона́, side
стоя́ть 225: по-, to stand

страна́, country
страни́ца, page
стра́нный, peculiar, strange
страх, fear
стре́лка (о), pointer, hour, minute hand (of a clock, watch)
стро́гий, strict
стро́ить (II): по- 225, to build
строка́, line
студе́нт *(m.)*, student
студе́нтка *(f.)*, student
стул 193, chair
суббо́та, Saturday
судьба́, fate
сумасше́дший, madman, crazy one
суме́ть *P* 174: уме́ть (I), to be able, know how
сунду́к, trunk
суп, soup
су́тки (о) *(pl.)*, day and night, 24 hours
сушь, landmass, dry land
сце́на, stage, scene
счастли́вый, lucky, happy
сча́стье, happiness
сын 194, son
сыр, cheese
съесть *P* 174: есть 40, to eat (up), devour: eat
сюда́, here, hither
сядь! sit down!

Т

так, so, thus
та́кже, also, likewise, too
так (же) ... как 218, as ... as
тако́й, such a one
такси́, taxi
там, there
твой, твоё, твоя́ 116, 185, your, yours
тво́рчество, creative power, creations
теа́тр, theatre
тебе́, to you
тебя́, of you, you *(acc.)*
телеви́зор, television set
телегра́мма, telegram
телефо́н, telephone
телефони́ст, telephone operator
темно́, dark
тёмный, dark
температу́ра, fever, temperature
те́ннис, tennis
тепе́рь, now

тепло́, warm, it is warm
тёплый, warm
террито́рия, territory
те́сно, close, confined
теснота́, closeness
тётя, aunt
тече́ние, current, stream
ти́хий, ти́ше, quiet, quieter
то ... то, now ... now
тобо́й, тобо́ю, with you, by you
това́рищ 162, comrade
тогда́, then
то́же, also, too
толпа́, crowd
то́лстый, thick
то́лще, thicker
то́лько, only
тому́ наза́д, ago
тон, tone
то́нкий, thin
то́ньше, thinner
торго́вля, trade
торго́вец (†e), tradesman
торго́вый, trade (adj.)
тот, та, то 27, 195, that
трамва́й, streetcar
тре́бовать 262: по-, to demand
тро́е 255, threesome
тростни́к, cane
тру́бка (o), pipe
труд, labor, toil
тру́дный; тру́дно, difficult; it is difficult
тря́пка (o), rag
туда́, there, thither
тури́ст, tourist
тут, here
ту́фля (e), slipper
ты 150, you (thou)
тылово́й, (of the) rear
тьма, darkness
тюк, bale
тяжело́, heavily
тяжёлый, heavy, burdensome

У

у (gen.) 53, at, near
убира́ть (I), to clean, tidy, remove
убра́ть P 139, to clean, tidy, remove
уве́ренный, firm, confident
уви́деть P: ви́деть 138, to catch sight of: see
у́гол (†o) 150, corner

удивле́ние, astonishment, surprise
удо́бный 124, comfortable, convenient
удово́льствие, pleasure
уезжа́ть (I), to depart, leave
уе́хать P (like е́хать), to depart, leave
уже́, already
у́же, narrower
у́жин, supper
у́жинать (I): по- (I), to have (eat) supper
у́зкий, narrow
узнава́ть (узнаю́, узнаёшь, узнаю́т), to find out
узна́ть P (I): знать (I), to find out: know
уйти́ P: уходи́ть 238, to leave, go away
укла́дывать (I): уложи́ть P 160, to pack (ones things)
у́лица, street
уложи́ть P: укла́дывать (I) 160, to pack (one's things)
умён 124, clever
у́мер, умерла́, he, she died
умере́ть P 238: умира́ть (I), to die
уме́ть (I) 55: суме́ть P 174 (like уме́ть), to be able, know how
умира́ть (I): умере́ть P 238, to die
у́мный 124, clever
универса́льный, general, universal
университе́т, university
упа́сть P 251: па́дать (I), to fall
у́ровень (m.), level, niveau
урожа́й, harvest
уро́к, lesson
уси́ливаться (I), to increase, grow stronger, more intense
уси́литься P (II), to increase, grow stronger, more intense
усло́вие, condition, agreement
услы́шать P 149: слы́шать (I), to catch the sound of: hear
успе́х, success
уста́лый, tired
устра́ивать (I), to construct, make, arrange
устро́ить P 252, to construct, make, arrange
устро́йство, organization
у́тро, morning
у́тром, in the morning
у́хо 184, ear

уходи́ть: уйти́ *P* 238, to leave
уче́бник, textbook
уче́ние, studying, teaching
учени́к, student
учени́ца, girl student
учёный 216, scholar, learned *(adj.)*
учи́тель *(m.)* 161, teacher
учи́тельница, lady teacher
учи́ть (ся) 95, 183: вы́учиться, to teach, learn: to teach, learn thoroughly
ую́тный, cozy, comfortable

Ф

фа́брика, factory
факульте́т, faculty
фами́лия, family name
февра́ль *(m.)*, February
фи́зика, physics
фило́соф, philosopher
филосо́фский, philosophical
фо́рма, form, genre
фотогра́фия, photograph
Фра́нция, France
францу́женка (о), French woman
францу́з, Frenchman
францу́зский, French *(adj.)*
фронт, front
фрукто́вый сад, orchard
фунт, pound

Х

хара́ктер, character
хи́мик chemist
хи́мия, chemistry
хлеб, bread
хло́пок, cotton
ходи́ть 69, 141, to walk, go, attend
хозя́ин, proprietor, master, landlord
хозя́йка, hostess, landlady
хозя́йство, housekeeping, household, economy
хо́лодно, cold
холо́дный, cold
хоро́ший, good
хорошо́, good, well, it is well, good
хоте́ть 76, 82: захоте́ть 139, to wish, want: get the desire
хоте́ться 152, to feel like, have a desire
хоть 276, though

хотя́ (бы) 276, (even) though
христиа́нский, Christian
христиа́нство, Christianity
Христо́с, Christ
худо́й, thin, skinny
ху́же, worse

Ц

царь *(m.)*, Tsar, emperor
цвет 172, color
цвето́к (†о) 172, flower
це́лый, whole, entire
цель, aim, goal
цена́, price
центр, center
центра́льный, central
це́рковь (†о), church

Ч

чай, tea
ча́йник, teapot
час, hour
ча́стый, frequent
часть, part
часы́ *(pl.)*, watch, clock
ча́шка (е), cup
ча́ще, more frequent (ly)
чей, чьё, чья 185, whose
челове́к 172, human being, man, person
челове́чество, humanity
чем 218, than
чем ... тем ... 218, the ... the ...
чемода́н, suitcase
че́рез *(acc.)* 89, over, across, through
чёрный, black
честь. honor
четве́рг, Thursday
че́тверо 255, foursome
че́тверть, quarter
число́ (е), number, date
чи́стый, clean, pure
чи́стить 139: вы́чистить *P*, to clean: clean thoroughly
чита́ть (I): по-, to read
член, member
что 27, 35, 124, what, that
что́бы, in order to
чу́вство feeling
чу́вствовать (ся) 122: по-, to feel (oneself)

Ш

шаг, step, pace
ша́пка (о), cap
шар, ball, globe
шёл, шла, шло, went
шёлк, silk
шерсть, wool
ше́стеро 255, six
ши́ре, broader, wider
широ́кий, broad, wide; широко́ *(adj.)*
шко́ла, school
шля́па, hat
штаб, headquarters
шта́бный, staff *(adj.)*
штат, state
шум, noise
шу́мный, noisy

Щ

ще́пка (о), sliver
ще́тка (о), brush
щи, cabbage soup

Э

экза́мен, examination
эконо́мика, economics
электри́ческий, electric (al)
электроста́нция, electrical station
эне́ргия, energy
эпо́ха, epoch
э́ра, era
эта́ж 162, floor, story
э́тот, э́та, э́то 27, 194, this

Ю

юг, south
ю́жный, southern
ю́мор, humor
юмористи́ческий, humorous
юриди́ческий, juridical
юри́ст, jurist, lawyer

Я

я 150, I
я́блоко 184, apple
язы́к, tongue, language
я́корь *(m.)*, anchor
янва́рь *(m.)*, January
я́сный, clear

English-Russian Vocabulary

A

abate, стиха́ть (I), сти́хнуть 262

able, to be, мочь 55, смочь 138; ~уме́ть (I), суме́ть 174; **able, was,** мог 90

about, о, об, о́бо (prep.); о́коло (gen.) 82, 83

above, над (instr.) 68

accept, принима́ть, приня́ть 149

according to, по (dat.) 255

accurate, аккура́тный

ache, боле́ть (I)

achieve, добива́ться, доби́ться 273

acknowledge, признава́ть 295, призна́ть (I)

acquaint (someone), знако́мить, познако́мить 149

acquaintance, знако́мый

acquainted, знако́мый

acquainted, to get, знако́миться, познако́миться 149

across, че́рез (acc.) 89

act, поступа́ть, поступи́ть 183

action, де́ло

activity, де́ятельность

adjoining, сосе́дний

admire, любова́ться, полюбова́ться 193

admit, признава́ть 295, призна́ть (I)

adroit, ло́вкий, ло́вко

advance, in, зара́нее

affair, де́ло, исто́рия

afflicted with a cold, просту́женный

afraid of, to be, боя́ться (II) (gen.)

after, по́сле (gen.) 53; пото́м, по́сле; за (acc. † instr.) 89, 97

after all, впро́чем 276

after that, зате́м

afterward, пото́м, по́сле

again, опя́ть

age, век

ago, тому́ наза́д

agreement, усло́вие

ahead, впереди́ (gen.)

aim, цель

air, во́здух

airplane, самолёт

alive, живо́й

all, весь, вся, всё 226, 227

allow, позволя́ть (I), позво́лить (II)

all right, ла́дно, благополу́чно

almost, почти́

along, по (dat.) 225; **along with,** с, со (instr.) 68

alongside, ря́дом, по́дле 255

aloud, вслух

alphabet, а́збука, алфави́т

already, уже́

alright, хорошо́, ничего́

also, та́кже, то́же 218

alter, изменя́ть(ся) (I), измени́ть(ся) 295

although, хотя́

always, всегда́

America, Аме́рика

American (person), америка́нец (m.), америка́нка (f.)

American, америка́нский; **in American,** по-америка́нски

amidst, среди́ (gen.)

among, ме́жду (instr.) 68; среди́ (gen.)

amusing, смешно́й, смешно́

anchor, я́корь (m.)

ancient, стари́нный

and, а 22, и, да

animatedly, оживлённо

another, one, друг дру́га 241

announcement, объявле́ние

answer, отве́т

answer, отвеча́ть 61, отве́тить 149

anteroom, пере́дняя 216

any (one), како́й-либо, како́й-нибудь 262, 263

anything, что́-нибудь 262, 263

apartment, кварти́ра

appeal, призы́в

appear, вы́глядеть 215; каза́ться 152, показа́ться

appearance, вид

apple, я́блоко 184

approach, подходи́ть, подойти́ 251

approximately, о́коло (gen.) 82, 83

architecture, архитекту́ра

argue, спо́рить, поспо́рить (II)

aria, а́рия

arise, поднима́ться, подня́ться 193
armchair, кре́сло
army, а́рмия
around, круго́м
arrange, устра́ивать, устро́ить 252
arrival, прие́зд
arrive, приходи́ть, притти́ 238; приезжа́ть, прие́хать 138.
artilleryman, артиллери́ст
as ... as, так ... как ... 218
as before, попре́жнему
Asia, А́зия
Asiatic, азиа́тский
as if, как бу́дто
ask (a favor), проси́ть, попроси́ть 149
ask (a question), спра́шивать, спроси́ть 139
as long as, пока́
astonishment, удивле́ние
as though, как бу́дто
at, у (gen.) 53; при (prep.) 255
at first, снача́ла, сперва́
at home, до́ма
at night, но́чью
at once, сра́зу
attend, ходи́ть 69, 141
at times, времена́ми
at the side of, по́дле (gen.) 255
August, а́вгуст
August, (adj.) а́вгустовский
aunt, тётя
author, писа́тель (m.); а́втор
auto, автомоби́ль (m.)
autumn, о́сень
autumnal, осе́нний
awaken, буди́ть, разбуди́ть (to wake someone) 215; просыпа́ться (I), просну́ться (I) (to awake)

B

back, спина́
back, наза́д; обра́тно
bad (ly), плохо́й, пло́хо
baggage, бага́ж
bale, тюк
ball, шар
bank, банк
bathe, купа́ться, покупа́ться (I); вы́купаться (I)
bathhouse (pool), купа́льня (e)

battle, сраже́ние; бой; воева́ть, повоева́ть 262
be, быть 21, 116; быва́ть 195
beautiful, краси́вый, прекра́сный
beauty, красота́
beauty (woman), краса́вица
because, потому́ что
because of that, поэ́тому 276
become, станови́ться 193, стать 195
bed, посте́ль
beet, свёкла
before, пе́ред (instr.) 68; до (gen.)
before, as, попре́жнему
beforehand, зара́нее
beg, проси́ть, попроси́ть 149
beggar, ни́щий
begin, начина́ть, нача́ть 131; начина́ться, нача́ться 205
begin to hurry, заспеши́ть (II) P
beginning, нача́ло
behind, за (prep. or acc.) 89, 97; позади́ (gen.)
belief, ве́ра
bell, звоно́к (†о)
beloved, дорого́й, люби́мый
bench ла́вка (о)
besides (s), о́коло (gen.) 82, 83
besides (that), кро́ме (того́)
better, лу́чше
between, ме́жду (instr.) 68
beyond one's strength, непоси́льно
big, большо́й; огро́мный, огро́мен
bigger, бо́льше 216
black, чёрный
blacksmith, кузне́ц
blow, дуть, поду́ть (I)
blue, си́ний
boat, ло́дка (о)
bombardier, бомбарди́ровщик
bombing plane (bomber), бомбарди́ровщик
book, кни́га
boot, сапо́г
border, грани́ца
bored, to be, скуча́ть (I), поскуча́ть (I)
boring, ску́чный, ску́чно
born, to be, рожда́ться,, роди́ться 238
both, о́ба (m. † n.), о́бе (f.) 252
both and, и ..... и 276
boulevard, бульва́р
bow, кла́няться, поклони́ться 193
box, коро́бка (о)

boy, мáльчик
bread, хлеб
breakfast, зáвтрак
breakfast, зáвтракать, позáвтракать (I)
bridge, мост 150
brief, корóткий 124
brigade, бригáда
bright (ly), свéтлый, светлó
bring (by vehicle), привозѝть, привезтѝ 251
bring in, вносѝть, внестѝ 238, 239, вводѝть, ввестѝ 238, 239
broad (ly), ширóкий, широкó
broader, шѝре
brother, брат 193
brow, лоб (†о)
brush, щётка (о)
build, стрóить, построѝть (II)
building, здáние
bulwark, вал
burden, брéмя 194
burdensome, тяжёлый, тяжелó
burn, горéть, сгорéть 262
burst, разрывáться, разорвáться 262
business, дéло
business (like), деловóй
busy, занятóй, зáнят 124
busy oneself with, занимáться, заня́ться 183
but, а 22; но; же 275
butter, мáсло
but then, затó
buy, покупáть, купѝть 138
by the way (conj.), впрóчем 276, мéжду прóчим
Byzantine, византѝйский
Byzantium, Византѝя

C

cabbage, капýста
cabbage soup, щи
cabman, извóзчик
cake, пирóг
call (by phone), звонѝть, позвонѝть (II) 95
call out, кричáть, покричáть (II): крѝкнуть 251
calm, спокóйный; спокóйствие
canal, канáл
cane, тростнѝк
cannon, пýшка (е)

cannonade, канонáда
cap, шáпка (о)
capital, столѝца
captain, капитáн
car, автомобѝль (m.)
car (railroad), вагóн
cards, playing, кáрты
carpet, ковёр (†ё)
carry, носѝть, нестѝ 239, 240
carry in, вносѝть, внестѝ 238, 239
carry out, выполня́ть, вы́полнить 262
cart, возѝть, везтѝ 239
catch (get to), попадáть, попáсть 238
catch sight of, увѝдеть 138
catch the sound of, услы́шать 142
catch up, догоня́ть, догнáть 225
cause, причѝна
ceiling, потолóк (†о)
center, центр
central, центрáльный
century, век
certainly, несомнéнно
chair, стул 193
change, изменя́ть(ся) (I), изменѝть (ся) 295
change (of trains), пересáдка (о)
channel, канáл
character, харáктер
chat, have a, поговорѝть 134
cheap (ly), дешёвый, дёшево
cheaper, дешéвле
check, сдавáть, сдать (в багáж) 160; проверя́ть, провéрить 171
cheese, сыр
chemist, хѝмик
chemistry, хѝмия
chief (person), главá
chief, глáвный
child, ребёнок (†о) 172; дитя́ 172
childhood, дéтство
children, дéти 172
chop, рубѝть (рублю́, рýбишь, рýбят)
Christ, Христóс
Christian, христиáнский
Christianity, христиáнство
Christmas, Рождествó
Christmas tree, ёлка (о)
church, цéрковь (†о)
cigar, сигáра
cigarette, папирóса
circle, круг
citizen (m.), гражданѝн 172
citizen (f.), граждáнка (о) 172

citizens, гра́ждане 172
city, го́род 161; городско́й (adj.)
class (room), класс
clean, чи́стить, вы́чистить 139; убира́ть (I), убра́ть 139; чи́стый (adj.)
cleanse, чи́стить, вы́чистить 139
clear, я́сный
clever (ly), у́мный, умно́ 124
climate, кли́мат
clock, часы́ (pl.)
close, те́сно
close, закрыва́ть, закры́ть 170
closeness, теснота́
cloud, о́блако
club, клуб
coat, пальто́ 34
coffee, ко́фе
coffin, гроб
cold (ly), холо́дный, хо́лодно
cold (head), на́сморк
collect, собира́ть(ся) (I), собра́ть(ся) 215
collection, собра́ние
collective farm, колхо́з
colloquial, разгово́рный
color, цвет 172
come with its characteristic prefixes (входи́ть, выходи́ть etc.). See 245, 246
comfortable, удо́бный, удо́бен; ую́тный, ую́тно
comical, смешно́й
coming, бу́дущий, сле́дующий
command, приказа́ние
commander, команди́р; (staff), нача́льник
commission, поруче́ние
common, о́бщий
communication, сообще́ние
complete (full), по́лный
complete, сде́лать (I)
completely, соверше́нно, совсе́м
complicated, сло́жно
comrade, това́рищ 162; прия́тель (m.)
concerning, о, об, о́бо (prep.)
concert, конце́рт
condition, усло́вие
conduct, води́ть, вести́ 239
conducted, вёл, вела, вело́, вели́
confident, уве́ренный

confined, те́сно
conflagration, пожа́р
constant, постоя́нный
consume, съесть 174
construct, стро́ить, постро́ить (II); устро́ить 252
contemporary, совреме́нный
content, дово́лен, дово́льный; содержа́ние
continue, продолжа́ть, продо́лжить 183
continuous, постоя́нный
contrary, on the, напро́тив 276
contrive, суме́ть 174
convenient, удо́бный, удо́бен, удо́бно 124
conversation, бесе́да, разгово́р
conversational, разгово́рный
converse with, говори́ть, поговори́ть (II)
convey (by vehicle), вози́ть, везти́ 239; привози́ть, привезти́ 251
cook, по́вар
copper, медь
cork, про́бка (о)
corner, у́гол (†о) 150
correct, пра́вильный, прав 124
cost, сто́ить (II)
cotton, хло́пок
cough, ка́шель (†е) (m.)
could, мог, 90
count, насчи́тывать, насчита́ть (I); счита́ть (I)
count (together), сосчи́тывать, сосчита́ть (I)
country, край, страна́; дереве́нский
country house, да́ча
court (yard), двор
cover, накрыва́ть (I), накры́ть 213
cozy, ую́тный
crazy (one), сумасше́дший
creation(s), созда́ние, тво́рчество
creative power, тво́рчество
crowd, толпа́
cry, крик; крича́ть, покрича́ть; кри́кнуть 139, 140, 251
cry out, закрича́ть 251
cultural, культу́рный
culture, культу́ра
cultured, культу́рный
cup, ча́шка
current, тече́ние

D

dam, плоти́на
dark (ly), тёмный, темно́
darkness, тьма
dash, броса́ться, бро́ситься 251
date, число́ (e)
daughter, дочь 215
day, день (†e) (m.) 123, 162
day and night, су́тки (o) (pl.)
daytime, in the, днём
dead, мёртвый
dealings, отноше́ние, сноше́ние
dear (one), дорого́й, ми́лый
dearer, доро́же, миле́е
death, смерть
December, дека́брь (m.)
deck, па́луба
deep (ly), глубо́кий, глубоко́, полново́дный
deeper, глу́бже
demand, тре́бовать, потре́бовать 262
depart, уезжа́ть (I), уе́хать (like е́хать)
department, отделе́ние
departure, отъе́зд
description, описа́ние
desert, пусты́ня
desire, жела́ть, пожела́ть (I)
desire, to get the, захоте́ть 139
desire, to have, хоте́ться 152
dessert, сла́дкое
develop, разраба́тывать (I), разрабо́тать (I)
devour, ску́шать (I), съесть (like есть)
die, умира́ть, умере́ть 238
differ, отлича́ться (I), отличи́ться (II)
different, ра́зный, разли́чный
difficult, тру́дный, тру́дно
diluted, more, жи́же
dine, обе́дать, пообе́дать (I)
dining room, столо́вая 216
dinner, обе́д
dinner, to have, обе́дать, пообе́дать (I)
diploma, дипло́м
direction, направле́ние
director, дире́ктор
discovery, откры́тие
disease, боле́знь
dishes, посу́да

dispute, спо́рить, поспо́рить (II)
disseminate, распространя́ть (I), распространи́ть (II)
dissemination, распростране́ние
distant, далеко́
district, о́бласть
divan, дива́н
dive, пры́гать, пры́гнуть 252
divide, разделя́ть (I), раздели́ть (II)
divided by, разделённое на
division, диви́зия
do, де́лать, сде́лать (I)
doctor, до́ктор 161
dollar, до́ллар
door, дверь
dozen, дю́жина
drama, пье́са
drawing-room, гости́ная 216
dress, пла́тье
dress (oneself), get dressed, одева́ться (I), оде́ться 131
drink, пить 60, попи́ть; **drink!** пей!
drink up, completely, вы́пить (like пить)
drive, е́хать 47, пое́хать; е́здить 69, 141
drive with its characteristic prefixes (въе́хать, вы́ехать, etc.). See 245, 246
droshki (carriage), дро́жки (e)
dull, ску́чный

E

each, ка́ждый
ear, у́хо 184
earlier, ра́ньше
early, ра́нний, ра́но
earn, зараба́тывать, зарабо́тать (I)
easier, ле́гче
east, восто́к
Easter, Па́сха
Easter cake, па́сха
eastern, восто́чный
East Slavic, восточнославя́нский
easy, лёгкий, легко́
eat, есть 40, съесть 174; ку́шать 40, ску́шать (I)
eat! ешь!
economics, эконо́мика
economy, хозя́йство
educated, образо́ванный
education, образова́ние

either ... or, и́ли ... йли 276
elder, ста́рший
eldest, ста́рший
elect, избира́ть (I), избра́ть (like
бра́ть)
electrical, электри́ческий
electrical station, электроста́нция
emperor, царь (m.), импера́тор
empire, госуда́рство
end, коне́ц (†)
end, конча́ть(ся) (I), ко́нчить(ся)
(II); прекраща́ть(ся), прекрати́ть
(ся) 252
energy, эне́ргия
engine, маши́на
engineer, инжене́р
England, А́нглия
English, англи́йский; по-англи́ски
Englishman, англича́нин 171
Englishwoman, англича́нка (о)
enlist, поступа́ть (в а́рмию), посту-
пи́ть 183
enough, доста́точно
enroll, поступа́ть (на университе́т),
поступи́ть 183
enter, входи́ть, войти́ (like ходи́ть,
идти́); поступа́ть, поступи́ть 183
entire, це́лый, весь, вся, всё 226, 227
entirely, совсе́м, соверше́нно
entrance hall, пере́дняя 216
epoch, эпо́ха
equal, ра́вный
equal in importance, наряду́ с, со
equal, is равня́ется
equal to, равно́
era, э́ра
erect, стро́ить, постро́ить (II)
especially, осо́бенно
estate, име́ние
ethics, мора́ль
Europe, Евро́па
European, европе́йский
even, ро́вно (exactly); да́же 275,
хоть
evening, ве́чер 161; вече́рний (adj.)
evening, in the, ве́чером
event, собы́тие
even though, хотя́ бы
everybody, все 226, 227
every (one), ка́ждый, все 226, 227
everything, всё 226, 227
everywhere, везде́, всю́ду
evidently, очеви́дно

exactly, ро́вно, аккура́тно
examination, экза́мен
examine, осма́тривать (I), осмотре́ть
171
example, приме́р; for example на-
приме́р
excellent, прекра́сный
except for, кро́ме
excessive, сли́шком
excuse me, please! прости́! прости́те!
exit, вы́ход
expectation, ожида́ние
expensive (ly), дорого́й, до́рого
expensive, more, доро́же
explain, объясня́ть, объясни́ть 183
explanation, объясне́ние
explode, разрыва́ться, разорва́ться
262
export, вывози́ть, вы́везти 238, 239
extend, раздвига́ть, раздви́нуть 215
eye, глаз 161, 162

F

face, лицо́
factory, заво́д, фа́брика
faculty, факульте́т
faith, ве́ра, рели́гия
fall (autumn), о́сень; осе́нний (adj.)
fall, in the, о́сенью
fall, па́дать, упа́сть 251
fall behind, отстава́ть, отста́ть 251
fall ill, sick, заболе́ть (I)
fame, сла́ва
familiar, знако́мый
family, семья́
family name, фами́лия
famous, знамени́тый; изве́стный
far, far away, далеко́ (от † gen.)
farmer, крестья́нин 171
fashionable, мо́дный
fate, судьба́
father, оте́ц (†е)
fauna, живо́тный мир
favor, ask a, проси́ть, попроси́ть 194
favorite, люби́мый
fear, страх
fear, боя́ться, побоя́ться (II)
feast, пра́здник
feather, перо́ 193
February, февра́ль (m.)
feel (oneself), чу́вствовать(ся), по-
чу́вствовать(ся) 122

feeling, чу́вство
feel like, хоте́ться 152
fellows, ребя́та 172
fertile, плодоро́дный
fever, жар; температу́ра
few, ма́ло 164
few, a, не́сколько
field, по́ле
fight, воева́ть, повоева́ть 262
figure, о́браз
finally, наконе́ц
find out, узнава́ть, узна́ть (I)
fine, прекра́сный
finger, па́лец (†e)
finish, конча́ть (I), ко́нчить (II);
  ока́нчивать, око́нчить 183; сде́лать
  (I)
fire, ого́нь; пожа́р
firewood, дрова́
firm (ly), кре́пкий, кре́пко; реши́-
  тельный; уве́ренный
firmer, кре́пче
first, пе́рвый
first, at, снача́ла; сперва́
fivesome (five), пя́теро 255
flag, зна́мя 194
flame, пла́мя 194
float, плыть 225; пла́вать 239
floor, пол 150; эта́ж
flora, расти́тельный мир
flour, мука́
flower, цвето́к (†о) 172
fluid, жи́дкий
fly, лета́ть, лете́ть 239
following, сле́дующий
food, еда́
foot, нога́
foot, on, пешко́м
footwear, о́бувь
for, для (gen.) 82, 83; за (acc.) 97;
  (in time expressions, 108, 109)
forbidden, it is, нельзя́ 162
forehead, лоб (†о)
foreign, иностра́нный
foreigner, иностра́нец
forest, лес 161
for example, наприме́р
forget, забыва́ть (I), забы́ть (забу́-
  ду, забу́дешь, забу́дут)
forgive, проща́ть (I), прости́ть (про-
  щу́, прости́шь, простя́т)
fork, ви́лка (о)
form, фо́рма, вид

former, пре́жний; formerly, as, по
  пре́жнему
formerly, ра́ньше
found, to be, находи́ться, найти́сь
  205
foursome (four), че́тверо 255
France, Фра́нция
free, свобо́дный
French, францу́зский
French, in, по-францу́зски
Frenchman, францу́з
French woman, францу́женка (о)
frequent, ча́стый
frequent (ly), more, ча́ще
fresh, све́жий
Friday, пя́тница
friend, друг 194; прия́тель (m.)
friend (girl), подру́га
from, из (gen.) 82, 83; от (gen.) 82,
  83, 255; с, со (gen.) 97
front, фронт
front, in (of), впереди́ (gen.); пе́рел
  (instr.) 68
frost, моро́з
fulfill, выполня́ть, вы́полнить 262
full, по́лный, по́лон 124
funny, смешно́й
fur, мех
furniture, обстано́вка (о)
future (one), бу́дущий
future, in the, в дальне́йшем

G

gaily, ве́село
gain, добива́ться, доби́ться 273
garage, гара́ж
garden, сад 150
gate, воро́та (pl.)
gather, собира́ть(ся), собра́ть(ся)
  215
gathering, собра́ние
gay, весёлый
gay, be, весели́ться, повесели́ться
  (II)
general, универса́льный, о́бщий
genius, ге́ний
German (masc.), не́мец (†e)
German (fem.), не́мка (о)
German, in, по-неме́цки
Germany, Герма́ния
get, получа́ть, получи́ть 160

get along, пожива́ть (I), пожи́ть P
(like жить)
get the desire, захоте́ть (like хоте́ть)
get the idea, взду́мать (I)
get to, добира́ться, добра́ться 262;
попада́ть, попа́сть 238
get to like, love, полюби́ть (like лю-
би́ть)
get to like, понра́виться 159, 163
get up, встава́ть 122, встать (вста́ну,
вста́нешь, вста́нут); поднима́ться,
подня́ться 193
get well, поправля́ться (I), попра́-
виться 171
girl, де́вочка (e)
girl friend, подру́га
give, дава́ть 62, дать 138
give away, отдава́ть, отда́ть 238
give regards (to), кла́няться, покло-
ни́ться 193
give up, сдава́ть, сдать 160
glad, рад
glance at, посмотре́ть (на) 160
glass, стака́н
globe, шар
goal, цель
go apart, расходи́ться, разойти́сь 252
go by a vehicle, е́здить, е́хать 69, 141
go (on foot), идти́ 46, 90; пойти́; хо-
ди́ть 69, 141; походи́ть
go up, поднима́ться, подня́ться 193
go with its characteristic prefixes
(входи́ть, выходи́ть etc.). See 245,
246
God, Бог
gold, зо́лото
golf, гольф
good, до́брый; хоро́ший, хорошо́
goodbye, до свида́ния, проща́й, про-
ща́йте
government, прави́тельство
governmental, госуда́рственный
grammar, грамма́тика
granddaughter, вну́чка (e)
grandfather, де́душка (e) 206
grandmother, ба́бушка (e)
grandson, внук
grave, моги́ла, гроб
great, большо́й; вели́кий
greater, бо́льше
Grecian, гре́ческий
Greek, грек; гре́ческий (adj.)
green, зелёный

greet, кла́няться, поклони́ться 193
ground, по́чва
group, гру́ппа
grow (become), станови́ться, стать
193, 175; расти́, вы́расти 205
grow stronger, уси́ливаться (I), уси́-
литься (II)
gruel, ка́ша
guaranteed, обеспе́чен
guest, гость (m.)
gun, пу́шка (e)
gunner, бомбарди́ро́вщик

H

half, полови́на
half an hour, полчаса́
half a pound, полфу́нта
hand, рука́
hand, minute, hour, стре́лка (o)
hand, on the other, зато́
happen, быва́ть (I), быть 195; про-
исходи́ть, произойти́ 262; де́латься
(I), сде́латься (I)
happiness, сча́стье, ра́дость
happy, ра́достный, рад; счастли́вый
(lucky)
harbor, порт
hard, тру́дный, тру́дно
harvest, урожа́й
hat, шля́па
have, име́ть 117; у меня́, etc. 54
have a bite (to eat), поку́шать P (I)
have a desire, хоте́ться 152
have an interest (in), интересова́ть-
ся, поинтересова́ться 162
have a walk, погуля́ть
have dinner, обе́дать, пообе́дать (I)
have to (need, necessity), ну́жно,
на́до 162
have to (obligation), до́лжен 162
hay, се́но
he, он 27, 150
head, голова́
head (chief person), глава́
head cold, на́сморк
headquarters, штаб
head, take into one's, взду́мывать,
взду́мать (I)
heal, лечи́ть(ся) 122; вы́лечить(ся)
(II)
health, здоро́вье
healthy, здоро́вый, здоро́в 124

hear, слы́шать, услы́шать 142
heart, се́рдце (e)
heavy, heavily, тяжёлый, тяжело́
hello! алло́! здра́вствуйте!
help, помога́ть 88 (I), помо́чь (like мочь)
her(s), её; **her own,** свой 116
here, здесь; тут; вот (here is)
here (hither), сюда́
hero, геро́й
high (ly), высо́кий, высоко́
higher, вы́ше
his, его́ 116; **his own,** свой 116, 185
historian, исто́рик
history, исто́рия
hither, сюда́
hold, держа́ть, подержа́ть 81
holiday, пра́здник
holy, свято́й
home (ward), домо́й
home, at, до́ма
honest, откры́тый
honey, мёд
honor, честь
hook, крюк
hors d'oeuvre, заку́ска
horse, ло́шадь
hospital, больни́ца; го́спиталь (m.)
host, хозя́ин
hostess, хозя́йка
hot (ly), горя́чий, горячо́; жа́ркий, жа́рко; **hotter,** жа́рче
hotel, гости́ница
hour, час
hour hand (of clock, watch), стре́лка
house, дом 161
household, housekeeping, хозя́йство
how, как
how are you! здра́вствуйте!
how do you do! здра́вствуйте!
however, впро́чем, одна́ко 276; но
how many, much, ско́лько 53, 164
huge, огро́мный, огро́мен
human being, челове́к 172
humanity, челове́чество
humor, ю́мор
humorous, юмористи́ческий
hundred (unit), со́тня
hunger, го́лод
hungry, го́лоден, голо́дный
hurry, спеши́ть, заспеши́ть (II)
hurt, боле́ть (II)

husband, муж 194
hut, изба́

I

I, я 150
ice, лёд (†е)
idea, иде́я
idea, get the, взду́мать, взду́мывать (I)
identical, одина́ковый
if, е́сли
if, as, как бу́дто
ill, больно́й, бо́лен 124
ill, to be, боле́ть (I)
illness, боле́знь
image, о́браз
immediately, сейча́с же
impatience, нетерпе́ние
import, привози́ть, привезти́ 251
importance, значе́ние
important, ва́жный
impossible, невозмо́жный, нельзя́ 162
impression, впечатле́ние
improve, поправля́ть(ся), попра́вить(ся) 171
in, в (во) (prep. or acc.) 39, 45, 46, 266, при (prep.) 255
incidentally, впро́чем 276
incorrect, непра́вильный
increase, уси́ливаться (I), уси́литься (II)
independence, незави́симость
in fact, действи́тельно
infantry, пехо́та
influence, влия́ние
in front of, пе́ред (instr.) 68
inhabitable, обита́емый
inhabitant, жи́тель (m.)
in order to, чтобы
inspect, осма́тривать (I), осмотре́ть 171
in spite of, несмотря́ на 276
instruct, преподава́ть, препода́ть 183
insult, оби́да
interest oneself in, to have ... in, интересова́ться, поинтересова́ться 238
interesting, интере́сный, интере́сно
in the midst of, среди́
in the presence of, при (prep.) 255
into, в (во) (acc.) 39

introduce (acquaint), представля́ть,
представить 149
introduce (bring in), вводи́ть, ввести́,
вноси́ть, внести́ 238, 239
invitation, приглаше́ние
invite, приглаша́ть, пригласи́ть 149
iron, желе́зный
it, оно́ 27, 150
its, его́ 116; its own, свой 116

J

January, янва́рь (m.)
job, слу́жба (e)
jolly, весёлый, ве́село
joy, ра́дость; удово́льствие
joyful, весёлый
joyfully, ве́село
July, ию́ль (m.)
jump, пры́гать попры́гать (I);
пры́гнуть 252
June, ию́нь (m.)
junior, мла́дший
juridical, юриди́ческий
jurist, юри́ст
just, и́менно
just a minute, сейча́с

K

keep, держа́ть 81, подержа́ть
kilometer, киломе́тр
kind, до́брый
kitchen, ку́хня (o)
knife, нож 162
know, знать (I)
know, begin to, come to, узнава́ть
(узнаю́, узнаёшь, узнаю́т), узна́ть
(like знать)
know how, уме́ть 55, суме́ть (I)
knowledge, зна́ние

L

labor, рабо́та; труд
ladies and gentlemen, господа́ 171
lads, ребя́та 172
lady, госпожа́ 171
lag behind, отстава́ть, отста́ть 251
lake, о́зеро 184
lamp, ла́мпа
land, (dry), сушь
landlady, хозя́йка
landlord, хозя́ин
landmass, сушь

language, язы́к
large, большо́й
last, после́дний, про́шлый
late, по́здний
late, to be, опа́здывать, опозда́ть (I)
laugh, смея́ться, посмея́ться 125
laughter, хо́хот; смех
lawyer, юри́ст
lead, води́ть, вести́ 239
leader, вождь (m.)
leaf (of tree), лист 193
leap, пры́гать, пры́гнуть 252
learn, учи́ться, учи́ть 95, 183; вы́-
учить; изуча́ть, изучи́ть 183
learned, учёный
learning, уче́ние
leather, ко́жа
leave, уходи́ть, уйти́ (on foot) 238;
уезжа́ть (I), уе́хать (like е́хать)
(by vehicle)
leave, to take, проща́ться, прости́ть-
ся 160
left, to the, нале́во
leg, нога́
lemon, лимо́н
less, ме́нее, ме́ньше 216
lesson, уро́к
let, дай 207; пусть, пуска́й 208
let down, спуска́ть, спусти́ть 252
letter, письмо́; бу́ква (letter of the
alphabet)
level, у́ровень (m.)
library, библиоте́ка
lie, лежа́ть, полежа́ть 67
lie down, ложи́ться (II), лечь (ля́гу,
ля́жешь, ля́гут)
lie down! ляг!
life, жизнь
lifting, подня́тие
light, свет; све́тлый, светло́
light (easy), лёгкий, легко́
lighter, ле́гче
like, похо́жий на
like, нра́виться, понра́виться 159, 163
likewise, то́же, та́кже 218
line, строка́
linen, полотно́
liquid, жи́дкий
liquid, more, жи́же
listen (to), слу́шать (I), послу́шать
(I)
literary, литерату́рный
literature, литерату́ра, пи́сьменность

little, ма́ленький; ма́лый, ма́ло 53, 164
live, жить 46
live (ly), живо́й, жи́во; оживлённый
living room, гости́ная 216
lobby, пере́дняя 216
located, to be, находи́ться, найти́сь 205
long, дли́нный; до́лгий, до́лго
long ago, давно́
longer, до́лее, до́льше
look, смотре́ть, посмотре́ть 139
look around, back, огля́дываться (I), огляну́ться (I)
look at with pleasure, любова́ться, полюбова́ться 193
look for, иска́ть, поиска́ть 238
look like, вы́глядеть 215
loud, гро́мкий, гро́мко
louder, гро́мче
love, люби́ть 88, 163
low, ни́зкий
lower, ни́же
lower, спуска́ть, спусти́ть 252
lucky, счастли́вый
lunch, за́втракать, поза́втракать (I)

M

machine, маши́на
madman, сумасше́дший
mail, по́чта
main, гла́вный
make, де́лать (I), сде́лать (I); устра́ивать, устро́ить 252
make an effort! понату́жься!
man, челове́к 172; мужчи́на 205
manner, о́браз
many, so, сто́лько (gen.)
map, ка́рта
March, март
married, жена́т (m.); за́мужем (f.) 215
married, to get, жени́ться (на) (m.); выходи́ть, вы́йти за́муж (за) (f.) 215
master, изуча́ть (I), изучи́ть 183
master, хозя́ин
matter, де́ло
matter, it does not, ничего́
mausoleum, мавзоле́й
May, май
meal (flour), мука́
meaning, значе́ние

means, сре́дство
meat, мя́со
mechanic, меха́ник
medical, медици́нский
medicine, лека́рство; медици́нский (adj.)
meet, собира́ться, собра́ться 215; встреча́ть, встре́тить 138
meet (with), встреча́ться (с + instr.) 126, встре́титься 138
meeting, собра́ние, свида́ние
member, член
memorize, запомина́ть, запо́мнить 183
merchant, купе́ц (†e), продаве́ц (†e)
merry, merrily, весёлый, ве́село; ра́достный
merry, to make, to be, весели́ться, повесели́ться (II)
message, сообще́ние
metal, мета́лл
method, ме́тод
mighty, вели́кий
mile, ми́ля
military, вое́нный
milk, молоко́
mine, мой, моя́, моё 27, 116, 185
mine (explosive), ми́на
minus, ми́нус
minute, мину́та
minute hand (of clock, watch) стре́лка
mixture, смесь
Monday, понеде́льник
money, де́ньги 194
month, ме́сяц 150, 162
morals, мора́ль
more, бо́льше, бо́лее 216; ещё
morning, у́тро
morning, in the, у́тром
mortar shell, mine, ми́на
Moscow, Москва́; моско́вский (adj.)
most, the, са́мый 225
mother, ма́ма; мать 215
mountain, гора́
mouth, рот (†o) 150
move, переводи́ть, перевести́ 171
move apart, раздвига́ть, раздви́нуть 215
movement, движе́ние
movie, кино́ 34
Mr., господи́н 171
Mrs., госпожа́ 171

much, мно́го 53, 164
much respected, многоуважа́емый
much, so, сто́лько (gen.)
mud, грязь
multiplied by, помно́женное на
museum, музе́й
music, му́зыка
must, до́лжен 162
my, мой, моя́, моё 27, 116, 185

N

name (Christian, first), и́мя 150, 194
name (last, family), фами́лия
narrate, расска́зывать, рассказа́ть 183
narrative, расска́з
narrow, у́зкий
narrower, у́же
nation, наро́д
national, наро́дный, национа́льный
native, родно́й
native country, ро́дина
natural resources, приро́дные бога́т-
  ства
nature, приро́да
near, о́коло (gen.) 82, 83; по́дле (gen.) 255; у (gen.) 53
near, бли́зкий
nearer, бли́же
necessary, необходи́мый, ну́жный
necessary, it is, ну́жно; на́до 162; необходи́мо
needed, ну́жно
neighbor (m.), сосе́д
neighbor (f.), сосе́дка (о)
neighboring, сосе́дний
neither ... nor, ни ... ни 276
never, никогда́
nevertheless, всё-таки
new, но́вый
news, но́вость
newspaper, газе́та
next, бу́дущий, сле́дующий
next to, ря́дом, о́коло (gen.)
nice, ми́лый
night, ночь
night, at, но́чью
niveau, у́ровень
no, нет 21, 22
nobody, никто́ 35
noise, шум
noisy, шу́мный
north, се́вер

northern, се́верный
nose, нос
not, не 21, 22
nothing, ничего́ 35
novel, рома́н
November, ноя́брь (m.)
now, сейча́с; тепе́рь
now ... now, то ... то
nowhere, никуда́ (direction), нигде́ (position)
number, коли́чество (quantity), число́ (е) (date), но́мер

O

object, предме́т, вещь
observer, наблюда́тель (m.)
occasion, слу́чай
occupation, заня́тие
occupied, заня́той
occupy, занима́ть, заня́ть 183
October, октя́брь (m.)
of course, коне́чно
off, с, со (gen.) 97
office, конто́ра, положе́ние
oil, нефть
old, ста́рый; стари́нный (ancient)
older, ста́рше, ста́рший, старе́е
on, по (dat.), на (prep. and acc.) 39, 45, 46
once, раз 162; одна́жды (once upon a time)
one, раз (in counting) 162; оди́н, одна́, одно́
one another, друг дру́га 241
oneself, сам, сама́, само́, са́ми 206; себе́, себя́, собо́й 206
one's own, свой, своя́, своё 116, 185
one time раз 162
on foot, пешко́м
only, то́лько
on the contrary, напро́тив 276
on the other hand, зато́
open, откры́тый
open, открыва́ть, откры́ть 138; раздвига́ть, раздви́нуть 215
opera, о́пера
opposite, напро́тив
or, и́ли
orange, апельси́н
orchard, фрукто́вый сад
orchestra, орке́стр
order, приказа́ние
organization, устро́йство

other, другой
our (s), наш, наша, наше 116, 185
out of, из (gen.) 82, 83
outskirts, окраина
over, через (acc.) (across) 89; над (instr.) 68
overcoat, пальто 34
ox, вол

P

pace, шаг
pack, укладывать (I), уложить 160
package, пакет
page, страница
painfully, it is painful, больно
pair, пара
pale, бледный
paper, бумага
park, парк
parlor, гостиная 216
part, часть
part, расходиться, разойтись 252
passer-by, прохожий
pass on, передавать, передать 273
past, прошлый
past, мимо (gen.)
path, путь (m.)
patient, пациент
patronymic, отчество
peace, мир
peasant, крестьянин 171; мужик
peculiar, странный
pedagogical, педагогический
pelt, мех
pen, перо 193
pencil, карандаш 162
people, народ; люди 172
perhaps, может быть
period, период
periodical, журнал
permissible, можно 162
permissible, not, нельзя 162
permit, позволять (I); позволить (II); разрешать, разрешить 149
permitted, it is, можно 162
person, человек 172
philosopher, философ
philosophical, философский
phone, звонить, позвонить (II)
photograph, фотография
physics, физика
piano, рояль (m.)
picnic, пикник
pie, пирог

piece, кусок (†о); (of paper) лист 193
piercing, пронзительный
pipe, трубка (о)
pity, it is a, жаль
place, место
place (lay), класть 46, положить 171
place (stand upright), ставить (ставлю, ставишь, ставят), поставить
place! ставь!
place oneself, становиться, стать 193, 195
place, take, происходить, произойти 262
plain, равнина
plain (ly), простой, просто
plan, план
plant (factory), завод
plantation, плантация
play, играть (I), поиграть (I); пьеса
playing cards, карты
pleasant, приятный, приятно
please, пожалуйста
please, нравиться, понравиться 159, 163
please, if you, хоть
pleased, довольный, доволен 124
pleasure, удовольствие
plus, плюс
poet, поэт
pointer, стрелка (о)
police, полиция
policeman, милиционер
political, политический
poor (one), бедный
popular, народный
populate, населять (I), населить (II)
population, население
porridge, каша
port, порт
porter, носильщик
position, положение
possibility, возможность
possible, it is, можно 162
post office, почта
pound, фунт
power station, гидростанция
powers (creative), творчество
prepare, готовить 105; приготовить 138; собираться (I), собраться 215
prepared, готовый, готов 124
presence, in the (of), при (prep.) 255
present, знакомить, познакомить 149

president, председа́тель (m.), прези-
дент
prettily, ми́ло
price, цена́
principality, кня́жество
print, печа́тать (I), напеча́тать (I)
problem, зада́ча
process, проце́сс
production, произво́дство
professor, профе́ссор 161
program, програ́мма
promise, обеща́ть (I), пообеща́ть (I)
proprietor, хозя́ин
proprietress, хозя́йка
province, о́бласть
pull yourself together! понату́жься!
pupil, учени́к, учени́ца (f.)
purchase, покупа́ть, купи́ть 138
purchase, поку́пка (o)
pure, чи́стый
pursuit (occupation, job), заня́тие
push apart, раздвига́ть, раздви́нуть
215
put (lay), класть 46, положи́ть 170
put (stand upright), ста́вить, (ста́в-
лю, ста́вишь, ста́вят), поста́вить
put! ставь!
put on, одева́ться 125, оде́ться 131

Q

quantity, коли́чество
quarter, че́тверть
question, вопро́с
queue, о́чередь
quick (ly), бы́стрый, ско́рый, бы́стро,
ско́ро (soon)
quiet, споко́йствие; споко́йный,
ти́хий
quiet down, стиха́ть, сти́хнуть 262
quieter, ти́ше
quite, совсе́м, соверше́нно
quite well, ничего́

R

radio, ра́дио 34
rag, тря́пка (o)
rain, дождь (m.)
rainy, дождли́вый
raising, подня́тие
rarely, ре́дко
raw materials, приро́дные бога́тства
reach, добира́ться, добра́ться 262

read, чита́ть, почита́ть; (through)
прочита́ть, проче́сть 174
ready, гото́вый, гото́в 124
reality, реа́льность
really, действи́тельно
rear (of the), тылово́й
reason (cause), причи́на
receive, получа́ть, получи́ть 160;
принима́ть, приня́ть 149
recently, неда́вно
reception, прие́м
reception room, прие́мная, гости́ная
216
recline, лежа́ть 67, полежа́ть (II)
recognize, узнава́ть, узна́ть 160
recover, поправля́ться (I), попра́-
виться 171
red, кра́сный
reform, рефо́рма
regards, give to, кла́няться (I), по-
клони́ться 193
region, край; о́бласть
region of extraction, райо́н добы́чи
region of processing, райо́н обра-
бо́тки
relate, расска́зывать, рассказа́ть 183
relation (attitude), отноше́ние, сно-
ше́ние
relaxation, о́тдых
religion, рели́гия, ве́ра
relish, заку́ска (o)
remarkable, замеча́тельный
remember, по́мнить (II); запомина́ть
(I), запо́мнить (II)
remove, убира́ть (I), убра́ть 139
rent, сдава́ть, сдать 160; снима́ть
(I); снять 171
rent, to be for, сдава́ться, сда́ться
160
replace, заменя́ть (I), замени́ть (II)
report, докла́д
resembling, похо́жий (на)
resolute (ly), реши́тельный, реши́-
тельно
resound, раздава́ться, разда́ться 193
respected, much, многоуважа́емый
rest, о́тдых
rest, отдыха́ть, отдохну́ть 193
restaurant, рестора́н
result, результа́т
rich, бога́тый
richer, бога́че
riches, бога́тство
ride, е́хать, пое́хать 47

ride away, уезжа́ть (I), уе́хать (like е́хать)
ride in, въезжа́ть, въе́хать
ride out, выезжа́ть, вы́ехать
ride through, проезжа́ть, прое́хать
ride up to, подъезжа́ть, подъе́хать
rifle, ружьё
right (direction), пра́вый, прав 124
right, to the, напра́во
ring, звони́ть 95, позвони́ть
rise, встава́ть 122, встать (вста́ну, вста́нешь, вста́нут); поднима́ться, подня́ться 193
river, река́
road, доро́га
roast meat, жарко́е
role, роль (m.)
room, ко́мната, ме́сто
room in a hotel, но́мер
round (about), круго́м
rouse, буди́ть, разбуди́ть 215
route, путь (m.)
rubber tree, каучуконо́с
ruble, рубль (m.)
rug, ковёр (†е)
run, бе́гать, бежа́ть 239
rural, дереве́нский
rush, броса́ться, бро́ситься 251; спеши́ть (II), заспеши́ть (II)
Russia, Росси́я
Russian, ру́сский
Russian (in), по-ру́сски

S

sail, па́рус
sail, плыть 225, 239
sail, set, поплы́ть 225
sailor, матро́с
saint, свято́й
sale, распрода́жа
saleslady, продавщи́ца
salesman, продаве́ц (†е)
salt, соль
same, одина́ковый, ра́вный
samovar, самова́р
satisfied, дово́льный, дово́лен 124
Saturday, суббо́та
say, сказа́ть 138, говори́ть (II)
say goodbye, проща́ться (I), прости́ться 160
scatter, расходи́ться, разойти́сь 252
scene, сце́на
schedule, расписа́ние
scholar, учёный 216

school, шко́ла
science, нау́ка
scientific, нау́чный
scream, визг
sea, мо́ре
search for, иска́ть, поиска́ть 238
secretary (m.) секрета́рь
secretary (f.), секрета́рша
see, ви́деть, уви́деть 138
seed, се́мя 194
seem, вы́глядеть 215; каза́ться, показа́ться 152
seldom, ре́дко
select, избира́ть (I), избра́ть (like брать)
semester, семе́стр
send, присыла́ть, присла́ть; посыла́ть, посла́ть 296
send off, отправля́ть, отпра́вить 160
senior, ста́рший
separate, отделя́ть (I), отдели́ть (II); отде́льный (adj.)
September, сентя́брь (m.)
serious, серьёзный
set sail, плыть, поплы́ть 225
set the table, накрыва́ть (I), накры́ть (накро́ю, накро́ешь, накро́ют)
settle, населя́ть (I), насели́ть (II)
several, не́сколько
shark, аку́ла
sharp, ре́зкий
shave, бри́ться, побри́ться 131
she, она́ 27, 150
sheet (of paper), лист 193
shell, снаря́д
ship, кора́бль (m.)
shipbuilding, кораблестрое́ние
shop, ла́вка (о)
shore, бе́рег
short, коро́ткий 124
shot, вы́стрел
shoulder, плечо́ 184
shout, крича́ть, кри́кнуть, закрича́ть 139, 140, 251
shouting, крик
show, пока́зывать, показа́ть 138
shriek, визг
sick, больно́й, бо́лен 124
sick, to be, боле́ть (I)
sickness, боле́знь
side, сторона́
side by side, наряду́ с, со
side dish, заку́ска (о)

sight, catch (of), увидеть 138
sight see, осматривать (I), осмотреть 171
silk, шёлк
silver, серебро; серебряный
simple, простой, просто
simplicity, простота
sing, петь, спеть 105
singer, певец (†e)
singer (f.), певица
Sir, господин 171
sister, сестра (ё)
sit, сидеть, посидеть 131
sit down, садиться, сесть 125; сядь!
situation, положение; обстановка (о)
six, шестеро 255
skin, кожа
skinny, худой
sky, небо
Slav, славянин
slavery, рабство
Slavic, славянский
sleep, спать, поспать 88
slipper, туфля (е)
sliver, щепка (о)
slowly, медленно
small, маленький
smaller, меньше 216
smell, нюхать, понюхать (I)
smoke, дым
snack, закуска (о)
snapshot, фотография
sniff, нюхать, понюхать (I)
snow, снег
so, так
soap, мыло
society, общество
sofa, диван
soft, мягкий
soil, почва
soldier, солдат 162
solve, разрешать, разрешить 149
so many, much, столько (gen.)
some, несколько, некоторые
sometimes, иногда
something, что-то 263
son, сын 194
song, песня (е)
soon, скоро
sound, звук
soup, суп
source, источник
south, юг
southern, южный

Soviet, советский
space, место
speak, говорить, поговорить 141, 142
specialist, специалист
speech, речь
speed, скорость
splendid, прекрасный
spoon, ложка (е)
sport, спорт
spread, распространять (I), распространить (II)
spring, весна, весенний (adj.)
spring, in the, весной
square, площадь
staff, штаб; штабный (adj.)
staff commander, начальник штаба
stage, сцена
stand, стоять, постоять 225
standard, знамя 194
stand out, отличаться (I), отличиться (II)
star, звезда
state, государство, государственный (adj.); штат
station (railroad), вокзал, станция
station (waterpower), гидростанция
steamship (steamer), пароход
step, шаг
step away, see go away
stifling, душный
still, ещё
stop, прекращать (ся), прекратить (ся) 252; кончать (ся) (I), кончить (ся) (II)
stopper, пробка (о)
store, магазин
story, история, рассказ; (floor) этаж
stout, полный, полон
straight, прямо
straightaway, прямо
strange, странный
stream, течение
street, улица
streetcar, трамвай
strength, сила
strength, beyond (one's), непосильно
strict, строгий
strike (the hour), пробивать (I), пробить (like бить)
strive, стараться, постараться (I)
strive for, добиваться (I), добиться 273
strong, крепкий; сильный

stronger, кре́пче
student, студе́нт, учени́к
student, girl, студе́нтка (о); учени́ца
study, занима́ться (I), заня́ться 183; изуча́ть, изучи́ть 183; уче́ние
subject, предме́т
subordinate, подчинённый
subsequently, в дальне́йшем
subside, стиха́ть (I), сти́хнуть 262
substitute, заменя́ть (I), замени́ть (II)
subway, метро́ 34
success, успе́х
successfully, благополу́чно
such (a one), тако́й
suddenly, вдруг
suffering, му́ка
sufficient, доста́точно
sugar, са́хар, са́харный (adj.)
suitcase, чемода́н
summer, ле́то; ле́тний (adj.)
summer home, да́ча
summer, in the, ле́том
sun, со́лнце 150, 184
Sunday, воскресе́нье
sunset, зака́т (со́лнца)
sup, have supper, у́жинать, поу́жинать (I)
supper, у́жин
sure, to be, пра́вда 276
surprise, удивле́ние
surrender, сдава́ться, сда́ться (like дава́ть, дать)
sweet, сла́дкий
sweeter, сла́ще
sweets, сла́дкое
swim, плыть, поплы́ть 225; пла́вать (I) 239
system, систе́ма

T

table, стол
tablecloth, ска́терть
take, брать, взять 159
take a look, посмотре́ть 160
take leave, проща́ться, прости́ться 160
take off, снима́ть (I), снять 171
take place, происходи́ть, произойти́ 262
tale, расска́з
talk, бесе́да, разгово́р
taxi, такси́

tea, чай
teach, учи́ть 95, 183, вы́учить; преподава́ть, препода́ть 183
teacher, учи́тель (m.) 161
teacher, lady, учи́тельница
teaching, уче́ние
tea pot, ча́йник
tear, разрыва́ть (ся), разорва́ть (ся) 262
tedious, ску́чный
telegram, телегра́мма
telephone, телефо́н
telephone operator, телефони́ст
television set, телеви́зор
tell, сказа́ть 138; расска́зывать, рассказа́ть 183; говори́ть (II)
temperature, температу́ра, жар (fever)
tennis, те́ннис
term, семе́стр
territory, террито́рия
textbook, уче́бник
than, чем 218
thank, благодари́ть, поблагодари́ть (II)
thanks to, благодаря́
thank you, спаси́бо
that, что (conj.) 35, 124; (rel. pron.) 284; тот, та, то 27, 195
the ... the, чем ... тем 218
theater, теа́тр
their (s), их 116
then, пото́м, тогда́, же 275
there, там
therefore, поэ́тому 276
there is, есть 41
there is no, нет 52
there (to), туда́
they, они́ 151
thick, то́лстый
thicker, то́лще
thief, вор
thin, то́нкий; худо́й; жи́дкий (mainly of fluids)
thing, вещь
think, ду́мать, поду́мать (I)
thinner, то́ньше; жи́же (mainly of fluids)
this (one), э́тот, э́та, э́то 27, 194
thither, туда́
thou, ты
though, хоть; хотя́ бы (if only) 276
thought, мысль
threesome, тро́е 255

throat, го́рло
through, че́рез (acc.) 89
Thursday, четве́рг
thus, так
ticket, биле́т
tidy (up), убира́ть (I), убра́ть 139
till, до (gen.)
time, вре́мя 150, 194; пора́; раз (one time)
time, for a long, до́лго
time, in the course of, в дальне́йшем
time, it is, пора́
times, at, времена́ми
time table, расписа́ние
tin, жесть
tired, уста́лый
to, к, ко (dat.) 61, 255
today, сего́дня
together, вме́сте
toil, труд
tomorrow, за́втра
tone, тон
tongue, язы́к
too, сли́шком; (also) то́же; (likewise) та́кже 218
too bad, жаль
torment, му́ка
tourist, тури́ст
toward, к, ко 61, 255
tower, ба́шня (е)
town, го́род 161
trade, торго́вля, торго́вый (adj.)
tradesman, продаве́ц (†е), торго́вец (†е)
traffic, движе́ние
train, по́езд 161
transfer, переводи́ть, перевести́ 171
translate, переводи́ть, перевести́ 171
translation, перево́д
translator, перево́дчик
transmit, передава́ть, переда́ть 273
transport, вози́ть, везти́ 239
travel, е́здить 69, 141, е́хать 47
treat, лечи́ть 122, полечи́ть; вы́лечить (II)
treated, to be, лечи́ться 122, полечи́ться
tree, де́рево 193
tribe, пле́мя 194
trip, пое́здка
trunk, сунду́к
truth, пра́вда
try, стара́ться, постара́ться (I)
try hard! понату́жься!
Tsar, царь (m.)

Tuesday, вто́рник
tundra, ле́со-степь
turn, поворо́т; о́чередь (one's)
turn, повора́чивать, поверну́ть 171
twosome, дво́е 255

U

unavoidable, необходи́мый
uncle, дя́дя 206
uncomfortable, неудо́бный, неудо́бно
under, под (instr.) 89, 97
understand, понима́ть, поня́ть 238
undoubtedly, несомне́нно
unhappy, несча́стный
unification, объедине́ние
universal, универса́льный
university, университе́т
unpleasant, неприя́тный, неприя́тно
until, до (gen.)
up (ward), вверх
up to, до (gen.)
urban, городско́й
usually, обыкнове́нно

V

vacations, кани́кулы
vain, in, напра́сно
varied, разнообра́зный
various, ра́зный, разнообра́зный
vegetables, о́вощи
verdant, зелёный
very, о́чень
vestibule, пере́дняя 216
view, осма́тривать (I), осмотре́ть 171
view, вид
village, дере́вня (е); дереве́нский
violin, скри́пка (о)
visit, быва́ть, быть 195
vivid, живо́й
vodka, во́дка (о)
voice, го́лос 161
voyage, путь (m.)

W

wage war, воева́ть, повоева́ть 262
wait (for), ждать 81, 82, подожда́ть (conjugated like ждать)
waiting, ожида́ние
wake, буди́ть, разбуди́ть 215
wake, просыпа́ться, просну́ться (I)
walk, ходи́ть 69, 141, походи́ть
walk (take a), гуля́ть, погуля́ть (I)

walk with its characteristic prefixes (входи́ть, выходи́ть etc.), see 245, 246
wall, стена́
want, хоте́ть 76, 82; захоте́ть 139; жела́ть (I), пожела́ть (I)
war, война́
warm (ly), тёплый, тепло́
wash, мы́ться 122, вы́мыться 138
watch, часы́ (pl.)
water, вода́
waterpower station, гидроста́нция
wave, волна́
way, доро́га
we, мы 151
wealthy, бога́тый
wear, носи́ть, поноси́ть 239, 240
weather, пого́да
Wednesday, среда́
week, неде́ля
welcome! ми́лости про́сим!
well, здоро́вый, здоро́в 124
well, хорошо́
well! ну!
well, to get, поправля́ться (I), попра́виться 171
went, шёл, шла, шло, шли
west, за́пад
western, за́падный
what, что 35, 124
what kind, sort of, како́й
when, когда́ 40
whence, отку́да
where, где 21, 40
where from, отку́да
where (to), куда́
which, како́й; кото́рый 284
while, пока́
white, бе́лый
who, кто 124; кото́рый 284
whole, це́лый; весь, вся, всё 226, 227
whose, чей, чья, чьё 185
why, почему́
wide, широ́кий
wider, ши́ре
wife, жена́
wind, ве́тер (†е)
window, окно́ (о)
wine, вино́
wineglass, рю́мка (о)
winter, зима́; зи́мний (adj.)

winter, in the, зимо́й
wish, жела́ть, пожела́ть (I); хоте́ть 76, 82
with, с, со (instr.) 68
within, че́рез (acc.)
without, без (gen.) 53
woman, же́нщина, ба́ба (country woman)
woman, beautiful, краса́вица
wood (material), де́рево 193
woods (forest), лес 161
wool, шерсть
word, сло́во
work, рабо́та; слу́жба; труд
work, рабо́тать, порабо́тать (I)
worker, рабо́чий 216
work out, разраба́тывать (I), разрабо́тать (I)
world, свет; мир
worry, беспоко́йство
worse, ху́же
write, писа́ть 52, написа́ть 131
writer, писа́тель (m.); а́втор
written language, пи́сьменность

Y

yard, двор
year, год 150, 241, 266
yell, крик
yellow, жёлтый
yes, да
yesterday, вчера́
yet, ещё (still); одна́ко (however) 276; всё-таки (nevertheless)
you, ты 150 (fam. sing.); вы (Вы) pol. and fam. pl.) 151
young, молодо́й
younger, мла́дше; моло́же
younger, youngest, мла́дший
young people, молодёжь
youngsters, ребя́та 172
your (s), твой, твоя́, твоё (fam. sing.); ваш, ва́ша, ва́ше, (pol. and fam. pl.) 116, 185
youth, мо́лодость; молодёжь (young people)

Z

zone, зо́на

C

INDEX

A

"able, be," 55; past, 90; perfective, 174

accusative case, 30; as direct object, 33 f., 88 f.; after prepositions, *see* prepositions; in time expressions, 108

addition, 254

address, form, of, 15

adjectives, comparison of, 216 f., 225 f.; declension of: basic type of singular endings, 61 f.; in singular: feminine, 99; all genders, hard, 106, soft, 115; in plural: all genders hard and soft, 172; declension tables *see Appendix II*; adjectives used as nouns, 216; short forms of, 123 f.; with cardinal numerals, 196, 254; pronoun-adjectives, *see* pronouns; *see also* "table of adjectives," 233 f.

adverbial participles, 274 f.

adverbs, comparison of, 216 f., 225 f.; in impersonal expressions, 151 f.; indefinite, 263; negative, 263 f.; position of, 22

adversative conjunctions, 276

age expressions, 241; *see also* time

alphabet, 1 f.

"answer, ask," 61

"appear, seem," 152

approximation ("about, ca."), 255

article, 26

"as . . . as," 218

aspects, 130 f., 139 f.

B

"be," present, 21; past, 90; future, 116

"be able," 55; past, 90; perfective, 174

beginning of an action or state (perfective), 139

"become, begin," 195

"be occasionally, habitually," 195

brief or informal action (perfective), 134

"both," declension of, 252

C

capitalization, 7

cardinal numerals, 83, 164, 227, 241; case requirements, 83, 164, 196, 228, 254; declension of "one," 196; declension of all others, 253 f.; listing of, *Appendix II*

cases, table of, 30; *see also* respective names of cases; *see also* declension

collective numerals, 255

comparison of adjectives and adverbs: comparative, compound, 216; simple, 217 f.; superlative, compound, 225; simple, 225 f.; with всего́, всех, 226

concession or generalization, subjunctive, 274; concessive conjunctions, 276

conclusive conjunctions, 276

conditions, real and contrary to fact, 264 f.

conjugation, first, 34 f.; second, 68 f.; irregular first, 46 f.; past tense (first, second, irregular), 89 f.; *see also* tenses, verb, Appendix II

conjunctions, adversative, concessive, conclusive, distributive, emphatic, 275 f.; "and," 22; "if," 265; "that," 35; "where, whereto," 41

D

date expressions, day, week, month, 108 f., 186; day, month, year, 265 f.; *see also* time expressions

dative case, after prepositions, *see* prepositions; as indirect object, 60,

ADDITIONAL FEATURES

C